La cassure

SOUS LA DIRECTION DE

**Bertrand Badie
et Dominique Vidal**

La cassure

— **L'état du monde 2013**

La Découverte
9 *bis*, rue Abel-Hovelacque
75013 Paris

► **Vous trouverez toutes les indications pour vous connecter au site**
www.etatdumonde.com **dans la page couleur située au début du livre.**

► **Conception graphique** ▷ de la couverture **Philippe Rouy**
▷ de l'intérieur **Andréas Streiff**

Si vous désirez être tenu régulièrement informé de nos parutions, il vous suffit de vous abonner gratuitement à notre lettre d'information bimensuelle par courriel, à partir de notre site

www.editionsladecouverte.fr

où vous retrouverez l'ensemble de notre catalogue.

ISBN   978-2-7071-7356-0

Table

II.   Transitions. Entre facteurs de blocage et esquisses d'alternatives

III.   Conflits et enjeux régionaux

Table 7

Un livre et un site complémentaires

Depuis son lancement en 1981, *L'état du monde* scrute et accompagne les mutations de la planète. Son réseau d'auteurs prend appui sur des centaines d'équipes de recherche, en France et à l'étranger, dans toutes les disciplines liées à l'international.

À partir de 2003 a également paru chaque année un cédérom (devenu en 2006 un site Internet), proposant des ressources complètes, vérifiées et pédagogiques sur le monde contemporain.

Le livre : un diagnostic de la planète en 2012

L'état du monde scrute les grandes mutations politiques, économiques, sociales, diplomatiques, mais aussi technologiques ou environnementales à travers une trentaine d'articles incisifs, permettant aux lecteurs de rapprocher et de resituer dans un contexte global des phénomènes en apparence isolés. Cette édition 2013 s'attache notamment à analyser la rupture partout manifeste, en dictature comme en démocratie, entre le social et le politique. Divers articles s'intéressent ainsi à la crise généralisée de la représentation politique et à l'exaspération populaire que finissent par susciter, de l'Europe à la Russie et à la Chine en passant par le monde arabe et le Moyen-Orient, les manquements des dirigeants et des institutions. Prolongeant ce constat de défaillance du politique, d'autres articles font le point sur l'immixtion du privé dans l'élaboration des politiques publiques (économie, éducation, santé, développement agricole…), mais aussi sur les modes de vigilance et de mobilisation développés au sein des sociétés pour peser sur ces décisions.

Enfin, des articles « régionaux » viennent expliquer les tensions stratégiques et diplomatiques majeures, illustrant l'évolution des conflits et des doctrines militaires : enjeu nucléaire au Moyen-Orient ; conséquences et implications des sorties de guerre en Irak et en Afghanistan ; contradictions de la nouvelle diplomatie turque ; crises ivoirienne ou nigériane…

Ces analyses, traitées par les meilleurs spécialistes et couvrant toutes les disciplines liées à l'international, sont organisées en trois grandes rubriques :

I. Ruptures. Surdité du politique et exaspération des sociétés

II. Transitions. Entre facteurs de blocage et esquisses d'alternatives

III. Conflits et enjeux régionaux

Le site : des analyses et données complètes et actualisées pour chaque pays ; la profondeur historique des archives

À portée de clic, l'*Encyclopédie de L'état du monde* met à la disposition des internautes :

– le bilan politique, économique et diplomatique de l'année 2011-2012 pour chaque État et territoire de la planète, ainsi qu'une page complète de ressources sur ces pays (cartes, fiches d'informations institutionnelles [gouvernants, principaux partis, nature du régime, etc.], statistiques de l'année 2011, références bibliographiques, sites Internet, etc.)

– 11 chronologies continentales et thématiques 1987-2012

– des données statistiques démographiques, économiques et sociales portant à la fois sur l'année 2011 et sur vingt-cinq ans pour les grands pays de la planète.

mais aussi :

– la profondeur historique de plus de 30 ans d'archives de *L'état du monde*, analysant les principaux conflits des trois dernières décennies (de la première guerre en Afghanistan à celle de Tchétchénie ou du génocide rwandais à la tragédie du Darfour) ; les grandes crises économiques et financières ; la disparition de l'ancien bloc soviétique et celle de l'apartheid en Afrique du Sud ; l'apparition de la société de la communication et des

grands débats sur la mondialisation ; les enjeux environnementaux ; les soulèvements populaires et les suites des « printemps arabes »
– tous les articles du *Dictionnaire géopolitique et historique du XXe siècle* (publié à La Découverte) et la Chronologie mondiale du grand XXe siècle (1880-2005).

L'ensemble constitue une base documentaire unique (plus de 8 000 articles, 10 000 liens, 40 000 données statistiques...). C'est un outil pédagogique indispensable à la fois aux lycéens, aux étudiants et aux enseignants, et une source d'information irremplaçable pour le grand public.
L'état du monde se lit désormais comme le « *roman vrai de l'actualité mondiale* », tandis que le site confirme sa vocation de base de données complète, fiable et interprétée, sans équivalent sur Internet.

▶ **Vous trouverez toutes les indications pour vous connecter au site** www.etatdumonde.com **dans la page couleur située au début du livre.**

██████ **Sur le site, le bilan de l'année de tous les pays par les meilleurs spécialistes**

AFRIQUE. Afrique du Sud : Sophie DIDIER, géographe, Institut français d'Afrique du Sud ; **Algérie :** Akram BELKAÏD, journaliste, IPEMED ; **Angola :** Didier PÉCLARD, science politique, Fondation suisse pour la paix (Swisspeace) ; **Bénin :** Cédric MAYRARGUE, science politique, LAM ; **Botswana :** Marianne SÉVERIN, science politique, LAM ; **Burkina Faso :** Issiaka MANDÉ, science politique, UQAM ; **Burundi :** Barbara VIGNAUX, journaliste ; **Cameroun :** Maurice ENGUELEGUELE, science politique, CURAPP-CNRS, Université de Picardie ; **Cap-Vert :** Camille BAUER, journaliste ; **Centrafrique :** Emmanuel CHAUVIN, géographe, Université Paris-1 ; **Comores :** Francis SOLER, journaliste, rédacteur en chef de *La Lettre de l'océan Indien* ; **Congo-Brazzaville :** Sylvie AYIMPAM, sciences politiques et sociales, études du développement, CEMAf ; **Côte-d'Ivoire :** Michel GALY, politologue, spécialiste de la Côte-d'Ivoire ; **Djibouti :** Roland MARCHAL, science politique, CERI-Sciences Po ; **Égypte :** Nina HUBINET, journaliste ; **Érythrée :** Roland MARCHAL ; **Éthiopie :** Roland MARCHAL ; **Gabon :** Maurice ENGUELEGUELE ; **Gambie :** Camille BAUER ; **Ghana :** Augusta CONCHIGLIA, journaliste ; **Guinée :** Cédric MAYRARGUE ; **Guinée-Bissau :** Camille BAUER ; **Guinée équatoriale :** Maurice ENGUELEGUELE ; **Kénya :** Hervé MAUPEU, science politique, Université de Pau et des Pays de l'Adour, CREPAO ; **Lésotho :** Marianne SÉVERIN ; **Libéria :** Cédric MAYRARGUE ; **Libye :** Delphine PERRIN, sociologie et droit public, Institut universitaire européen de Florence ; **Madagascar :** Francis SOLER ; **Malawi :** Mathieu MÉRINO, science politique, Université de Pau et des Pays de l'Adour, CREPAO ; **Mali :** Ophélie RILLON, historienne, CEMAf ; **Maroc :** Lamia ZAKI, science politique, IRMC (Tunis) ; **Maurice :** Francis SOLER ; **Mauritanie :** Almamy LY, économiste du développement, CEDIMES ; **Mozambique :** Marianne SÉVERIN ; **Namibie :** Marianne SÉVERIN ; **Niger :** Issiaka MANDÉ ; **Nigéria :** Laurent FOURCHARD, historien, IEP-Bordeaux, LAM ; **Ouganda :** Pauline BERNARD, histoire de l'Afrique contemporaine, CEMAf ; **République démocratique du Congo :** Jean-Claude WILLAME, science politique, Université catholique de Louvain ; **Réunion :** Francis SOLER ; **Rwanda :** Hélène DUMAS, CEAf-EHESS ; **São Tomé et Principe :** Maurice ENGUELEGUELE ; **Sénégal :** Camille BAUER ; **Seychelles :** Francis SOLER ; **Sierra Léone :** Cédric MAYRARGUE ; **Somalie :** Roland MARCHAL ; **Soudan :** Roland MARCHAL ; **Swaziland :** Marc-André LAGRANGE, chercheur, spécialiste des programmes d'aide humanitaire dans les zones de conflits ; **Tanzanie :** Barbara VIGNAUX ; **Tchad :** Emmanuel CHAUVIN ; **Togo :** Maurice ENGUELEGUELE ; **Tunisie :** Vincent GEISSER, science politique, IFPO de Beyrouth ; **Zambie :** Mathieu MÉRINO ; **Zimbabwé :** Mathieu MÉRINO.

PROCHE ET MOYEN-ORIENT. Afghanistan : Frédéric BOBIN, journaliste, correspondant en Asie du Sud pour *Le Monde* ; **Arabie saoudite :** Akram BELKAÏD, journaliste, IPEMED ; **Autonomie palestinienne :** Jean-François LEGRAIN, historien, GREMMO-CNRS ; **Bahreïn :** Akram BELKAÏD ; **Émirats arabes unis (EAU) :** Akram BELKAÏD ; **Irak :** Pierre-Jean LUIZARD, histoire de l'islam, Groupe Sociétés, Religions, Laïcités, CNRS-EPHE ; **Iran :** Thierry COVILLE, économiste, spécialiste de l'Iran, IRIS, Novancia ; **Israël :** Alain DIECKHOFF, science politique, CERI-Sciences Po ; **Jordanie :** Vincent LEGRAND, science politique/relations internationales,

Université catholique de Louvain ; **Koweït :** Akram Belkaïd ; **Liban :** Joseph Bahout, science politique, Sciences Po, Académie diplomatique internationale ; **Oman :** Akram Belkaïd ; **Pakistan :** Mariam Abou Zahab, sociologie politique, CERI-Sciences Po, Inalco ; **Qatar :** Akram Belkaïd ; **Syrie :** Leïla Vignal, géographe, CNRS, Université Rennes-2 ; **Yémen :** Laurent Bonnefoy, science politique, chercheur à l'Institut français du Proche-Orient.

ASIE MÉRIDIONALE ET ORIENTALE. Bangladesh : Frédéric Bobin, journaliste, correspondant en Asie du Sud pour *Le Monde* ; **Bhoutan :** Pustak Ghimire, anthropologie sociale et ethnologie, CNRS, Oxford University ; **Brunéi :** Jules Nadeau, sinologue, consultant en affaires asiatiques, Montréal ; **Cambodge :** Adrien Le Gal, journaliste spécialisé Asie du Sud-Est ; **Chine :** Claude Chevaleyre, histoire, sinologie, EHESS ; **Corée du Nord et Corée du Sud :** Jean-Raphaël Chaponnière, économiste, Asia Centre ; **Fédération de Malaisie :** Jules Nadeau ; **Inde :** Jean-Luc Racine, géopolitique, Centre d'études de l'Inde et de l'Asie du Sud, CNRS/EHESS ; **Indonésie :** François Raillon, science politique, CNRS ; **Japon :** Régine Serra, science politique, relations internationales, Sciences Po ; **Laos :** Jules Nadeau ; **Maldives :** Emmanuelle Charrière, langues et civilisation de l'Asie du Sud, Inalco, Sciences Po ; **Mongolie :** Daniel Goma Pinilla, histoire contemporaine, Université de Barcelone ; **Myanmar :** Nicolas Salem Gervais, géographie humaine, langues (birman, thaï, lao), INALCO ; **Népal :** Pustak Ghimire ; **Philippines :** Dominique Caouette, relations internationales/science politique, Université de Montréal ; **Singapour :** Jules Nadeau ; **Sri Lanka :** Emmanuelle Charrière ; **Taïwan :** Jules Nadeau ; **Thaïlande :** Christine Chaumeau, *Courrier International* ; **Timor oriental :** Frédéric Durand, géographe, Université Toulouse-2 ; **Vietnam :** Yann Vinh, science politique, relations internationales.

PACIFIQUE SUD. Australie : Xavier Pons, études australiennes, Université Toulouse-2 ; **États indépendants de Mélanésie, de Micronésie, de Polynésie, Territoires sous contrôle de la France, Territoires sous contrôle des États-Unis :** Bastien Bosa (anthropologue, Universidad del Rosario, Bogota) et Éric Wittersheim (anthropologue, PIDP, East-West Center-Hawaii) ; **Nouvelle-Zélande :** Bastien Bosa et Éric Wittersheim.

AMÉRIQUE DU NORD. Canada : Alain Noël, science politique, Université de Montréal ; **États-Unis :** Ibrahim A. Warde, relations internationales, Tufts University ; **Mexique :** Julie Devineau, science politique, CESPRA, EHESS.

AMÉRIQUE CENTRALE ET DU SUD. Argentine : Denis Merklen, sociologue, IRIS, EHESS ; **Bélize :** Laurent Jalabert, histoire contemporaine, Université de Pau et des Pays de l'Adour ; **Bolivie :** Cécile Casen, science politique, CREDA, IHEAL ; **Brésil :** Dominique Vidal, sociologue, Université Paris-7 ; **Chili :** Cecilia Baeza, science politique, relations internationales, Université de Brasilia ; **Colombie :** Sophie Daviaud, science politique, IEP-Aix-en-Provence, Cherpa ; **Costa Rica :** David Garibay, science politique, Université Lyon-2 ; **Cuba :** Janette Habel, politologue, IHEAL, **El Salvador :** David Garibay ; **Équateur :** Marc Le Calvez, science politique, IHEAL ; **Grandes Antilles (hors Cuba) :** Laurent Jalabert ; **Guatémala :** David Garibay ; **Guyana :** Laurent Jalabert ; **Guyane française :** Laurent Jalabert ; **Honduras :** David Garibay ; **Nicaragua :** David Garibay ; **Panama :** David

GARIBAY ; **Paraguay :** Gérard GÓMEZ, civilisation et littérature latino-américaines, Aix-Marseille Université ; **Pérou :** Cécile LAVRARD-MEYER, histoire, économie du développement, Harvard University ; **Petites Antilles :** Laurent JALABERT ; **Suriname :** Laurent JALABERT ; **Uruguay :** Denis MERKLEN ; **Vénézuela :** Frédérique LANGUE, histoire de l'Amérique latine, CNRS.

EUROPE OCCIDENTALE ET MÉDIANE. Albanie : Gilles DE RAPPER, ethnologie, IDEMEC-CNRS ; **Allemagne :** Pierre-Yves BOISSY (science politique/réalités internationales, Sciences Po) et Jean-Daniel WEISZ (économiste, WCA-Knowledgeable) ; **Andorre :** rédaction ; **Autriche :** Reinhold GAERTNER, science politique, Université d'Innsbruck (trad. fr. Rachel BOUYSSOU) ; **Belgique :** Richard WERLY, *Le Temps* (Genève) ; **Bosnie-Herzégovine :** Emmanuelle CHAVENEAU, géographe, Université Paris-4 ; **Bulgarie :** Nadège RAGARU, politologue, CERI-Sciences Po ; **Chypre :** Gilles BERTRAND, science politique/relations internationales, IEP-Bordeaux, SPIRIT ; **Croatie :** Diane MASSON, politologue, analyste sur les Balkans ; **Danemark :** Vincent SIMOULIN, sociologue, CERTOP, Université Toulouse-2 ; **Espagne :** Hubert PERES, science politique, Université Montpellier-1 ; **Estonie :** Philippe PERCHOC, relations internationales, CERI-Sciences Po ; **Finlande :** Vincent SIMOULIN ; **France :** Vincent TIBERJ, sociologie politique, CEE-Sciences Po ; **Grèce :** Gilles BERTRAND ; **Groenland :** Vincent SIMOULIN ; **Hongrie :** Guillaume CARRÉ, journaliste ; **Irlande :** Wesley HUTCHINSON, civilisation irlandaise, Université Paris-3 ; **Islande :** Vincent SIMOULIN ; **Italie :** Jean-Louis BRIQUET, science politique, Centre européen de sociologie et de science politique (CESSP), directeur de recherche au CNRS ; **Kosovo :** Yves TOMIC, spécialiste des Balkans, BDIC (Bibliothèque de documentation internationale contemporaine), Université Paris-11 ; **Lettonie :** Philippe PERCHOC ; **Liechtenstein :** Claude ANSERMOZ, journaliste, *24 Heures* ; **Lituanie :** Philippe PERCHOC ; **Luxembourg :** Richard WERLY ; **Macédoine :** Gilles BERTRAND ; **Malte :** Gilles BERTRAND ; **Monaco :** rédaction ; **Monténégro :** Yves TOMIC ; **Norvège :** Vincent SIMOULIN ; **Pays-Bas :** Richard WERLY ; **Pologne :** Georges MINK, sociologie/science politique, ISP, CNRS ; **Portugal :** Marie-Line DARCY, journaliste ; **République tchèque :** Sandrine DEVAUX, science politique ; **Roumanie :** Antonela CAPELLE-POGACEAN, science politique, CERI-Sciences Po ; **Royaume-Uni :** Agnès ALEXANDRE-COLLIER, civilisation britannique, Université de Bourgogne ; **Saint-Marin :** rédaction ; **Serbie :** Yves TOMIC ; **Slovaquie :** Roman KRAKOVSKÝ, historien, IEP, Université Paris-1 ; **Slovénie :** Liliane PETROVIC, économiste, chercheur indépendant ; **Suède :** Vincent SIMOULIN ; **Suisse :** Claude ANSERMOZ ; **Turquie :** Élise MASSICARD, sociologie politique, CNRS, EHESS ; **Vatican :** Michel COOL, journaliste.

ESPACE POSTSOVIÉTIQUE. Arménie : Charles URJEWICZ, historien, Inalco ; **Azerbaïdjan :** Raphaëlle MATHEY, anthropologie politique, EHESS, LAIOS ; **Biélorussie :** Alexandra GOUJON, science politique, Université de Bourgogne ; **Géorgie :** Silvia SERRANO, science politique, Université d'Auvergne, CERCEC ; **Kazakhstan :** Sébastien PEYROUSE, science politique, IRIS, Woodrow Wilson International Center for Scholars (Washington DC) ; **Kirghizstan :** Sébastien PEYROUSE ; **Moldavie :** Gilles LEPESANT, géographe, CNRS, CERI-Sciences Po ; **Ouzbékistan :** Sébastien PEYROUSE ; **Russie :** Gilles FAVAREL-GARRIGUES, CNRS, CERI-Sciences Po ; **Tadjikistan :** Sébastien PEYROUSE ; **Turkménistan :** Sébastien PEYROUSE ; **Ukraine :** Gilles LEPESANT

I. Ruptures. Surdité du politique et exaspération des sociétés

La politique en perte de sens

Bertrand Badie
Science politique, IEP-Paris

L'idée de modernité dans l'histoire occidentale a longtemps été confondue avec celle d'un ordre politique en même temps rationalisé et en étroite symbiose avec les attentes venues de la société. C'est pourquoi l'État de droit et la démocratie en sont très vite devenus les symboles, avec un degré de légitimité leur donnant une portée universelle et en faisant des produits évidents d'exportation, notamment vers les pays récemment décolonisés.

Le sens acquis par le politique à la faveur des Lumières, des révolutions démocratiques et de l'avènement de la société industrielle était devenu la clé du succès remporté par le modèle occidental : il désignait en même temps une efficacité, un contrat reposant sur la délégation et la représentation, une souveraineté et un ordre normatif garants de la stabilité.

On n'était pas seulement dans le domaine de l'autorité, mais aussi dans celui de la mobilisation : le politique garantissait l'ordre, mais construisait aussi les engagements. Ce système, étonnamment fonctionnel, est partout lézardé, et la seconde décennie du nouveau millénaire en porte tout particulièrement la marque, jusqu'à y trouver l'explication principale de ses difficultés.

Des racines profondes

La crise a été longue à venir. Faut-il s'en étonner dans le cas d'une construction si complexe ? Elle a été marquée par des prémices multiples, mais connaît aujourd'hui un systématisme qui unifie les mondes. La première onde de déstabilisation a presque cinquante ans : elle touchait les pays du Sud. On a eu probablement tort de ne pas s'en soucier outre mesure, tant elle est devenue une composante forte des malaises d'aujourd'hui. Elle résulte d'une exportation plaquée, peu contrôlée et peu critiquée, du modèle politique occidental vers les pays qui venaient d'accéder à l'indépendance. L'État-nation, le gouvernement représentatif, les grandes idéologies, libérales ou marxistes, la laïcité : tout était transféré comme des usines, clés en main, sans qu'on se fût alors soucié de contrôler si le sens suivait, c'est-à-dire se recomposait mécaniquement à l'identique au sein des populations importatrices. Bien pire, si le sens tardait à venir, suivant une naïveté développementaliste, on s'autorisait à forcer quelque peu en promouvant une « autocratie modernisatrice » dont tout le monde s'accommodait, sauf, bien sûr, les peuples concernés.

Ce fut là une première crise de sens du politique, et une première « cassure » entre le social et le politique dont on a pu mesurer à quel point elles revenaient au centre de l'actualité, avec le « printemps arabe » mais aussi la crise ivoirienne, sans compter les souffrances chroniques de la Somalie, de la République démocratique du Congo (RDC) ou du Sahel… Au demeurant, le Sud n'était pas le seul à être touché, puisque l'échec écornait la prétention universaliste du modèle politique occidental, c'est-à-dire l'un des fondements de son identité.

La deuxième crise fit souche, une décennie plus tard, avec l'apparition des symptômes de la mondialisation. Cette fois, plusieurs des traits de la modernité politique furent attaqués : la souveraineté, la territorialité, la vertu des politiques publiques nationales (donc de la délibération populaire) perdaient d'un coup une part essentielle de leur sens. Nul doute qu'à chaque crise frappant la mondialisation, le phénomène venait à s'aggraver et à prendre une dimension critique.

Avec les secousses, d'abord financières, apparues dès 1997 et sensiblement aggravées à partir de 2007, les délocalisations, l'anonymat des flux financiers transnationaux, les mobilités humaines, et notamment les migrations, défiaient l'entendement politique établi et alimentaient les suspicions populaires à l'encontre non seulement des gouvernants, mais du système en général. Poison mortel des démocraties telles qu'elles furent conçues, l'anéantissement de la capacité responsive et redistributrice des États devenait fatal à la légitimité de ceux-ci et les séparait davantage des sociétés.

La troisième déstabilisation est liée à la chute du Mur et à la fin de la bipolarité. Celle-ci, particulièrement dans ses phases les plus aigues, avait assuré la pérennisation du modèle étatique ; elle avait prolongé le principe de territorialité en lui donnant un sens tout particulier dans une situation d'affrontement ; elle assurait une capacité forte d'interprétation du monde, donc d'engagement et de mobilisation. L'effondrement des idéologies, remarquable dès la fin des années 1980, entraîna dans sa chute les partis communistes occidentaux, et plus généralement les formations de la gauche radicale : il amoindrissait ainsi le débat public, notamment en France, en Grèce, en Italie, en Espagne ou au Portugal, c'est-à-dire justement dans les pays où aujourd'hui la crise de sens du politique apparaît de la manière la plus évidente. Parallèlement, l'État perdait de sa crédibilité et de sa légitimité et s'éloignait des secteurs de la société les plus frappés.

Cette régression de la bataille des idées et donc du débat public a peu à peu débouché sur une exaltation de l'économie, érigée en science exacte, valorisée par un surinvestissement dans les modèles mathématiques et construite comme science du management de la mondialisation. Comme le souligne alors le sociologue finlandais Teivo Teivainen, cette réévaluation de l'économie dans la pensée, dans l'enseignement, comme dans le mode de décision se fait au détriment du politique qui se marginalise et perd de sa signification propre [1].

L'impératif économique commande et légitime les sacrifices demandés, les changements de gouvernement (y compris chez les autres) comme le renoncement aux traits culturels qui risquaient de le contrarier. L'histoire politique des nations s'en trouve abolie au profit d'un lissage qui, notamment dans l'Union européenne, se fait au profit des modèles propres aux sociétés les plus performantes dans le domaine de l'économie, voire de la finance. D'où cette vogue que connaît le modèle nord-européen au détriment de ceux qui distinguèrent autrefois l'Europe latine. Plus encore, la promotion de cette science du management rend le politique inutile, la démocratie devenant procédurière et le choix politique, inévitablement, de plus en plus illusoire.

Si l'on met bout à bout ces trois crises qui jalonnent les dernières décennies, qui se cumulent et s'aggravent au lieu de se résorber, on s'aperçoit que tout ce qui donnait sens au politique moderne est aujourd'hui atteint : la prétention universaliste d'une configuration politique née pourtant des hasards et des vicissitudes de l'histoire occidentale ; la souveraineté et la territorialité qui marquaient l'originalité du modèle étatique ; la capacité de protection qui faisait sa popularité au sein des opinions publiques ; les vertus de la représentativité et la capacité des gouvernés de limiter et contrôler leurs gouvernants et de débattre de leurs choix. Ce qui articule le social au politique est ainsi mis en péril.

---

1 Teivo TEIVAINEN, *Enter Economism, Exit Politics. Experts, Economic Policy and the Damage to Democracy*, Zed Books, Londres/New York, 2002.

▰▰▰ Un conservatisme méthodique

Rarement la capacité d'adaptation des structures politiques ainsi défiées a été aussi faible. À la fin du XIXᵉ siècle, les forces les plus conservatrices avaient su réagir pour sauver leur couronne, en élargissant le droit de suffrage, en élaborant des lois sociales, en acceptant peu à peu une politique de redistribution. Il est vrai qu'alors l'ampleur du débat public servait d'aiguillon. Aujourd'hui, rien ne vient directement bouleverser ni déranger l'immobilisme ambiant.

Les systèmes partisans sont figés dans des formes de plus en plus décalées par rapport aux transformations sociales. Les règles du marketing politique se substituent à l'effort de traduction des intérêts sociaux : au moment des élections parlementaires en Espagne, 89 % de la population déclarait que les partis « ne s'intéressaient qu'à eux-mêmes », tandis que deux tiers des électeurs français trouvaient en février 2012 que la campagne électorale présidentielle « n'était pas intéressante ». Les taux de participation sont partout en baisse, pendant que la volatilité du corps électoral bat des records : en France, à six semaines de la consultation présidentielle, 57 % des votants potentiels déclaraient ne pas avoir effectué un choix définitif, tandis qu'au second tour de l'élection la participation restait inférieure à ce qu'elle était cinq ans auparavant, avec, en plus, une augmentation des bulletins blancs et nuls... Pire encore, les élections législatives, un mois plus tard, atteignaient les taux de 42,8 % d'abstention au premier tour et de 44 % au second – des niveaux records pour un scrutin législatif.

L'élection elle-même se trouve marginalisée. Les conditions de l'arrivée au pouvoir de Mario Monti en Italie ou de Lucas Papademos en Grèce suggèrent que le choix des électeurs compte moins que l'impératif économique et qu'il n'est donc plus le seul acte déterminant dans la restructuration du pouvoir au sein des démocraties. Le décalage apparaît de plus en plus brutal entre la délibération nationale, foyer par excellence de l'élection, et les lieux réels de décision qui se déportent de plus en plus vers des niveaux macro-régionaux ou internationaux, davantage éloignés de l'exercice de la démocratie : Conseil européen, G-8, FMI... La crise monétaire européenne révèle même que des enjeux aussi régaliens que l'avenir de la monnaie échappent désormais tant au choix populaire qu'au cadre national de la délibération souveraine. En réaction, les nouveaux mouvements sociaux tendent à récuser l'usage du droit de vote.

Face à ces tendances, la classe politique retrouve les vieilles crispations élitistes dont on pensait un temps que les progrès de la démocratie en avaient eu raison. La propension des présidents sortants à solliciter, même par les subterfuges les plus douteux, la reconduction de leur mandat, va clairement dans ce sens : Vladimir Poutine qui, après avoir permuté dans ses fonctions avec son Premier ministre, Dmitri Medvedev, se représente en mars 2012 devant les électeurs et retrouve son ancien mandat en bourrant les urnes ; Abdoulaye Wade qui, après avoir effectué deux mandats présidentiels à la tête du Sénégal, brave, par manipulation, l'interdiction de solliciter un troisième mandat. Blaise Compaoré au Burkina Faso, en novembre 2010, Joseph Kabila en RDC, Paul Biya au Cameroun et Yaya Jammeh en Gambie, en 2011, connaissent les mêmes réflexes.

Cet élitisme affiché se manifeste aussi par l'approfondissement et la consolidation des réseaux réunissant les gouvernants tout en éloignant ceux-ci des gouvernés : la Commission européenne et la Banque centrale européenne (BCE) apparaissent comme des lieux privilégiés de production de ressources politiques et de collusions, réunissant notamment Mario Draghi, le nouveau président de la BCE, Mario Monti, le nouveau Premier ministre italien, et Lucas Papademos, le nouveau Premier ministre grec – tous trois affiliés à un moment de leur carrière à la banque Goldman Sachs. Mario Draghi a par ailleurs fréquenté le Massachusetts Institute of Technology (MIT), où il a soutenu sa thèse en 1977, dans le même établissement et la même année que Lucas Papademos (qui a aussi enseigné à Columbia et travaillé à la Réserve fédérale des États-Unis), et deux ans avant Ben Bernanke, président de la Fed, lui aussi issu de la même université. Tout comme Stanley Fisher, gouverneur de la banque d'Israël, qui y soutint sa thèse en 1969 et y enseigna vingt-six ans, ou Charles Bean, sous- gouverneur de la banque d'Angleterre [1].

Cette réaffirmation des vieux modèles élitistes d'antan, échappant de plus en plus aux impératifs du jeu démocratique, atteint en profondeur la signification même du politique et aggrave les dysfonctions qui se faisaient jour. D'abord, elle dévalorise le choix politique au profit de l'argument de compétence qui mêle intimement le respect des lois de l'économie dictées par un personnel largement issu des mêmes moules formateurs. Ensuite, elle vient rapprocher les programmes des différents partis et candidats, effaçant ou brouillant le clivage gauche/droite : face au projet de traité européen de stabilité budgétaire, la social-démocratie européenne refuse de faire entendre une voix discordante, à la timide exception française qui vaudra au candidat socialiste à l'élection présidentielle une sorte de boycott des chefs d'État et de gouvernement européens. Les élections, n'étant plus en mesure d'offrir un choix entre des politiques publiques différentes, portent alors sur des sujets annexes, le peuple étant interpellé sur le mode d'abattage des animaux ou sur l'avenir du permis de conduire.

Enfin, cette crispation élitiste donne une visibilité de plus en plus forte aux connivences. À l'intérieur des nations, où les liens entre élites économiques et élites politiques s'affirment au point de conférer aux questions de

---

1   *Bloomberg Businessweek*, 23-29 janvier 2012, p. 15.

corruption une visibilité des plus forte (affaires Woerth et Bettencourt en France ou affaire Wulff, en Allemagne, qui conduisit le président de la République fédérale à démissionner). À l'extérieur aussi, où les dirigeants manifestent de plus en plus une complicité fortement médiatisée, à l'instar du couple Merkel-Sarkozy, de l'affichage télévisé de Sarkozy et d'Obama à l'issue du G-20 de Cannes, ou des liens multiples qu'Alassane Ouattara, présumé vainqueur de l'élection présidentielle de novembre 2010 en Côte-d'Ivoire, entretient avec la Banque mondiale comme avec l'espace politique majoritaire en France.

Ce jeu de connivence retient d'autant plus l'attention qu'il est alimenté par l'actualité diplomatique, celle du G-8 tenu à Deauville (mai 2011), du G-20 de Cannes (novembre 2011), des très nombreux groupes de contact (sur l'Iran, sur la Syrie, sur le conflit israélo-palestinien) ou des sommets européens : tous promeuvent les mêmes personnes, excluent et marginalisent les mêmes autres. Aucune de ces instances ne débouche sur des décisions concrètes, mais chacune donne lieu à des profusions rhétoriques, des photos multiples reproduites à l'identique, des communiqués aussi sibyllins que vides.

Cette banalisation de la non-décision rapproche l'idée de politique de celle d'un ordre figé qui ne tient que par une solidarité de conjoncture et un besoin réciproque de s'épauler. Elle contribue ainsi à alimenter, au sein de l'opinion, une vision pessimiste et cynique du politique, de plus en plus distancié et séparé des attentes citoyennes.

La nouvelle critique politique

Ce sentiment alimente inévitablement les processus de mobilisation : il les oriente et contribue à refaire l'agenda des vies politiques. Force est d'admettre que ce dernier est, depuis quelques années, dominé par une critique forte du politique, venant des secteurs les plus divers de la société, souvent hors de toute organisation structurée. Elle se développe sous des formes différentes selon les pays concernés, mais on doit constater qu'elle a pris, avec le « printemps arabe », un élan nouveau, jusqu'à devenir un modèle au sein même des pays du Nord. Critique des régimes autoritaires là-bas, critique des échecs du parlementarisme et des contournements de la souveraineté populaire ici, critique des modes de manipulation politique un peu partout : ce procès du politique installé risque aussi tous les débordements, populistes, communautaristes, xénophobes, voire racistes...

Il est incontestable que la remise en cause populaire des régimes autoritaires a amorcé la deuxième décennie du XXIe siècle. Certes, le « printemps arabe » y est pour beaucoup, mais la Russie s'est également distinguée, en 2011 et 2012, par des mobilisations remarquables contre un régime qu'on pourrait qualifier de « semi-concurrentiel ». Même la « dissidence chinoise » a connu un nouveau souffle que d'aucuns ont peut-être un peu vite inter-prété comme un prolongement « au parfum de jasmin » des mouvements qui firent l'actualité du monde arabe : toujours est-il que la Chine bascule lentement de situations de déviances individuelles vers des premiers mouve-ments sociaux significatifs.

De manière remarquable, les coups portés aux régimes autoritaires, où qu'ils se trouvent, ne sont pas le fait d'organisations politiques répertoriées mais de mouvements issus directement de la société, plus ou moins struc-turés et ordonnés par des associations se réclamant des droits de l'homme et surtout par des réseaux sociaux rendus possibles par la sophistication de la technologie moderne de communication.

Cette contestation « directement sociale » des régimes autoritaires fait la part belle aux jeunes, aux chômeurs, aux étudiants, aux minorités, soit un ensemble d'acteurs généralement en marge des débats publics organisés. Elle marque incontestablement un mode nouveau de dépassement de l'autorita-risme et elle creuse significativement le fossé entre le social et le politique, entre le sens acquis par les régimes déchus et le sens revendiqué par des secteurs dépossédés de la société, au centre même de l'événement. Ainsi, la contestation visant Moubarak, Ben Ali, Bachar el-Assad, mais aussi Poutine se construit-elle autour d'une revendication active de dignité et d'une volonté de liberté affranchie de tout calcul politique.

On s'étonnera alors d'autant moins que sa gestion se révèle hasardeuse, que les frustrations montent très vite et que les consultations électorales qui suivent, comme en Égypte ou en Tunisie, engendrent de la déception et consacrent un fort décalage entre ceux qui furent les acteurs de la révolution et ceux qui purent effectivement concourir lors des élections, récupérant des mouvements dans lesquels ils n'avaient pas joué, à l'origine, un rôle majeur.

De manière remarquable, le « printemps arabe » a connu un prolonge-ment fort en Israël, en Europe, au Canada et, d'une façon générale, dans l'hémisphère Nord. Il a mobilisé et encouragé tous ceux, de plus en plus nombreux, qui entendaient exprimer leur mécontentement face aux dysfonctions croissantes dont souffre la démocratie occidentale.

En Europe, le mouvement a incontestablement trouvé sa source dans la critique opposée aux manœuvres de contournement de la souveraineté populaire, lorsque notamment les référendums français et hollandais qui avaient rejeté en 2005 le Traité constitutionnel furent mis sous le boisseau par recours à la procédure parlementaire. La crise monétaire européenne a fait le reste : en imposant à la Grèce un régime d'austérité drastique, incluant notamment une réduction de 20 % des salaires, l'Union a rapidement changé de sens aux yeux des populations concernées, apparaissant d'abord comme une puissance de tutelle avant de se poser en communauté démocra-tique. Le remplacement de Papandréou par Papademos et de Berlusconi par

Monti a été vécu comme un choix technique communautaire se distinguant brutalement de la symbolique démocratique.

En Grèce, les grèves et les émeutes à répétition se construisirent hors des partis politiques, condamnés à un suivisme institutionnel plus ou moins forcé, et se cristallisèrent en mai 2012 dans la spectaculaire ascension électorale de « Syriza », formation représentant la gauche radicale hostile au plan d'austérité et loin de la classe politique traditionnelle. Ces manifestations se formèrent dans la profondeur même de la société hellénique, à l'initiative d'acteurs sociaux et non politiques, associant ONG, groupements souvent spontanés et, significativement, l'Église grecque. La mise en avant de l'acteur religieux, dans certains pays d'Europe comme au Sud, devient ainsi un des emblèmes naturels d'une faillite et d'une perte de sens du politique.

Au même moment, de nombreux secteurs de la société russe descendaient dans la rue pour dénoncer le trucage des élections législatives, les subtilités mobilisées par Vladimir Poutine pour revenir au Kremlin comme président, puis les nombreux cas de tricherie qui ont accompagné l'élection présidentielle. Ce scrutin, officiellement remporté par l'ancien officier du KGB avec un score de 64 %, aurait été probablement gagné par le même prétendant sans aucune fraude. On voit donc dans celle-ci plus qu'un instrument de réélection : l'expression évidente d'un droit acquis à la reproduction du pouvoir en place.

Même tonalité au Sénégal où Abdoulaye Wade, un vieillard de plus de 86 ans, sut contourner la loi pour faire admettre son droit à un troisième mandat, proclamant à qui voulait l'entendre que son élection au premier tour était acquise. Cet affichage arrogant fit descendre dans la rue des dizaines de milliers de Sénégalais à partir du 20 février 2011, sous l'impulsion d'une organisation spontanée de jeunes, significativement dénommée « Y en a marre »… Que l'emblème de la contestation fût porté par un chanteur célèbre, Youssou N'Dour, totalement déconnecté de la politique, montre bien la cohérence d'ensemble. Mais, contrairement à Poutine, Wade fut finalement battu : si les sociétés contestent le politique, elles ne perdent pas toujours.

De telles mobilisations s'accompagnent inévitablement d'expressions populistes, réhabilitant la thématique du « Sortez les sortants » et réengageant les mobilisations nationalistes. À défaut de comprendre ou de réformer la mondialisation, on tient pour plus facile de l'« abolir » : « démondialisation », exaltation nationaliste, xénophobie et stigmatisation de l'étranger viennent se mêler. En Hongrie, Viktor Orbán embastille son pays dans une législation ultranationaliste ; à Athènes, les protestataires défilent en brandissant des portraits d'une Angela Merkel parée de la moustache et de la mèche hitlériennes tandis que, symétriquement, les néonazis du parti Aube dorée font leur entrée au Parlement ; en France, le ministre de l'Intérieur ose expliquer que « toutes les civilisations ne se valent pas »...

S'instaure alors un cercle vicieux qui caractérise le fonctionnement perverti de nombre de démocraties. Au lieu d'être fidèle à son rôle de gestion de la coexistence et de débattre des programmes capables de la favoriser, le politique se reconstruit dans la dénonciation de l'altérité et dans la mise en évidence de tout ce qui vient défier la « cité de l'identique » : minarets en Suisse, construction de mosquées ou prières publiques en France ou en Italie, place accordée à l'islam jugée excessive aux Pays-Bas ou au Danemark, critique du multiculturalisme en Allemagne à l'initiative de la chancelière elle-même, valorisation du christianisme dans les lois adoptées en Hongrie à Noël 2011, dénonciation de l'immigration au prix notamment de la disparition en mer de plus de deux mille migrants venus d'Afrique du Nord depuis février 2011. On propose, en France, d'interdire aux étudiants étrangers de trouver un emploi après leurs études, puis de diviser par deux, chaque année, le nombre de migrants. La radicalisation de la droite, comme la montée de l'extrême droite, marque ainsi l'ordinaire des élections, notamment celles qui ont eu lieu en France au printemps 2012.

Insensiblement, c'est l'idée même de contrat social qui se voit ainsi attaquée : le politique dérive de moins en moins d'un contrat, tel que défini par les fondateurs du politique moderne, mais de plus en plus de l'exaltation de certaines valeurs, souvent réinterprétées, que l'on postule constitutives de la nation. Celles-ci deviennent naturellement la base des formes principales de contre-mobilisation, comme ces apéritifs républicains « saucisson-pinard » imaginés par l'extrême droite laïque, que certains présentent comme « laïcarde », imitée à son tour par la fraction « Droite populaire » de l'UMP. Ces provocations reflètent l'ascension de l'islamophobie en Europe, d'autant plus inquiétante qu'elle y elle apparaît de plus en plus partagée. Cet appel unimodal au peuple crée une culture de la politique où se mêlent protestation contre l'autre et loyauté à un modèle construit sur le mode légitimiste. Extrême droite et formations antisystème, voire hors système, se font ainsi concurrence pour gérer cette crise de sens, tandis qu'en France et en Grèce le radicalisme de gauche relève quelque peu la tête.

▬▬ La cassure

Autant d'éléments qui éloignent la société du politique, de manière particulièrement critique. Pour la première fois peut-être, le phénomène touche aussi bien le Sud que le Nord – qu'il s'agisse, dans le premier, de l'effet des dictatures et de la difficile conversion des mouvements sociaux qui les renversent en partis de gouvernement ou, dans le second, d'une crise grave de représentation accompagnée d'un dysfonctionnement grandissant des institutions démocratiques. Probablement est-ce pourquoi le début du

« printemps arabe » a eu un impact si fort en Occident : alors que ces événements visaient à balayer des dictateurs totalement coupés de leur société et installés dans une paranoïa néopatrimoniale, les sociétés occidentales prenaient simultanément conscience que leurs structures politiques n'étaient pas à même de représenter leurs attentes, d'avoir prise sur l'événement et d'offrir de véritables alternatives.

Les indicateurs de ces tendances sont nombreux. La montée lente de l'abstention, un peu partout où l'on vote, même là où le droit de suffrage a été récemment instauré : 36 % des Russes se sont abstenus lors de l'élection présidentielle de mars 2012, mais le taux a dépassé 50 % à Moscou.

Il en va de même de la régression, en nombre et en intensité, du militantisme partisan comme du militantisme syndical, des indicateurs d'intérêt pour la politique ou pour les campagnes électorales, ou encore de l'identification et du degré de sympathie pour les partis. La confiance dans les gouvernements et les partis se révèle moindre, dans les sondages, que celle témoignée aux associations ou aux ONG. La confiance, enfin, dans l'Europe régresse de manière régulière : en mars 2012, 56 % des Français déclaraient ainsi souhaiter un renforcement des pouvoirs nationaux face aux institutions européennes, rejoignant par là même un euroscepticisme croissant au Royaume-Uni ou inédit mais en constante augmentation en Allemagne.

Cette double crise de l'intégration politique, au niveau national comme à celui des grandes institutions régionales, constitue un des terreaux du communautarisme, d'autant plus présent sur l'échiquier politique que ceux qui s'y retrouvent sont régulièrement stigmatisés. Qu'il s'agisse, avec l'islam, d'un communautarisme désinstitutionnalisé, informel et décentralisé ou, avec le judaïsme, d'un communautarisme plus organisé, celui-ci s'installe au centre des débats politiques, tout comme récemment en France les communautarismes arménien et turc.

Ce ressort communautariste est en même temps un signe de l'insuffisante intégration politique et l'expression d'une faiblesse du politique. Il se renforce en pénétrant la scène internationale et en intervenant de plus en plus comme agent perturbateur des relations interétatiques. On en veut pour preuves les difficiles relations entre l'Occident et le monde arabe (à un moment où le « printemps arabe » a souvent été réinterprété à travers les « dangers migratoires » qu'il pouvait engendrer) ; le rôle croissant de l'AIPAC, le puissant lobby américain pro-israélien, appuyé par le militantisme évangélique ; la détérioration également des relations franco-turques début 2012, dans le contexte de l'adoption par le Parlement français d'une loi pénalisant la négation du génocide arménien perpétré il y a un siècle par les Ottomans.

Cette rupture entre les sociétés et le politique galvanise des formes nouvelles de mobilisation. Si le « printemps arabe » avait bel et bien inauguré les premières révolutions postléninistes, c'est-à-dire effectuées en dehors de toute organisation politique et à l'initiative d'acteurs issus de la société, cette formule nouvelle de mobilisation touche désormais une partie bien plus considérable de l'espace mondial, s'étendant notamment à l'Europe et à l'Amérique du Nord. L'effet de mimétisme est évident, ne serait-ce qu'au Québec où les étudiants ont baptisé leur mouvement « printemps érable ».

L'importance des réseaux sociaux, liés à la sophistication croissante des modes de communication, n'est plus à démontrer : ils se substituent de plus en plus aux partis et aux organisations politiques, même s'ils peuvent être aussi manipulés par ceux-ci. À ce titre, ils contribuent à prendre en charge la mobilisation hors des espaces politiques prévus à cet effet et favorisent une reconstruction de celle-ci sur un mode plus individualiste, plus spontané, davantage tactique que stratégique, plus réactif mais moins coordonné. La conversion de ces mobilisations en entreprise politique n'en est que plus ardue, ce qui accentue la défiance à l'égard du politique de la part de ceux qui y participent.

Le phénomène fut remarquable à l'occasion des élections parlementaires intervenues en Tunisie puis en Égypte, remportées (comme d'ailleurs au Maroc et au Koweït) par les forces islamistes, seules organisations issues de l'opposition et suffisamment structurées pour s'insérer dans la compétition électorale. Ces résultats ont généré un sentiment de frustration – renforcé en Égypte parmi les acteurs de la place Tahrir lorsque, à l'issue du premier tour de l'élection présidentielle organisé fin mai 2012, ne restèrent en lice que le candidat des Frères musulmans et… le dernier Premier ministre d'Hosni Moubarak. Reste à vérifier si les mouvements d'inspiration islamiste, d'ailleurs très divers d'un pays à l'autre, conserveront leur influence à l'épreuve du pouvoir, surtout si leur politique s'inspire des orientations conservatrices qui sont généralement les leurs en matière de mœurs mais aussi dans les domaines économiques et sociaux.

Cette difficulté à traduire politiquement les nouvelles mobilisations vaut aussi en Occident : significativement, les « Indignés » sont nés en Espagne, le 15 mai 2011, dans le contexte des élections municipales, pour marquer cette rupture entre la société et le politique. Leur anniversaire a été célébré spectaculairement dans les rues de Madrid en mai 2012. Refusant l'étiquette de parti, dénigrant les élections et critiquant les formations politiques face auxquelles il prétendait incarner les sociétés, ce mouvement se veut plus critique que programmatique et refuse de se situer sur l'échiquier politique. Il s'est étendu à de nombreux pays : en Grèce, où il préexistait déjà et put aisément se présenter comme le porte-parole des mécontents (100 000 à 500 000 manifestants le 29 mai) ; au Portugal, où il se confond avec le mouvement « Geração à rasca », lancé le 12 mars précédent ; en Italie, mais aussi, de façon moins attendue, en Grande-Bretagne et notamment à

Londres où il s'en prend à la City ; aux États-Unis où Wall Street devient une cible de choix. On retrouve également le mouvement en Israël où il parvient à mobiliser dans la rue jusqu'à 400 000 personnes, soit 5 % de la population !

Le 15 octobre 2011 fut organisée la première « Journée mondiale des Indignés », présente dans 951 villes et 82 pays. On notera aussi l'apparentement, voire la symbiose, entre les « Indignés » et « Anonymous », ce mouvement né aux États-Unis qui s'insurge contre les tentatives de contrôle d'Internet et revendique la complète indépendance de celui-ci, l'internaute se voulant totalement libre. Revendication d'ailleurs reprise, à Berlin, lors des élections locales de septembre 2011 à la faveur desquelles le Parti pirate allemand remporte soudain 8,9 % des suffrages et quinze sièges à la Chambre, avant de faire son entrée aux parlements de Sarre puis de Schleswig-Holstein et de Rhénanie-du-Nord-Westphalie. On ajoutera encore le mouvement « Cinque Stelle », dirigé en Italie par l'acteur Beppe Grillo, qui a connu une ascension étonnante lors des élections locales de mai 2012, prenant même le contrôle de la ville de Parme. Il s'agit, là aussi, d'une critique du politique, de l'affichage de nouveaux espaces d'autonomie, de la revendication d'une société libérée du contrôle étatique, mais également de l'expression d'un mal-être face à des dérives socioéconomiques jugées excessives : au Québec, les étudiants dénoncent massivement et durablement la hausse des droits d'inscription aux universités, mais plus largement la dérive néolibérale de celles-ci, sous forme de salaires mirobolants versés à leurs managers et de connexions multiples avec le secteur économique privé.

Tous ces mouvements certes n'expriment aucune volonté institutionnelle de relève, contrairement aux mouvements associés au « printemps arabe » : ils évoquent Mai 68 plus qu'une véritable alternance. Mais ils donnent dans une pédagogie critique du politique qui ne fait que rendre plus visible la crise qui frappe celui-ci.

▰▰▰ Vers la fin du régime représentatif ?

Bien des éléments convergent ainsi pour nous interroger aujourd'hui sur l'avenir même du gouvernement représentatif. Une lame de fond que certains baptisent – par facilité – « populiste » se fait partout l'écho d'une critique sévère des modèles classiques de représentation : tout en étant craint, le référendum redevient à la mode, notamment dans la campagne électorale française. La mondialisation a de même démontré qu'elle malmenait le gouvernement représentatif traditionnel au sein même des sociétés où il était le plus solidement installé : parce qu'elle instaure des lieux de décision séparés des lieux de représentation, parce qu'elle bouscule la théorie classique de la souveraineté, parce qu'elle contourne les représentants élus. L'éveil des sociétés, leurs formes nouvelles de mobilisation et surtout de communication laissent de côté les représentants traditionnels, dévalorisent leur rôle et suscitent des formes renouvelées de participation. Les sociétés du Sud, bousculant les vieilles dictatures, peinent à trouver dans les principes constitutionnels classiques une nouvelle forme d'équilibre.

Cet échec du modèle représentatif crée un sentiment d'inquiétude et conduit les analystes, les observateurs, tout comme l'opinion publique à évoquer un recul de la démocratie, tout en se montrant de plus en plus sceptiques sur l'efficacité des mécanismes constitutionnels classiques dès lors qu'ils sont aux prises avec la mondialisation. Ce pessimisme ambiant s'accompagne fort heureusement d'une critique de l'autoritarisme qui peut-être n'a jamais été si forte. Ainsi l'équation qui marque l'entrée dans le troisième millénaire se présente-t-elle comme un vrai défi : face à un politique décalé, éloigné des sociétés, inaudible et peu crédible, la force des enjeux nouveaux pourra-t-elle déboucher concrètement sur une nouvelle lecture du politique impliquant l'inclusion, l'intégration, la mobilité, le rehaussement du rôle des sociétés ? Le Sud va-t-il finalement raviver une démocratie chancelante au Nord ?

La désaffection à l'égard du politique

Étienne Schweisguth
Centre d'études européennes de Sciences Po

Frappées par la double crise des *subprimes* et des dettes publiques, les sociétés d'Europe occidentale ont connu dans la période 2010-2012 des événements suggérant un approfondissement de la rupture entre gouvernés et gouvernants. Dans les pays où ont eu lieu des élections en 2011 (Danemark, Espagne, Irlande et Portugal, et en France en 2012), la règle de l'alternance s'est appliquée implacablement : les majorités sortantes ont été battues et ont laissé la place à l'opposition. De nombreux mouvements de contestation des mesures d'austérité se sont développés, symbolisés par le mouvement espagnol des « Indignés », qui reprenait le titre du best-seller mondial de Stéphane Hessel, *Indignez-vous !*

Ces événements sont intervenus dans le cadre d'un contexte plus ancien de déclin de la participation électorale et de montée de la défiance à l'égard des gouvernants, dont on peut faire remonter approximativement l'apparition aux années 1980. Certains discernent dans le nouveau rapport au politique qui s'est instauré à partir de cette époque une forme de dépolitisation, d'autres une forme de radicalisation idéologique. On a souvent débattu de la signification de l'abstention : faut-il la considérer comme un retrait ou une contestation ? Aujourd'hui se pose une autre question : doit-on voir dans les réactions des opinions au cours de la période 2010-2012 une simple continuation de la tendance antérieure ou assiste-t-on à la naissance d'un type nouveau de rapport au politique dans les sociétés d'Europe occidentale ?

Pour tenter d'interpréter l'ensemble de ces changements, on partira du fait que la vie politique des démocraties est structurée à la fois par des clivages horizontaux, c'est-à-dire économiques, sociaux et idéologiques, et par des clivages verticaux entre gouvernés et gouvernants. Peut-être le changement en cours traduit-il un affaiblissement relatif des clivages horizontaux au profit d'un accroissement corrélatif des clivages verticaux.

Le déclin de la participation électorale

À partir des années 1980 et 1990, la montée de l'abstention concernait indéniablement l'ensemble des sociétés d'Europe occidentale. Deux grandes catégories d'explications ont été proposées à ce phénomène.

Une première catégorie se rattache au thème du supposé déclin des valeurs : le développement économique et l'élévation du niveau de vie sans précédent qu'ont connus ces sociétés dans la seconde moitié du XXe siècle auraient provoqué la montée de l'individualisme, du matérialisme et du consumérisme, la baisse du civisme et le repli sur la sphère privée. Ces interprétations, où le moralisme tend à se substituer à l'analyse des mécanismes sociaux, sont sujettes à caution : il n'a jamais été montré qu'il existât de manière générale une corrélation négative entre le produit intérieur brut et le taux de participation électorale. Une seconde catégorie d'explications a mis l'accent sur les logiques proprement politiques de l'abstention et a cherché à l'analyser comme une réaction politique à un type de situation politique.

Quelle a été dans les faits l'évolution de la participation électorale en Europe sur le long terme ? Les données rassemblées par l'Institute for Democracy and Electoral Assistance [1] permettent de suivre depuis la fin de la Seconde Guerre mondiale l'évolution de la participation aux élections

---

1   Consultables en ligne sur <http://www.idea.int/publications/voter_turnout_weurope/index.cfm>.

législatives pour un groupe de treize pays d'Europe occidentale (Allemagne, Autriche, Danemark, Finlande, France, Irlande, Islande, Italie, Norvège, Pays-Bas, Royaume-Uni, Suède, Suisse). Quatre périodes peuvent être distinguées. Durant les trente premières années, celles de la forte croissance économique qui a eu lieu de 1945 à 1975, la participation moyenne apparaît relativement stable : elle oscille entre 81 % et 85 %. Elle augmente ensuite durant une courte période : de 1976 à 1980, la participation atteint un sommet en s'élevant à 89 %. Puis elle décline en deux paliers successifs : de 1981 à 1990, elle tourne autour de 80 % ; de 1991 à 2010, elle baisse encore pour se situer autour de 75 %.

Cette évolution de la participation moyenne a correspondu à des parcours très variés selon les États. Les pays scandinaves ont connu une courbe en U renversée : montée de la participation en début de période, maximum dans les années 1950 à 1980 selon les pays, puis déclin. Les pays riverains de l'Atlantique, de la Manche ou de la mer du Nord (Allemagne, France, Irlande, Pays-Bas, Royaume-Uni) ont commencé par une période de stabilité ou de montagnes russes jusqu'aux années 1970 ou 1980, puis sont entrés dans une phase de déclin. L'Autriche et la Suisse ont connu un déclin régulier et continu de la participation, et la Suisse a établi le record européen de la plus faible participation, en 1995, avec un niveau de 42 % de votants par rapport aux inscrits. Dans les trois pays du Sud (Portugal, Grèce, Espagne), dont on ne peut suivre la trajectoire que depuis la fin des dictatures, les évolutions ont été variées. La participation a régulièrement et fortement baissé au Portugal dès les premiers scrutins qui ont suivi l'instauration de la République. Elle a modérément reculé dans la Grèce d'après les colonels. Et elle n'a évolué significativement ni à la hausse ni à la baisse dans l'Espagne postfranquiste.

Les analyses faisant valoir le caractère politique de l'abstention, dans le cadre desquelles nous nous situons ici, soulignent que ses progrès n'ont pas traduit une attitude de retrait et de désintérêt général à l'égard de la politique, mais une attitude stratégique de la part des électeurs. Ainsi, lors de nombreux scrutins, c'est l'abstention différentielle qui fait la décision : une partie de ceux qui avaient voté pour la majorité sortante à l'élection précédente, déçus par les résultats de son action, se sont abstenus et ont abandonné la victoire à l'opposition. L'abstention apparaît alors non comme un simple retrait passif, mais comme un acte critique. On a pu la qualifier de « politisation négative ».

Il semble que l'abstention constante soit restée relativement rare (10 % environ en France) et que le recul de la participation ait été essentiellement dû au progrès de l'abstentionnisme intermittent. On ne saurait donc considérer tous les abstentionnistes comme se situant hors du jeu politique. Pour beaucoup d'entre eux, le va-et-vient entre vote et abstention a constitué leur manière de participer au jeu politique. Dans la ligne de ces analyses, on est fondé à considérer qu'il n'y a pas eu dépolitisation mais apparition d'une nouvelle forme de rapport au politique.

▨▨▨ L'affaiblissement des antagonismes politiques

Reste à comprendre pourquoi s'est développée cette nouvelle forme de rapport au politique, qui inclut l'abstention dans le répertoire d'action de l'électeur. D'où l'hypothèse proposée ici : au cours de la seconde moitié du XXᵉ siècle, les sociétés d'Europe occidentale ont toutes connu, tant au niveau des électeurs qu'à celui des partis politiques, un processus de relative convergence idéologique, qui a eu pour conséquence un affaiblissement relatif des passions et des antagonismes politiques et une moindre motivation à effectuer un choix entre les camps politiques concurrents.

Le développement économique y a certainement joué un rôle, non pas en provoquant mécaniquement un repli des citoyens sur leurs nouvelles richesses, mais en raison de ses conséquences sur les systèmes sociaux et politiques.

L'importante augmentation de la part des professions intermédiaires et des cadres supérieurs et l'accroissement de la mobilité sociale intergénérationnelle qui l'a accompagnée – contrairement à une idée qui, pour être répétée et répandue, n'en est pas moins inexacte – ont favorisé l'homogénéisation interne des sociétés du point de vue de leurs valeurs et de leurs idées. La diffusion d'une culture commune par le développement de la scolarisation et des médias a amplifié le phénomène. L'augmentation du niveau de vie et l'élévation du niveau scolaire ont contribué respectivement à réduire l'intensité des tensions et des frustrations sociales et à rendre plus compréhensible le fonctionnement des mécanismes sociaux et économiques. Elles ont ainsi affaibli la tendance au manichéisme politique et la propension à se rallier aux partis extrémistes et aux solutions sans nuances. La xénophobie n'a certes pas disparu, mais les scores électoraux significatifs de partis l'utilisant comme thème de ralliement dans plusieurs pays d'Europe (Autriche, Belgique, Danemark, Finlande, France, Grèce, Norvège, Pays-Bas, Suisse) relèvent cependant davantage, comme on le verra plus bas, d'une logique politique que d'une poussée des valeurs xénophobes.

S'il est certain que des clivages idéologiques subsistent, qui communiquent leur vitalité à la vie politique, l'éventail idéologique s'est néanmoins globalement resserré. Certains partis continuent d'être appelés « extrémistes », mais leur extrémisme est très édulcoré si on le compare à leurs devanciers fascistes, nazis ou communistes.

Cette mutation idéologique et culturelle de la population s'est traduite au niveau des partis politiques par une convergence des idéologies et des programmes. Les évolutions ont été différentes selon qu'il s'est agi des opinions et des valeurs relatives au domaine économique et social ou de celles relatives aux questions de société.

Dans le domaine économique et social, ce sont surtout les partis de gauche qui se sont rapprochés des positions « libérales ». Précurseurs, les sociaux-démocrates allemands ont proclamé l'abandon de la référence au marxisme lors du congrès de Bad-Godesberg en 1959. Les sociaux-démocrates suédois, en 1976, après avoir perdu les élections pour la première fois depuis 1932 pour avoir proposé un projet de « socialisation » des entreprises trop radical aux yeux de leurs électeurs, ont opté pour une politique sociale-libérale mêlant économie de marché, protection sociale et réduction des dépenses publiques. En Italie, le Parti communiste, après avoir proposé sans succès un « compromis historique » à la Démocratie chrétienne dans les années 1970-1980, s'est mué en 1991 en un Parti démocratique de gauche intégré, depuis, dans le « consensus » politique. En Espagne et au Portugal, les scores électoraux des partis communistes se sont effondrés dès les premières années du retour à la démocratie. En France, le Parti socialiste, qui se déclarait partisan de la « rupture avec le capitalisme » lors de son congrès d'Épinay, s'est rallié au principe de l'économie de marché après l'arrivée au pouvoir de François Mitterrand en 1981. En Grande-Bretagne, c'est au prix de l'abandon de leur programme traditionnel de nationalisation de l'ensemble des grandes entreprises que les travaillistes ont mis fin au règne conservateur de Margaret Thatcher et John Major, et sont revenus au pouvoir avec Tony Blair en 1997.

Si les partis de gauche se sont rapprochés des partis de droite dans le champ économique et social, c'est l'inverse qui s'est produit dans le domaine des questions de société : ici, ce sont les partis de droite qui ont fait mouvement vers les positions de la gauche. Dans la plupart des sociétés d'Europe occidentale, à l'exception du problème de la sécurité, l'évolution a été dans le sens du progrès du libéralisme des mœurs et des valeurs d'ouverture et de tolérance. De nombreux partis de droite se sont convertis à des positions proches de celles de la gauche sur des questions telles que la reconnaissance des couples non mariés, le divorce, la contraception ou l'avortement – la question des droits des homosexuels demeurant celle qui continue le plus à faire clivage.

En ce qui concerne la question de l'immigration, l'émergence de cet enjeu sur la scène politique a constitué une nouveauté qui nécessite d'être examinée. Sur le long terme, depuis le XIXᵉ siècle et la première moitié du XXᵉ siècle, époques de l'antisémitisme ordinaire et du sentiment de supériorité de la « race » blanche, la tendance a clairement été à la baisse de la xénophobie. Au cours de la seconde moitié du XXᵉ siècle, le développement économique, qui affaiblit la propension à chercher des boucs émissaires, et la généralisation de l'enseignement secondaire et supérieur, qui diffuse les valeurs humanistes et sensibilise à la relativité culturelle, ont favorisé l'établissement dans les sociétés d'Europe de l'Ouest d'une norme officielle antiraciste. Les nouvelles générations, plus instruites et plus ouvertes au monde, se sont montrées année après année plus tolérantes à l'égard des divers « autres » (autre couleur de peau, autre origine, autre orientation sexuelle, etc.) que celles qui les ont précédées.

Mais loin s'en faut que l'ensemble de la population ait fait siennes les valeurs humanistes. L'affaiblissement de la xénophobie, c'est-à-dire de l'idée de la dangerosité et de l'infériorité des « autres », n'a pas signifié sa disparition. Des années 1980 aux années 2000, l'immigration est devenue un enjeu politique dans de nombreux pays européens, à partir du moment où les immigrés n'ont plus été des travailleurs célibataires vivant en marge de la société mais ont fondé des familles et pris leur place dans l'espace public. Le surgissement du problème de l'immigration dans le débat politique s'est donc fait sur la base d'une xénophobie préexistante qui, pour tendre à s'atténuer sur le long terme, n'en demeure pas moins à un niveau très important.

À la convergence des partis dans le champ socioéconomique et dans celui des mœurs s'est ajouté un rapprochement sur la question de l'immigration : les grandes formations de gauche comme de droite ont adopté une position consistant tout à la fois à limiter l'immigration et à proscrire l'expression de la xénophobie. Même si certains acteurs politiques ont pu conjoncturellement se rapprocher de l'extrême droite, les partis de la droite de gouvernement se montrent, au début du XXIe siècle, beaucoup plus attachés aux valeurs d'ouverture et de tolérance qu'ils ne l'étaient un demi-siècle plus tôt. C'est précisément en raison de cette évolution que sont apparus sur leur droite de nouveaux mouvements politiques ne craignant pas de faire appel plus ou moins ouvertement aux sentiments xénophobes d'une partie de la population.

Un facteur important du vote que recueillent ces derniers réside dans le sentiment qu'ont eu nombre d'électeurs, en particulier dans les classes populaires, d'une excessive similarité entre les grands partis de gouvernement de gauche et de droite – impression souvent renforcée par la perception de la similitude des politiques effectivement appliquées quel que soit le camp au pouvoir. D'autres électeurs, non convaincus de la capacité des partis de gouvernement à résoudre les grands problèmes économiques et sociaux (au premier chef celui du chômage), mais ne jugeant pas non plus crédibles les partis extrêmes, choisissent de plus en plus souvent la voie de l'abstention. L'émergence des partis xénophobes apparaît donc pour partie comme un corollaire de la montée de l'abstention qui résulte de la convergence entre les grands partis. En France, abstention et extrême droite ont entamé leur progression de manière concomitante dans les années 1980 ; ailleurs, l'expansion de la première a précédé de beaucoup celle de la seconde.

Les partis politiques ont naturellement continué à utiliser des marqueurs idéologiques pour se différencier de leurs concurrents. Un nombre non négligeable d'électeurs a ainsi pu continuer à voir dans le clivage gauche/ droite une référence idéologique. Mais de plus en plus nombreux ont été ceux pour qui la perception d'une proximité croissante entre les partis politiques a eu comme conséquence de rendre le choix électoral à la fois moins important – en raison de la proximité escomptée des politiques qui seront mises en œuvre quel que soit le vainqueur – et plus difficile – vu la similitude des programmes qui brouille les différences.

Naturellement, cette tendance générale n'a pas empêché de brusques remobilisations électorales quand l'opinion a eu le sentiment que l'enjeu était décisif ou quand l'offre politique de certains partis ou candidats contribuait à élargir à nouveau l'éventail idéologique. Inversement, c'est bien dans le pays où le consensus politique est le plus élevé – la Suisse, où tous les partis sont représentés au gouvernement à proportion de leurs résultats électoraux – que l'abstention a atteint son niveau le plus élevé et l'extrême droite, en l'occurrence l'Union démocratique du centre (UDC), son plus fort score.

Pas de dépolitisation

Plutôt que d'une dépolitisation ou d'une fin des idéologies, le processus qui s'est déroulé en Europe depuis quelques décennies a été celui d'un déclin du manichéisme et des idéologies globalisantes.

Les clivages idéologiques, horizontaux, ont évidemment continué d'exister : sur le libéralisme économique, la religion, les mœurs, la sécurité, l'immigration, etc. Mais, sur ces différents thèmes, l'écart entre les positions des camps politiques concurrents tend à se réduire. Et les clivages ont moins tendance à se synthétiser, comme il y a un demi-siècle, en systèmes idéologiques cohérents défendus par des camps antagonistes.

Dans les pays de culture latine, par exemple, le conflit idéologique opposait jadis un pôle chrétien conservateur à un pôle communiste athée. Il en résultait une structure politique dans laquelle chacun pouvait avoir le sentiment qu'il appartenait au « camp du bien » et que le camp opposé était celui du « mal ». Au fil du temps, les idéologies globalisantes ont de moins en moins fait recette. Les grands mouvements de jeunesse chrétiens ou communistes ont quasiment disparu. La participation aux associations n'a pourtant pas diminué, mais celles qui proposaient l'adhésion à une vision du monde globale ont périclité. Les militants associatifs préfèrent les groupes poursuivant un objectif précis et circonscrit plutôt que ceux qui visent à entretenir et à diffuser une idéologie globale.

Il s'est ainsi produit dans le monde politique un phénomène qui s'est parallèlement opéré dans le monde religieux. Utilisant la métaphore du choix au restaurant entre le menu et la carte, des sociologues de la religion ont mis en lumière le développement de la « religion à la carte », où chacun sélectionne selon ses critères personnels ce en quoi il veut croire plutôt que d'accepter en bloc un ensemble de dogmes constituant un « menu » imposé.

De la même manière, dans le domaine politique, les citoyens se sont sentis moins obligés d'adopter l'ensemble des positions d'un camp politique. Le nombre des adhérents aux partis ou aux syndicats a décliné. Et les électeurs ont eu tendance à se reconnaître de moins en moins dans un parti particulier : les enquêtes de sociologie politique ont ainsi montré que, dans tous les pays d'Europe occidentale, la proportion de personnes s'identifiant à une formation particulière a baissé au cours de la seconde moitié du XXe siècle. Les électeurs ont continué de croire en des valeurs et de voter en fonction de celles-ci, mais ces valeurs formaient de moins en moins des systèmes idéologiques fortement structurés s'opposant de manière manichéenne et motivant l'engagement ou le soutien inconditionnel à un parti.

Si les électeurs ont pris leurs distances par rapport aux partis, il ne s'ensuit pas qu'ils se sont désintéressés des affaires publiques. Les citoyens des pays européens ne sont pas devenus des individus préoccupés de leur seule sphère privée et ne semblent pas être entrés dans une phase de désintérêt pour la chose publique. Leur intérêt pour les problèmes économiques, sociaux, religieux, culturels, écologiques, etc. paraît au contraire en hausse, comme en témoigne leur niveau élevé d'accès aux informations à travers la radio, la télévision, les journaux, Internet et singulièrement les réseaux sociaux.

La permanence de la disposition à l'action collective a également constitué un autre signe de la vitalité de l'intérêt pour la sphère publique. Dans les pays de culture latine, par exemple, ce n'est pas le déclin de cette disposition qui a causé celui des organisations politiques et des formes d'action politique et sociale caractéristiques, jadis, des partis communistes et des syndicats qui leur étaient associés : c'est la crédibilité des partis communistes qui s'est effondrée. La capacité d'action collective, qui n'est pas le propre des salariés, a quant à elle continué à se manifester de multiples façons. Les travailleurs indépendants – pêcheurs, agriculteurs, chauffeurs de taxis, etc. – ont toujours su se mobiliser pour faire valoir leurs intérêts. Les syndicats sont demeurés des forces sociales avec lesquelles les gouvernements ont dû compter.

Tout particulièrement, la manifestation est devenue un moyen institutionnalisé et légitime d'exprimer son opinion et souvent de contester une décision gouvernementale. Elle s'est ainsi inscrite dans la tendance à privilégier les actions politiques ayant un objectif bien défini : on manifeste contre telle ou telle mesure ou projet gouvernemental précis. Certaines se sont montrées tout à fait efficaces. C'est ainsi que, par deux fois en France, en 1984 et en 1994, le gouvernement a dû renoncer à un projet de réforme de l'école privée sous la pression d'immenses manifestations. Et même Margaret

Thatcher, la « Dame de fer » qui avait fait plier les syndicats, a dû céder devant la détermination des manifestants qui refusaient son projet de « *poll tax* ». En revanche, les rassemblements à caractère idéologique plus général, comme la commémoration du 1er Mai, ont attiré de moins en moins de participants.

La manifestation est ainsi devenue une des formes caractéristiques de l'action dans la nouvelle forme de vie politique qui s'est instaurée. Elle constitue l'un des éléments essentiels du répertoire d'action contemporain des gouvernés dans leur rapport, par définition vertical, avec les gouvernants.

Le citoyen critique

Dans l'ensemble des pays d'Europe occidentale, les enquêtes de sociologie politique ont confirmé la montée d'une défiance à l'égard des hommes politiques depuis les années 1970. Des questions portant sur trois thèmes ont régulièrement été posées dans ces enquêtes : Les hommes politiques et les partis se préoccupent-ils de ce que pensent les citoyens ordinaires ? Les hommes politiques et les partis s'intéressent-ils à l'opinion des électeurs ou bien ne sont-ils intéressés qu'à obtenir leur suffrage au moment des élections ? Les hommes politiques sont-ils corrompus ? Sur ces trois aspects, on a assisté à une dégradation continue de l'image des représentants politiques. En 2011 par exemple, pas moins de 89 % des Espagnols souscrivaient à l'idée que les hommes politiques cherchaient à défendre leurs propres intérêts plutôt que ceux des citoyens.

C'est sans doute plus du côté des perceptions que de celui des réalités qu'il faut chercher les explications de cette situation. Sauf à idéaliser les mœurs politiques du passé, une telle évolution de l'opinion ne trouve sans doute pas ses sources dans une augmentation de la corruption des hommes politiques ni dans leur perte d'intérêt pour le bien public.

Outre l'effet déjà indiqué de la tendance à la convergence idéologique sur les perceptions des citoyens, deux raisons, plus complémentaires que concurrentes, ont été avancées pour rendre compte de cette dégradation de l'image des hommes politiques.

La première souligne le développement de la capacité critique des citoyens, attribué à l'élévation de leur niveau d'instruction, qui leur donne les moyens de mieux s'informer, de se former un jugement par eux-mêmes et d'intervenir dans la sphère publique. En même temps, le système de valeurs des sociétés d'Europe occidentale a évolué. L'objectif d'épanouissement des individus a favorisé l'autonomie personnelle, désacralisé l'autorité et sapé le principe selon lequel les différentes sortes de supérieurs hiérarchiques seraient investis par essence d'une sorte de supériorité morale intrinsèque. Les hommes politiques ont perdu de leur aura : on voit désormais davantage en eux des hommes comme les autres. Les citoyens sont ainsi devenus plus autonomes et plus critiques à l'égard des autorités instituées, en même temps que s'accroissait leur sentiment d'avoir la capacité d'intervenir eux-mêmes directement dans les affaires publiques par la voie des associations ou des manifestations.

La seconde raison a été formulée à partir de l'exemple du cas américain mais semble transposable à l'Europe. Elle souligne le changement du rôle des médias et le rôle accru que ceux-ci jouent dans la perception de la vie politique par les citoyens. Au cours des dernières décennies, la liberté croissante de la presse, de la radio et de la télévision leur a permis de se montrer beaucoup plus critiques à l'égard du personnel politique – évolution qui n'a toutefois pas donné lieu à une critique idéologique frontale, mais à une attitude constante de surveillance et d'irrévérence. Sans doute a-t-il toujours existé chez les dirigeants, à des degrés divers, des pratiques contestables. Mais la grande nouveauté réside en ce que la vie politique se déroule maintenant sous l'œil permanent des caméras de télévision, et que toute contradiction d'un homme politique par rapport à ses propos antérieurs, toute déclaration pouvant donner prise à la critique, toute erreur, toute maladresse et, bien sûr, toute mise en cause par la justice seront immédiatement relevées.

L'examen de la chronologie des événements incite à la réflexion. Aux États-Unis, la perte de crédibilité des gouvernants a commencé dans les années 1960 avec l'opposition à la guerre du Vietnam, puis a continué avec le scandale du Watergate au début des années 1970. Mais la confiance n'est pas revenue une fois passés ces événements. La perte de confiance a donc commencé outre-Atlantique avant le choc pétrolier des années 1970 et le ralentissement de la croissance mondiale qui s'en est ensuivi, et elle n'a pas été restaurée par la suite, seul George W. Bush ayant réussi à la faire très fugitivement remonter en 2002 sur fond de 11 Septembre et d'invasion de l'Afghanistan. Cette observation est particulièrement intéressante car elle tend à mettre en question l'hypothèse selon laquelle la perte de confiance envers les gouvernants aurait eu pour seule origine l'incapacité des hommes politiques à résoudre les problèmes économiques et sociaux.

Coincée entre l'enclume du citoyen critique et le marteau des médias friands de sensationnel, il n'est pas étonnant que l'image des hommes politiques ait quelque peu souffert.

Démocratie d'opinion et clivage vertical

Il est sans doute trop tôt pour savoir si la période 2010-2012 aura marqué le point de départ d'une nouvelle période politique. La violence des émeutes grecques contre les mesures d'austérité, l'ampleur des manifestations italiennes et la puissance symbolique du mouvement des « Indignés » espagnols ont certes pu évoquer l'idée d'une nouvelle forme de contestation de la logique économique dominante et faire vibrer les réminiscences de l'idée de révolution. Il nous semble en fait que ces protestations se sont surtout inscrites dans le cadre du fonctionnement ordinaire des démocraties d'opinion européennes, où les sociétés s'expriment à travers une gamme variée de moyens formant un continuum qui va du sondage à l'émeute.

L'ensemble de ces procédés permet l'expression du clivage vertical entre gouvernés et gouvernants. Celui-ci n'est nullement le propre des systèmes démocratiques. Dans les sociétés d'Ancien Régime, les clivages horizontaux, institutionnalisant la concurrence entre orientations politiques diverses, n'avaient pas droit de cité : elles fonctionnaient essentiellement sur le mode du clivage vertical. À des phases de négociation succédaient des phases de violence : jacqueries, prises d'armes, émeutes urbaines. Les sociétés démocratiques n'ont pas aboli le clivage vertical, elles l'ont seulement rendu moins violent.

De ce point de vue, les émeutes grecques de 2011-2012 ont constitué une exception. La violence avait jusque-là été l'apanage de groupes sociaux développant un sentiment d'exclusion sur la base d'un sentiment d'inégalité ethnico-sociale, comme les émeutes des banlieues françaises de décembre 2005 ou les émeutes londoniennes d'août 2011.

Les sociétés d'Europe occidentale contemporaines sont devenues au cours des dernières décennies des démocraties d'opinion, en ce sens que les clivages horizontaux, tout en perdurant, ont perdu de leur intensité et ont ainsi permis au clivage vertical de prendre une plus grande importance relative. La défiance à l'égard du politique qui s'est répandue n'a ainsi correspondu ni à un retrait apathique de la part des citoyens, ni à une contestation de type révolutionnaire. Elle a plutôt consisté en une prise de distance par rapport au politique et dans le développement d'une attitude sceptique, lesquelles, pour autant, n'ont pas effacé la capacité des citoyens à intervenir dans la sphère publique ni leur disposition à espérer en la possibilité d'un renouveau démocratique, disposition que les candidats s'emploient à mobiliser au moment des élections.

Pour en savoir plus

R. J. DALTON, *The Good Citizen*, CQ Press, Washington, 2008.

J. JAFFRÉ, A. MUXEL, « Hors du jeu ou dans le jeu politique ? », *in* P. BRÉCHON, A. LAURENT, P. PERRINEAU (sous la dir. de), *Les Cultures politiques des Français*, Presses de Sciences Po, Paris, 2000.

J. S. NYE, Ph. D. ZELIKOW, D. C. KING (sous la dir. de), *Why People Don't Trust Government*, Harvard University Press, 1997.

É. SCHWEISGUTH, « La dépolitisation en questions », *in* G. GRUNBERG, N. MAYER, P. SNIDERMAN (sous la dir. de), *La Démocratie à l'épreuve*, Presses de Sciences Po, Paris, 2002.

Qui a peur du communautarisme ?

Sylvie Tissot
Professeure de sciences politiques, Université Saint-Denis-Paris-8

> « Rien n'est plus subversif de l'ordre républicain que le communautarisme, dont le voile est l'étendard. »
>
> Jean-Claude GUIBAL, député UMP [1]

> « Le voile islamique à l'école ne constitue, cela va de soi, que le totem du communautarisme. Il implique directement la revendication d'une identité religieuse qui n'a pas sa place à l'école publique, voire – cela dépend des ressorts véritables des jeunes filles concernées – une volonté de différenciation, incompatible à coup sûr avec les principes jumeaux de la laïcité et de l'intégration. »
>
> Alain DUHAMEL, éditorialiste [2]

Au soir du premier tour de l'élection présidentielle de 2012 en France, Jean-François Copé, secrétaire général de l'Union pour un mouvement populaire (UMP), a dénoncé le « droit de vote des étrangers », promis par le candidat socialiste François Hollande, comme un « droit de vote communautariste ». Quelques semaines auparavant, le ministre de l'Intérieur Claude Guéant (UMP) avait explicité ce lien entre droit de vote et communautarisme en invoquant les risques de voir, en cas d'élection d'étrangers dans les conseils municipaux, des écoles servir de la viande halal aux enfants. L'un des principaux tracts du président sortant Nicolas Sarkozy reprenait d'ailleurs la thématique :

> Une France forte c'est une France qui dit non au communautarisme :
> – avec Nicolas Sarkozy nous refusons le droit de voter et d'être élu pour les étrangers extracommunautaires proposé par François Hollande ;
> – donner le droit de vote aux étrangers, c'est prendre le risque de soumettre les maires à des pressions communautaires : créneaux horaires pour les femmes dans les piscines municipales, personnel voilé dans les crèches.

Quiconque découvrirait, hors contexte, ces citations, n'y comprendrait assurément rien. Le paradoxe est en effet complet : pour lutter contre un

---

[1]   Discussion du projet de loi relatif à l'application du principe de laïcité dans les écoles, collèges et lycées publics (n° 1378, 1381).
[2]   *Libération*, 26 novembre 2003.

fléau nommé « communautarisme », dont on peut supposer à bon droit qu'il s'agit d'un repli excessif et dangereux sur sa « communauté », voire d'une exclusion des « extracommunautaires », on affirme qu'il faut exclure des « extracommunautaires » de la citoyenneté ! Quant au rapport avec la mixité des piscines ou les repas de cantine, il ne va pas de soi.

C'est cette confusion qu'il s'agit ici de démêler, en resituant le contexte et la genèse sociohistorique du discours anticommunautariste et en examinant son usage pour décrire la situation des « banlieues » françaises. Une fois dégagés les soubassements idéologiques et politiques de ces manœuvres rhétoriques, leur propos réel apparaît clairement.

▬▬▬ Un discours de stigmatisation

Mais qu'est-ce, d'abord, que le communautarisme ? Fait marquant déjà souligné par de nombreux auteurs : personne ne s'en réclame. Le communautariste, c'est toujours l'autre. Nous avons affaire à une catégorie polémique, visant à disqualifier un adversaire. Comme l'a relevé Fabrice Dhume, analysant un important corpus de productions journalistiques et politiques :

> La sémantique ne laisse pas de doute : l'idée de « communautarisme » repose sur une lecture réactionnelle, qui dénonce inlassablement le « risque », la « dérive », la « menace ». [...] C'est l'antithèse du « Progrès » (« rétrograde », « passéiste », « repli »). C'est l'incarnation du Mal lui-même, dans sa version morale et religieuse, mais aussi médicale : « plaie », « cancer », « abcès », « gangrène ». [...] Face à l'ordre républicain », les « communautaristes » « s'opposent », « réclament », « revendiquent », « profitent », « contestent », « provoquent », « perturbent » [1].

Cette « perturbation » s'enracine, toujours selon le discours anticommunautariste dominant, dans un attachement trop intense ou trop exclusif à une « communauté », c'est-à-dire à une appartenance dite « primaire », en générale culturelle, nationale, régionale, ou plus souvent raciale ou religieuse – mais on parle aussi du communautarisme homosexuel.

La manifestation concrète de ce « communautarisme » est de deux ordres : *repli*, voire sécession (la complaisance dans un « entre-soi » exclusif, le refus de la « mixité ») ; ou *conflictualité* et revendication (la demande de droits ou de passe-droits spécifiques, adaptés à un particularisme). Ces éléments de définition, nous allons le voir, ne sont pas sans poser des problèmes.

---

1   Fabrice Dhume-Sonzogni, « "Communautarisme" : l'imaginaire nationaliste entre catégorisation ethnique et prescription identitaire », *VEI-Diversité*, n° 150, septembre 2007.

Mais, auparavant, soulignons un autre fait remarquable : la très grande jeunesse du concept même de communautarisme. Inexistant il y a vingt ans, apparu pour la première fois dans un dictionnaire en 1997, le mot est aujourd'hui sur toutes les lèvres. C'est en 2005, à l'issue d'une année dominée par la polémique sur le « voile à l'école », puis par celle sur l'« œuvre positive » de la tutelle coloniale, que le terme s'impose dans le débat public. Comme le souligne Fabrice Dhume, « son occurrence comme mot clé sur le moteur de recherche Internet Google est passée de 91 100 au 3 mai 2005 à 634 000 au 30 mars 2006, et 1 030 000 au 3 mai 2007 [1] ».

Tout laisse donc penser que, loin de refléter des évolutions notables au sein de la société française (qu'elles soient d'ordre politique, social ou territorial), l'irruption du mot « communautarisme » traduit la manière dont les débats publics se sont structurés en France dans les années 2000 sur les questions de l'immigration, du passé colonial ou de l'islam. Pourtant, avant de dégager les fondements idéologiques de son usage, revenons sur les populations auxquelles le terme semble le plus appliqué : les habitants des « banlieues ».

▰▰▰▰ Un repli communautaire en banlieue : quels critères ?

La publication en juillet 2004 d'un rapport de la Direction centrale des renseignements généraux (DCRG), abondamment médiatisé, marque un moment clé de l'imposition de la rhétorique du « communautarisme ». Rédigé à partir d'une enquête sur les « quartiers sensibles surveillés », il conclut à la montée en puissance d'un phénomène de « repli communautaire [2] ». Ce dernier est évalué à partir de huit critères, sur lesquels nous reviendrons : un nombre important de familles d'origine immigrée, « pratiquant parfois la polygamie » ; un « tissu associatif communautaire » ; la « présence de commerces ethniques » ; la « multiplication des lieux de culte musulman » ; le port d'« habits orientaux et religieux » ; les graffitis « antisémites et antioccidentaux » ; l'existence, au sein des écoles, de classes regroupant des primo-arrivants, ne parlant pas français ; la « difficulté à maintenir une présence de Français d'origine ».

Ce qui frappe, c'est d'abord la manière dont on se focalise sur des comportements et des mentalités jugés mauvais, en lieu et place de toute compréhension des logiques sociales à l'œuvre dans ces quartiers. On peut légitimement s'étonner, par exemple, de l'importance accordée à des questions comme les habitudes alimentaires (« ethniques » ou pas, halal ou pas)

---

1   Fabrice DHUME, *ibid.*
2   Voir *Le Monde* du 5 juillet 2004, et l'analyse de ce rapport dans Sylvie TISSOT, Pierre TEVA-NIAN, « Le repli communautaire, un concept policier », *Les mots sont importants. 2000-2010*, Libertalia, Paris, 2010.

ou vestimentaires (« laïques » ou pas), qui paraissent dérisoires face à la persistance du chômage et de la précarité : rappelons simplement qu'en 2010 le taux de chômage dans lesdites Zones urbaines sensibles (ZUS) a progressé de 2,3 points par rapport à 2009, pour atteindre 20,9 %[1] (contre 9,4 % en moyenne nationale). De fait, le souci du « repli » exclut de sa focale les phénomènes qui, pourtant, frappent de plein fouet les territoires étiquetés « hors de la République », comme la crise économique et le creusement des inégalités sociales.

En d'autres termes, s'il importe de pointer le renforcement de la ségrégation socioéconomique et sans doute raciale, la désigner sous le label du « communautarisme » en occulte les causes. Ainsi, le rapport des Renseignements généraux de 2004 évoque la concentration des « familles d'origine immigrée », mais sans jamais expliquer ce qu'elle doit aux politiques de logement : d'abord l'exclusion des immigrés du logement social pendant des décennies, ensuite l'accent mis sur l'accession des classes moyennes à la propriété (qui délaissent alors les grands ensembles), et enfin le désengagement de l'État dans la construction et la réhabilitation du logement social[2].

Interpréter le nombre de classes d'école regroupant des primo-arrivants comme un phénomène problématique imputable au « repli » des concernés revient également à passer sous silence les origines politiques de la concentration spatiale des populations immigrées dans les quartiers périphériques. L'insuffisante adaptation du système scolaire aux vagues successives de la massification est par ailleurs tue, au profit d'une focalisation sur l'effet déstabilisateur des élèves étrangers.

Dès 2004 dans ce rapport des Renseignements généraux, et de façon croissante depuis, la question de l'islam se fait centrale. Au début de l'année 2011, les débats se sont ainsi focalisés sur les « prières de rue », fréquemment dénoncées comme une entreprise délibérée d'occupation de l'espace public par des fanatiques, bref : comme une « offensive communautariste ». La même année, les résultats d'un rapport sur l'islam dans les banlieues[3] ont été interprétés de façon alarmiste comme une montée du communautarisme : « Banlieues, islam : l'enquête qui dérange », titrait le journal *Le Monde* le 4 octobre 2011.

Mais de quoi parle-t-on réellement ? La présence de lieux de culte musulman ne peut être considérée comme un critère raisonnable, tout d'abord parce que la proportion des lieux de culte par pratiquant est dix fois moins élevée pour les musulmans que pour les chrétiens. La présence de croyants dans la rue résulte précisément de la difficulté qu'ils rencontrent

---

1   Observatoire national des zones urbaines sensibles, Rapport 2011.
2   Sylvie Tissot, *L'État et les quartiers. Genèse d'une catégorie d'action publique*, Seuil, Paris, 2007.
3   Gilles Kepel, Leyla Arslan, Sarah Zouheir, *Banlieue de la République*, Institut Montaigne, Paris, 2011

pour ouvrir des salles de prière. Surtout, de même que le mot « islamisme » est utilisé pour désigner des mouvements politiques et sociaux du monde musulman en insistant sur leur hostilité à l'égard de l'« Occident » et de la « modernité » [1], le mot « communautarisme » contribue à jeter la suspicion sur tout rapport à l'islam (port du voile, religiosité, fréquentation des mosquées et de leurs réseaux sociaux). Or rien ne permet de dire qu'une pratique religieuse ou une religion exprime, en soi, une hostilité par rapport au reste de la société et une intolérance vis-à-vis des autres croyants. Gilles Kepel, un des auteurs du rapport de 2011, souligne d'ailleurs que le recours à l'islam doit aussi se comprendre comme une tentative, face à la stigmatisation, de reconstituer une image positive de soi-même. Quant à une autre enquête portant sur un thème similaire et insistant davantage sur le sentiment de discrimination vécu par les musulmans, il est symptomatique qu'elle ait été totalement passée sous silence par la presse, quand elle n'était pas vivement critiquée [2].

Loin d'en proposer une évaluation objective, le discours anticommunautariste tend ainsi à réduire tout phénomène de repli ou d'entre-soi, parmi les groupes minoritaires, à une manifestation, socialement inexplicable et moralement inacceptable, de fermeture, d'asocialité, voire de racisme ! Or ces comportements peuvent tout simplement être analysés comme des manières de s'adapter ou de résister face à une situation difficile ou un déni de droit.

C'est par exemple le cas des réseaux associatifs ou du développement des petits commerces, dans lesquels on peut voir des pratiques de solidarité ou tout simplement des lieux de rencontre et de convivialité. Plutôt que d'en faire, comme le rapport des Renseignements généraux de 2004, l'un des indices funestes du repli communautaire, on pourrait même y voir autant d'espaces qui permettent de lutter contre la délinquance et contre le « sentiment d'insécurité », concrètement et sans doute plus efficacement que les dispositifs les plus répressifs. C'est en somme une inversion des causes et des effets qui s'opère : le repli est appréhendé non pas comme une conséquence de la stigmatisation, de la discrimination et de la relégation spatiale, mais comme une cause, sinon *la* cause, de tous les problèmes.

Ce mauvais procès n'est en réalité pas nouveau. Le même genre de reproche fut fait aux Juifs dès le début du XXᵉ siècle, au nom déjà du vivre-ensemble, de la mixité et de l'« universalisme », ce qui amena Jean-Paul

---

1. Voir la mise au point de François Burgat, « Le mot "islamiste" ne veut plus dire grand-chose », entretien publié sur *Rue 89*, 17 décembre 2011.

2. Françoise LORCERIE, Vincent GEISSER, *Les Marseillais musulmans*, Open Society Foundations, Londres, 2011. Voir la comparaison entre le traitement médiatique de ce livre et celui dont a bénéficié le rapport de Gilles KEPEL *et al. in* Fabrice DHUME, « L'islam tel qu'on veut le voir. Retour sur une manipulation politique et médiatique », *Le Porte-Voix*, n° 6, décembre 2011.

Sartre à y consacrer de belles pages dans ses *Réflexions sur la question juive* (1946). À l'accusation de repli communautaire adressée aux Juifs, le philosophe oppose une réfutation implacable, qui s'applique exactement de la même manière aux groupes aujourd'hui visés par la rhétorique et l'idéologie anticommunautariste – notamment les musulmans. Si ce repli existe bel et bien, explique-t-il, ses causes sociales en font un phénomène qui n'a rien de spécifiquement « communautaire », mais qui se révèle au contraire absolument universel : c'est le repli stratégique, le réflexe de survie naturel, normal, légitime, de toute personne subissant une violence et voulant s'en préserver. Ensuite, poursuit Sartre, ce phénomène objectivement universel de repli sur un entre-soi par fuite d'un macrocosme social hostile possède également une dimension universelle, et même universaliste, sur le plan subjectif : ce que cherchent, trouvent et apprécient les Juifs dans les moments d'entre-soi qu'ils sont amenés à cultiver, c'est, nous dit Sartre, le plaisir non pas d'être juifs parmi les Juifs, mais au contraire d'être enfin homme parmi les hommes, sans que leur soit renvoyée leur identité juive. L'entre-soi permet ainsi d'échapper aux assignations identitaires hétéronomes, violentes, permanentes, que renvoie une société raciste. Rester entre Juifs, c'est avoir l'assurance de ne pas être perçu comme « un Juif » mais comme un individu à la fois singulier et semblable. C'est aussi goûter au plaisir de pouvoir enfin se laisser aller à « être soi-même », sans être obsédé par l'hyper-réflexivité à laquelle les racisés sont condamnés (« comment, en tant que Juif, vais-je être perçu si je fais ceci ? », « et si je fais cela, ne va-t-on pas dire que c'est parce que je suis juif ? »)...

Il en va évidemment de même aujourd'hui, qu'il s'agisse de l'entre-soi gay, lesbien, trans, dans des bars, des espaces festifs et/ou militants ; de l'entre-soi banlieusard ; de l'entre-soi racial ou de l'entre-soi musulman ; ou encore de l'entre-soi féminin, celui des groupes féministes comme celui des « soirées entre copines »... ou des horaires non mixtes dans les piscines !

Un discours policier

Ce qui frappe ensuite, c'est la dimension policière de la politique anticommunautariste. Non pas seulement au sens où l'on confie aux Renseignements généraux le soin de diagnostiquer l'étendue du mal, mais au sens plus large où Jacques Rancière définit la police : « une gestion de l'ordre social visant à exclure toute politique », c'est-à-dire tout dissensus, toute discorde, toute conflictualité et toute visibilité des « sans-part » que sont les ouvriers, les immigrés, les minorités [1]... Le paradoxe doit être souligné : la « communauté » se voit parée de toutes les vertus quand elle est nationale, et elle appelle une allégeance, un amour, un dévouement impérieux et exclusifs

---

1   Jacques RANCIÈRE, *La Mésentente*, Galilée, Paris, 1995.

(un « bon communautarisme »). Elle devient suspecte dès qu'elle est régionale, sociale, sexuelle, religieuse, ou plus précisément dès que, sous ces différentes modalités, elle est minoritaire. Tel est le constat, aussi peu contestable qu'embarrassant politiquement, que fait Louis-Georges Tin :

> Malgré la vigilance de tous ceux qui sont hostiles aux communautarismes, et ils sont nombreux, trois communautés fondamentales échappent à leur critique : celles qui sont liées au travail, à la famille et à la patrie. [...] Toutes les critiques portées contre les communautés en général pourraient s'appliquer tout autant, sinon plus, à ces trois-là. [...] Elles sont en fait le point de vue, et donc le point aveugle de toute vision, et notamment de toute vision anticommunautaire [1].

Le communautarisme minoritaire est en somme perçu comme un facteur de discorde et de division de la communauté globale telle qu'on la rêve : organique, harmonieuse, hiérarchisée et soudée comme une entreprise (Travail) ou comme un clan (Famille), autour d'un référent national (Patrie) – *donc sans politique*. C'est ce que révèle aussi la hantise du « prosélytisme » qui accompagne souvent celle du communautarisme. Une société où le prosélytisme est en soi diabolisé, c'est-à-dire où personne ne doit chercher à convaincre l'autre de se ranger à son avis, est tout simplement une société où l'on ne discute plus, où n'existe plus de liberté d'expression, d'espace public, de vie politique et démocratique.

Ici s'enracine un autre paradoxe à l'œuvre autour de la notion de communautarisme : le même mot sert alternativement, parfois au sein d'un même discours, à qualifier (et disqualifier) tantôt un « prosélytisme », une « offensive » et des « revendications » (outrancières, déraisonnables, inacceptables), tantôt des phénomènes de « repli » (régressifs, égoïstes, voire « racistes ») – alors qu'il semble évident qu'un repli peut difficilement être offensif, prosélyte ou revendicatif...

Mais la contradiction ultime se trouve ailleurs encore : que ce soit en 1999 pendant le débat autour du PACS, du mariage gay et de l'homoparentalité, ou ces dernières années à propos des immigrés, enfants d'immigrés, musulmans et non-blancs, c'est toujours au moment où des citoyen-ne-s discriminé-e-s et relégué-e-s (banlieusard-e-s, racisé-e-s, femmes, homosexuel-le-s, lycéennes et étudiantes voilées...) s'unissent pour revendiquer *les mêmes droits* et demandent à *rejoindre les autres* dans des territoires, des univers sociaux ou des modes de vie qui leur sont interdits (les centres-villes,

---

1   Louis-Georges Tin, « Êtes-vous communautaristes ? Réflexions sur la rhétorique "anticommunautaire" », Les mots sont importants, mai 2005, <http://lmsi.net/Etes-vous-communautaristes>.

les lieux de loisir, le travail qualifié, le mariage et la parentalité, l'école publique, le monde associatif et politique, les postes de pouvoir) qu'on les accuse de se particulariser, de se replier sur eux-mêmes et de diviser la société française en réclamant des « droits particuliers ».

La figure de l'adolescente ou de la femme voilée apparaît à cet égard paradigmatique. Sans doute constitue-t-elle, avec le musulman barbu demandant de la viande halal, l'image emblématique de ce qu'on appelle aujourd'hui « communautarisme ». La loi du 15 mars 2004, votée au nom de la lutte contre le communautarisme, a eu pour principal effet d'exclure de l'école publique des jeunes filles qui voulaient y rester. Le communautarisme aurait consisté, en l'occurrence, à demander un enseignement particulier dans des écoles particulières : les élèves voilées demandaient au contraire à recevoir, *avec tout le monde, le même enseignement que tout le monde.*

Plus radicale encore – mais pas rare – est la position qui consiste à dire que le voile, étant par nature communautariste, risque de « communautariser » par contagion toute la société française. On en conclut alors qu'il faut exclure les femmes voilées de tous les espaces où elles peuvent rencontrer d'autres femmes et d'autres hommes – qu'il s'agisse des sorties scolaires, du monde professionnel, du monde associatif ou de la sphère politique. Là encore, c'est au nom de l'anticommunautarisme que l'on sépare les populations… et que l'on renvoie finalement chacun et chacune dans sa communauté !

Cette dimension policière du discours anticommunautariste affleure aussi dans le rapport des Renseignements généraux de 2004. Ses critères prêteraient en effet à rire s'ils ne révélaient, derrière la volonté affichée de repérer les situations les plus dramatiques, la force de l'idéologie assimilationniste en France : le maintien, chez les immigrés et leurs descendants, de toute référence au pays « d'origine » est une fois de plus considéré comme un déficit d'intégration. Cette idéologie ne donne pas seulement une image tronquée et normative des mécanismes d'intégration : elle traduit aussi une hostilité obsessionnelle aux manifestations visibles, en France, de la présence d'une importante population issue de l'immigration postcoloniale. Jamais explicite dans le rapport, cette obsession transparaît dans la focalisation sur les commerces et les vêtements « ethniques », comme dans la hantise du regroupement spatial induit par la construction des quartiers d'habitat social. On retrouve ainsi logiquement, parmi les huit critères des Renseignements généraux, la proportion de familles immigrées.

On pourrait imaginer que ce critère de la « concentration » reflète le souci de l'accompagnement social, et donc de la présence des services publics requis par la présence de populations à faibles revenus. En réalité, la solution proposée trahit la préoccupation principale : le maintien d'une « présence de Français d'origine ». Cette dernière catégorie, d'ailleurs profondément raciale, révèle une inquiétude profonde quant à la possible disparition d'une identité « française » et « blanche », qui ne saurait être garantie que par la présence d'une certaine proportion de population « de souche ».

Enfin, à travers le thème de la concentration dans l'espace s'exprime une vision profondément moralisatrice des classes populaires, considérées comme sous-civilisées et supposées ne pouvoir progresser que par effet de contagion, grâce à la proximité de classes moyennes incarnant le « bon modèle » à suivre.

▬▬▬ Ethnocentrisme majoritaire

L'une des caractéristiques les plus remarquables du discours anticommunautariste, c'est enfin la tranquillité avec laquelle il fonctionne suivant un double standard. Les méfaits « communautaristes » reprochés aux groupes minoritaires – lorsqu'ils ne sont pas fantasmés ou démesurément grossis – sont souvent des faits qui n'ont en eux-mêmes rien de répréhensible, et en tout cas rien de spécifique aux groupes en question.

L'existence d'une préférence pour l'entre-soi, par exemple, quelle que soit son étendue réelle parmi les jeunes banlieusards, immigrés, musulmans et autres « communautaristes », fait difficilement oublier l'entre-soi bourgeois, blanc et masculin qui structure le monde des « décideurs » économiques et politiques. Les sociologues Michel Pinçon et Monique Pinçon-Charlot ont d'ailleurs souligné à quel point la haute bourgeoisie s'organise autour d'un souci de préserver un entre-soi territorial, social, conjugal qui correspond en tout point à ce qui se dénonce quotidiennement sous le nom de « communautarisme ».

Autre exemple de ce double standard : la candeur avec laquelle le rapport des Renseignements généraux propose comme critères de « repli communautaire » le port de vêtements ou la présence de commerces « ethniques ». En quoi porter un habit de telle ou telle couleur, un couvre-chef de telle ou telle longueur est-il un facteur d'aggravation pour les quartiers populaires ? S'ils marquent une absence d'intégration, quelles tenues faut-il leur opposer ? Un costume trois pièces, un tailleur ? Quant aux commerces dits ethniques, s'inquiète-t-on autant de la concentration des crêperies dans le quartier parisien de Montparnasse ou de la vente de fallafels dans le Marais que des boucheries halal et autres épiceries « arabes » ou « orientales » ?

Droit de vote des étrangers, viande halal dans les cantines, soutien présumé de « 700 mosquées » au candidat François Hollande : autant de problématiques hétéroclites placées sous la rubrique générale de « communautarisme » par la campagne de Nicolas Sarkozy. Un fil les relie pourtant, qui saute assez vite aux yeux. D'une manière ou d'une autre, ces discours visent toujours des étrangers ou des immigrés, plus souvent encore des musulmans.

Les fondements idéologiques du discours anticommunautariste n'enlèvent rien à l'intérêt de travailler sur les « communautés » et les « groupes communautaires », sur leur émergence et éventuellement leur renforcement, à condition bien sûr de définir précisément ce dont on parle. Reste que, comme d'autres termes en France (notamment « insécurité » ou « repentance ») ou dans des pays voisins (le « multiculturalisme » au Royaume-Uni ou en Allemagne, le « relativisme culturel » en Italie), le mot « communautarisme » est devenu ce que Pierre Tevanian appelle une « métaphore du racisme respectable [1] » : un moyen de désigner, sans avoir à le nommer, un groupe racialisé, le plus souvent les Arabes, les Noirs et/ou les musulmans.

Pour en savoir plus

Ch. DELPHY, « L'humanitarisme républicain contre les mouvements homo », *in* *Classer, dominer. Qui sont les « autres » ?*, La Fabrique, Paris, 2008.

F. DHUME, *Liberté, égalité, communauté. L'État français contre le communautarisme*, Homnisphères, Paris, 2007.

L. LÉVY, *Le Spectre du communautarisme*, Amsterdam, Paris, 2005.

Ph. MANGEOT, « Communautarisme », *in* Louis-Georges TIN (sous la dir. de), *Dictionnaire de l'homophobie*, PUF, Paris, 2003.

M. PINÇON et M. PINÇON-CHARLOT, *Dans les beaux quartiers*, Seuil, Paris, 1989.

M. PINÇON et M. PINÇON-CHARLOT, *Les Ghettos du gotha. Comment la bourgeoisie défend ses espaces*, Seuil, Paris, 2007.

P. TEVANIAN, *Le Voile médiatique. Un faux débat : « l'affaire du foulard islamique »*, Raisons d'Agir, Paris, 2005.

L'Union européenne, épicentre d'une crise systémique ?

Alain Lipietz
Économiste

À la fin des années 1980, l'Europe semblait affronter la crise ouverte dix ans plus tôt dans une bien meilleure position que les États-Unis, le Japon ou l'Union soviétique. Vingt ans plus tard, elle

---

1 Pierre TEVANIAN, *La République du mépris*, La Découverte, Paris, 2007.

apparaît au contraire comme le « continent malade ». Elle semble en effet focaliser la crise des dettes souveraines, nouvel avatar de la crise mondiale, ouverte en 2007 avec la crise des *subprimes* aux États-Unis. Lesquels, quoique bien plus endettés, peuvent se permettre de vilipender les risques que la mal-gouvernance européenne fait courir à l'économie mondiale ! Comment comprendre un tel retournement ?

Il faut d'abord saisir la succession de modèles de développement entrés en crise depuis la Seconde Guerre mondiale, ce qui permettra de comprendre les relatifs succès européens et la nature des difficultés présentes. Ces difficultés tiennent moins aux « fondamentaux » économiques et sociaux de l'Europe (relativement sains et porteurs d'avenir) qu'à l'incapacité du continent à se doter d'un espace de décision politique permettant de mener d'une main vigoureuse sa barque dans la tempête en cours, où s'affrontent de grands blocs constitués en États, qui peuvent être par ailleurs fédéraux : les États-Unis, la Chine, l'Inde, la Russie…

▪▪▪▪▪▪ Les avantages initiaux de l'Union européenne

L'Union européenne est née du plan Marshall, c'est-à-dire de la volonté des États-Unis de projeter sur le reste du « monde libre » leur propre modèle de développement, qu'illustrent les noms de Roosevelt, de Ford et de Keynes. Face à la crise des années 1930, crise du modèle libéral classique, le *New Deal* roosveltien – par une série de réformes de la fiscalité, de la régula-tion bancaire, et surtout des relations professionnelles (avec le renforce-ment du pouvoir de négociation des syndicats, permis par le *Wagner Act*) – avait offert à la production de masse des usines fordiennes un débouché massivement croissant : la consommation populaire. L'Europe de l'après-guerre ajoutera à ce modèle un puissant État-providence.

Les généraux américains en charge de la reconstruction des États vaincus, MacArthur au Japon et Marshall en Europe, épaulés par des économistes et des politiciens clairvoyants à Washington, avaient compris l'intérêt pour les États-Unis de reconstruire à leurs côtés des partenaires forts, qui seraient d'abord leurs principaux clients. Marshall poussa l'Europe de l'Ouest à se constituer en un vaste marché pour les biens d'équipement américains et, de fait, la Communauté européenne du charbon et de l'acier, germe de l'Europe actuelle, régulait à la fois la distribution de l'aide du plan Marshall et la reconstruction de la puissance économique européenne. Comme le Japon, la « petite Europe » (six membres) de la Communauté économique euro-péenne (CEE) grandit ainsi très vite, en suivant le modèle de l'*American way of life*.

Plus importante encore était la volonté des peuples européens d'en finir avec deux millénaires de guerres perpétuelles, jusqu'au paroxysme de 1939-1945. L'aspiration à une véritable Europe politique, expression d'une civilisation commune, était réelle, mais pour l'heure l'Europe restait fragmentée en États nationaux regroupés en deux blocs hostiles sous l'hégémonie des États-Unis et de l'Union soviétique, et une partie significative de l'intelligentsia progressiste française manifestait dès 1954 son hostilité à une « Communauté européenne de défense ».

Le modèle de développement « fordiste », fondé sur un couplage, régulé par l'État national, de la croissance de la productivité et du pouvoir d'achat, risquait de se heurter à cette fragmentation de l'espace politique européen. La menace ne fut guère sensible les premières années. Mais l'adhésion à la CEE, en 1973, de trois pays de l'Association économique de libre-échange (pilotée par la Grande-Bretagne), moins enclins à partager un projet de développement commun, aggravait le problème.

Le choc pétrolier de 1974 renforça la nécessité d'exporter entre les pays européens eux-mêmes. Ces pays, qui jusque-là rectifiaient sans trop de difficultés leurs petits déséquilibres commerciaux, se lancèrent dans une concurrence ravageuse : l'« austérité compétitive ». En fait, au début des années 1980, le modèle « fordiste » de l'après-guerre était répudié dans le monde entier, et la concurrence de tous contre tous se déchaînait. La tendance la plus générale, promue par les États-Unis et la Grande-Bretagne, révoquait l'aspect social du compromis fordien : remise en cause de l'État-providence et des conventions collectives. On espérait de la baisse du coût salarial une croissance de la compétitivité externe et « donc » de la production, alors que, par effet de composition, une stagnation générale étoufferait bien vite les gains que chaque pays pouvait espérer d'une croissance des exportations.

Mais une autre orientation était possible, fondant la compétitivité sur la qualification des travailleurs et leur implication dans la qualité des produits et des processus de production. Souvent assimilée à la stratégie japonaise (le « toyotisme »), elle caractérisait assez bien la zone scandinave, l'Allemagne rhénane, l'Arc alpin et ses franges allemandes et italiennes. Au contraire, la Grande-Bretagne et la France s'orientaient vers le modèle de « flexibilisation » du salariat. L'entrée des trois pays du Sud (Grèce en 1981, Espagne et Portugal en 1986) renforça le camp des pays européens en compétition par les bas salaires.

Et pourtant la Communauté sembla trouver un certain équilibre. Dans le nouveau modèle dominant à l'échelle mondiale, *libéral* dans ses relations professionnelles mais tout aussi *productiviste* que le fordisme dans sa gloutonnerie à exploiter les ressources naturelles, la configuration européenne faisait bonne figure par rapport à l'Amérique et à l'Asie, totalement dépourvues de régulation sociale et fiscale collective. Les États-Unis voyaient fuir leurs industries vers les pays à bas salaires. Les pays d'Asie de l'Est profitaient de leurs bas salaires pour accélérer une stratégie centrée sur l'exportation, en imitant toutefois le modèle japonais d'escalade des filières technologique (*upgrading*), grâce à un haut niveau d'investissement dans l'éducation.

L'Union européenne, au contraire, présentait une hiérarchisation ordonnée de ses espaces productifs, autour d'un cœur très qualifié et spécialisé dans la production des biens d'équipement (l'Europe du Nord), avec une périphérie tout aussi compétitive, mais dans les produits banals et par les bas salaires. Les plus menacés étaient les pays intermédiaires (la Grande Bretagne et la France), aux salaires trop élevés par rapport au Sud et pas assez qualifiés par rapport à l'Allemagne ou la Scandinavie. Mais l'ensemble de la Communauté présentait un espace de complémentarité relativement stable.

Déstabilisation

Cette stabilité reposait d'une part sur une réelle autosuffisance de l'Europe et une haute compétitivité de son noyau central par rapport aux pays tiers (Amérique et Asie), d'autre part sur le dynamisme de la demande que ce noyau adressait à sa périphérie. À la fin des années 1980, l'Europe exportait vers le reste du monde, notamment vers les États-Unis, en survalorisant son propre travail (quand on compare les exportations en dollars courants et leur valeur en parité de pouvoir d'achat). Mais les choses commencèrent à changer sous la pression de la concurrence asiatique. Pour résister, l'Europe n'avait qu'une solution : assumer clairement et collectivement la course aux *upgradings* dans laquelle l'entraînait l'Asie, la montée permanente dans l'échelle des qualifications. C'est cette volonté stratégique unitaire européenne qui fit défaut, ainsi que l'acceptation par les pays centraux de servir de débouchés aux pays périphériques européens.

La montée des périls. Déjà, l'industrialisation des « dragons asiatiques » ne relevait plus de la simple délocalisation d'industries peu qualifiées vers quelques « États ateliers ». Et, dans les années 1990, deux immenses pays asiatiques basculaient vers le modèle libéral, la Chine et l'Inde. Ces pays (mais aussi les Philippines, l'Indonésie, la Malaisie, le Vietnam...) adoptaient la même stratégie exportatrice que leurs prédécesseurs coréen ou taïwanais, mais (cette différence sera plus tard décisive) en disposant d'immenses marchés intérieurs et de ressources de main-d'œuvre pratiquement illimitées. Les premiers dragons asiatiques s'en tiraient par une accélération de leur *upgrading* et atteignirent bientôt le niveau de qualification de la Grande-Bretagne sur certaines branches des nouvelles technologies. L'Asie nouait le même type de complémentarité vertueuse que l'Europe, avec le Japon comme modèle et marché central et comme fournisseur de biens d'équipement, mais avec une capacité exportatrice illimitée sur une échelle croissante de qualifications.

L'Europe ignora d'abord ce nouveau défi. Oublieuse de l'Histoire qui depuis l'Antiquité replace périodiquement la Chine au centre du monde, elle réduisait la rivalité asiatique au problème de la concurrence sur les industries banalisées et au vieil Accord multifibres (AMF) limitant cette concurrence. En réalité, il aurait fallu lancer dès les années 1980 un programme de remontée vers le haut de l'ensemble de la hiérarchie européenne, incitant sa « périphérie » à suivre la trajectoire coréenne d'investissements massifs dans la recherche et l'éducation. De fait, des programmes de modernisation furent prévus lors de l'adhésion des pays méditerranéens et de l'Irlande. Mais cette croissance périphérique financée par des transferts mal contrôlés ne fut pas sans effets pervers : la périphérie s'installa dans l'attente des subventions européennes, qui dispensaient l'Irlande de taxer les entreprises venant s'y localiser. Ce *dumping* fiscal lui permit, en deux décennies, d'atteindre un des plus hauts niveaux de PIB par habitant, mais de façon largement artificielle.

La catastrophe libérale. À la fin des années 1980, la conscience de la nouvelle puissance européenne fondée sur son unité vint se marier en une étrange chimère avec le mythe alors dominant du caractère autorégulateur des marchés. Cette chimère prit en 1987 la forme d'un traité, l'Acte unique, qui unifiait complètement le « marché unique » en effaçant toutes formes de « protectionnisme mesquin » (c'est-à-dire réglementaire) entre pays de la Communauté – mais cela sans aucune progression de la régulation politique telle que l'harmonisation des règles fiscales ou sociales. Dans l'atmosphère libérale, ce programme insensé s'imposa avec la caution de la majorité des économistes, qui avançaient des estimations mirobolantes sur le gain de croissance qui résulterait de cette libéralisation sans harmonisation. L'Acte unique fut adopté dans l'indifférence générale des populations et dans l'enthousiasme des dirigeants. Les marchandises et surtout les capitaux pouvaient désormais circuler librement à travers toute l'Europe.

Certes, cette étape impliquait une intense production de normes unificatrices au sein de la Communauté. Le maître d'œuvre de l'Acte unique, Jacques Delors, président de la Commission européenne, espérait que cette dynamique entraînerait un sursaut d'unification politique. Mais l'idéologie libérale poussa l'Europe à s'unifier à travers des règles et non par la délibération politique. Expression de cette dérive : le traité de Maastricht (1992). La course à l'unification s'accéléra… avec un pas supplémentaire dans la dépolitisation de la gouvernance. Une monnaie unique était projetée, mais pour sa future stabilité était seulement posé un ensemble de règles, les « critères de Maastricht », portant sur le niveau d'endettement toléré des États (3 % de déficit pour les administrations publiques).

Que des règles limitent l'autonomie des parties d'un tout est parfaitement légitime : tous les pays imposent de telles règles à leurs collectivités locales.

Mais rien n'était fait pour promouvoir des formes de décisions européennes régulatrices en matière fiscale ou sociale. À la seule protection de l'environnement étaient accordées, du fait de sa nouveauté, des procédures de décision à la majorité du Parlement européen et des États. En outre, le budget du « tout » resta si faible qu'il pouvait à peine compenser les déséquilibres structurels entre régions.

Comment des gouvernements sociaux-démocrates (en France, celui de François Mitterrand) ont-ils pu accepter un tel marché ? La raison fondamentale est sans doute l'effondrement du Mur de Berlin et la désagrégation de l'empire soviétique. La France et la Grande-Bretagne craignaient que l'Allemagne réunifiée se construise un empire dans la *Mitteleuropa*. Accepter l'euro et une Europe régie par des règles visait à l'ancrer dans l'Europe de l'Ouest.

Marché de dupes. Certes, l'Allemagne professe une gouvernance européenne par les règles. Mais en réalité le dialogue au sein de la « communauté socioéconomique » de ses *Länder* lui permet de pratiquer un interventionnisme local améliorant la compétitivité de chacune de ses régions. De même, la régulation sociale allemande est davantage fondée sur les contrats de droit privé que sur la législation.

Jacques Delors comprit les dangereuses limites du traité de Maastricht, mais promit que les contradictions qu'il développerait impliqueraient rapidement un surcroît d'unification politique. Malheureusement, la tentative suivante de construire une Europe politique, le traité d'Amsterdam (1997), confirma sur l'essentiel, le domaine économique, la gouvernance par des règles. Les critères de Maastricht furent incorporés au traité sous le nom de « Pacte de stabilité ».

Avec deux conséquences importantes. D'abord, l'application de ces « critères » entre la ratification de Maastricht (1992) et le passage à l'euro (1997) contraignit pendant cinq ans les pays européens à une stagnation coordonnée. Les taux d'intérêt réels des banques centrales restèrent fortement positifs alors que la Banque fédérale américaine d'Alan Greenspan appliquait la politique inverse. Il en résulta entre les États-Unis et l'Europe un différentiel d'investissements considérable, lesquels investissements prirent outre-Atlantique la forme d'une bulle des « nouvelles technologies » largement spéculative, mais non sans effet réel. À la fin de la décennie 1990, et pour la première fois de l'après-guerre, la productivité croissait plus vite aux États-Unis qu'en Europe.

Puis, après la ratification d'Amsterdam (1997), la gouvernance par les règles prolongea les contraintes de Maastricht, certes adoucies par le succès du passage à l'euro. Une nouvelle ère de prospérité sembla alors se dessiner pour l'Europe. D'autant que des coalitions impliquant sociaux-démocrates, Verts et même communistes devinrent alors majoritaires dans ce qui était désormais l'Union européenne. Au sommet de Lisbonne (mars 2000) fut adoptée une stratégie explicite de compétitivité par la formation professionnelle et la recherche scientifique et technique : « Faire de l'Europe le continent le plus compétitif du monde par la connaissance. » Ambition qui aurait dû être affirmée dix ans plus tôt...

Ce sera un échec. Une telle stratégie suppose un gouvernement fédéral apte à l'appliquer : limite à la concurrence interne par le *dumping* social et fiscal, investissements massifs et coordonnés dans le « capital humain », transferts de crédits vers les pays périphériques. Rien de tout cela n'était prévu. Au contraire, concession aux libéraux, la « stratégie de Lisbonne » reprenait l'antienne des vertus autorégulatrices des marchés, accompagnée d'une vague « méthode de la coordination ouverte ».

Surtout, l'Union européenne, renonçant à approfondir son unification politique, se lançait dans une fuite en avant vers l'élargissement : tous les pays de l'ancien bloc soviétique furent appelés à adhérer. La volonté géopolitique de contrôler cette zone intermédiaire avec la Russie (que guignent également les États-Unis) se combinait à une évolution profonde du capitalisme allemand qui, comme les États-Unis quinze ans plus tôt, renonçait à sa régulation d'une économie sociale de marché et cédait à son tour aux sirènes du libéralisme. Les plus beaux fleurons de l'industrie allemande délocalisaient vers ces nouveaux pays, parfois dotés d'un haut niveau de qualification professionnelle mais avec des salaires considérablement plus bas.

Ultime clou sur le cercueil d'une « Europe de la connaissance » : le traité de Nice (2001) prit en compte l'entrée dans l'Union des pays de l'Europe centrale et orientale, tout en organisant une régression du peu d'Europe politique préalablement existante. Les règles de décision en Conseil européen instituèrent un droit de veto généralisé pour chaque pays. Le rêve d'une Europe communautaire s'éloigna au profit d'un vaste libre marché dans lequel la décision politique exigeait une improbable unanimité.

Les raisons de ce recul sont diverses : hégémonie des idéologies libérales, et nationalisme bien naturel des jeunes pays indépendants d'Europe de l'Est, peu soucieux de passer d'une tutelle soviétique à une tutelle bruxelloise. Cette étrange convergence du libéralisme et du nationalisme doit être bien comprise. Dans un espace unifié, où la circulation des marchandises et des capitaux est « libre et non faussée » (par des frontières intérieures), la fragmentation en entités politiques nationales incapables de prendre une décision collective revient à graver dans le marbre le recul du politique au profit des marchés.

Ce couple « libéralisme/souverainisme national », illustré par le couple inattendu « Espagne d'Aznar/Pologne de Kwasniewski » et plus tard par Henri Guaino, conseiller numéro un de Nicolas Sarkozy, s'approfondira jusqu'à la crise mondiale du modèle libéral-productiviste. Certes, les secteurs les plus avertis parmi les élites européennes comprirent le piège dans lequel elles s'enfermaient. En particulier, le gouvernement de coalition entre sociaux-démocrates et *Grünen* allemands mesura que ce jeu menaçait à terme la puissance et même le modèle civilisationnel allemands. Sous l'impulsion du vice-chancelier vert Joschka Fischer, une tentative de forcer l'unification politique fut lancée : la Convention pour rédiger une véritable Constitution européenne.

Le virage allemand. Le Traité constitutionnel européen (TCE) élaboré par la Convention se heurta immédiatement à la coalition souverainiste-libérale. Espagnols et Polonais en prirent la tête sous le mot d'ordre « Nice ou la mort ». Les administrations des grands pays (en particulier le ministère des Finances français) s'opposèrent farouchement aux avancées fédéralistes adoptées par la Convention (qui regroupait les parlementaires et les ONG). Les appareils du capital financier (*Financial Times, Wall Street Journal*) se mobilisèrent pour le « non ». Après la chute du gouvernement Aznar, un projet édulcoré fut présenté aux électeurs en 2004. Il fut adopté par les référendums espagnols et luxembourgeois, mais rejeté par la France et les Pays-Bas. Dès 2005, le projet était mort-né.

Les raisons de ce rejet sont connues. Dans le cas de la France : une convergence du souverainisme de droite et du souverainisme « antilibéral » ; dans le cas des Pays-Bas : une exaspération contre une sphère politique consensuelle et coupée de la population, un malaise croissant face à la montée de l'immigration la plus forte d'Europe. Pourtant, l'opposition à l'invasion de l'Irak voulue par G. W. Bush (2003) avait créé une sorte d'opinion publique européenne défendant un « modèle » singulier face à l'hégémonisme de la droite américaine, et favorable à une fusion franco-allemande ! Cela n'a pas suffi : la critique du caractère libéral de l'Europe de Maastricht et de Nice permit aux souverainistes d'imposer... le maintien de l'Europe de Maastricht-Nice.

Ultime « rattrapage » pour l'Europe politique (négocié de façon purement diplomatique et ratifié par les Parlements) : le traité de Lisbonne (2007), qui permit formellement d'adopter la plupart des avancées fédéralistes du TCE. Significativement, le traité fut rejeté par une majorité nationaliste-libérale du peuple irlandais (avec pour motivations principales le souhait de maintenir le *dumping* fiscal, et la crainte de voir l'Europe imposer le droit à l'avortement). Mais ce vote s'inversera après l'ouverture de la crise, les Irlandais espérant de l'Europe une solidarité que leur propre *dumping* fiscal démentait.

Il était trop tard : le pli était pris d'une Europe purement intergouvernementale et donc à la remorque du pays dominant, l'Allemagne. Or celle-ci, à la fin du gouvernement Schröder puis sous Angela Merkel à partir de 2005, était désormais résignée à l'absence d'Europe politique, et bascula dans une stratégie individualiste à la chinoise : la minimisation des prix à l'exportation. Le gouvernement Schröder engagea un démantèlement des droits sociaux, aggravé sous Angela Merkel. Il en résulta un retour à la compétitivité allemande qu'avait menacée le coût finalement important de la réunification. Cette compétitivité retrouvée se paya pour l'Europe d'un double phénomène déflationniste. D'une part, le plus important marché central se contractait. D'autre part, ce même pays redevenait compétitif par rapport à tous les pays de l'Union et les contraignait eux aussi à des politiques d'austérité. Contrairement aux États-Unis de 1945-1980, l'Allemagne refusait de jouer les « locomotives » de sa zone d'influence, en acceptant un déficit vis-à-vis de ses voisins.

Pire, l'Allemagne (fortement appuyée par la France de Sarkozy) prit la tête d'une croisade « Tout pour la compétitivité des entreprises » qui amènera l'Europe, à la conférence de Copenhague (2009), à renoncer au leadership qui était le sien dans les négociations climatiques depuis une vingtaine d'années. En revanche, après l'accident de Fukushima et la victoire des *Grünen* dans le Bade-Wurtemberg (2011), l'Allemagne sortit « agressivement » du nucléaire, consciente que cette industrie n'avait plus guère d'avenir alors que l'industrie allemande était leader dans les énergies alternatives.

De ce retournement de l'Allemagne, citons une illustration : la réforme du Pacte de stabilité. En 2003, le modèle libéral-productiviste connut ses derniers feux au niveau mondial, précipitant une crise écologique du côté de l'alimentation et surtout de l'énergie. Ce nouveau choc entraîna en Europe un ralentissement que les gouvernements français et allemand acceptèrent de compenser par les classiques recettes keynésiennes du déficit budgétaire. Le Pacte de stabilité était violé. Désormais proclamé « stupide » par le président de la Commission européenne lui-même, Romano Prodi, il fut au printemps 2005 réformé et assoupli : il n'y aurait plus de sanctions à prendre contre les pays qui s'endetteraient excessivement… pour financer les investissements d'avenir. Malheureusement, le laxisme budgétaire devint une recette générale et permanente en Europe du Sud, tandis que les pays du Nord restaient beaucoup plus vigilants. Quand, cinq ans plus tard, la crise des dettes publiques éclatera, l'Allemagne critiquera le « laxisme » de la réforme de 2005…

La crise systémique

La crise mondiale qui s'ouvre vers 2007 est l'une des plus grandes crises de l'histoire du capitalisme. Elle est trop complexe à analyser ici. Se combinent une crise de type 1930 (les écarts entre salaires et profits au niveau mondial empêchent les travailleurs d'acheter ce qu'ils produisent et les capitalistes de réinvestir utilement leurs profits) et une double crise écologique (crise énergie/climat, crise alimentation/santé). Cette double crise déclencha la crise des *subprimes* (la hausse du prix des dépenses quotidiennes interdit aux salariés appauvris des États-Unis de rembourser leurs logements hypothéqués). Par ailleurs, elle bloque toute sortie « fordiste » de la crise au niveau mondial : la redistribution des profits vers les salaires est certes nécessaire, mais elle ne peut prendre la forme d'une relance de la consommation de masse de biens matériels et polluants.

Cette crise de fond fut d'abord masquée par ses conséquences boursières puis financières : les investissements risqués furent brutalement dévalorisés, et les dettes contractées par les États ne pouvaient plus être remboursées. À l'automne 2008, l'ensemble du monde réagit de façon « keynésienne » : renflouement des banques et déficits budgétaires massifs. L'Europe, pilotée par le social-démocrate britannique Gordon Brown, suivi par le couple libéral Sarkozy-Merkel, impulsa cette gestion keynésienne de la première phase de la crise. Celle-ci semblait enrayée fin 2009... sauf que certains États européens se retrouvaient gravement endettés. Et les banques désormais ragaillardies s'empressèrent de mordre les mains qui les avaient sauvées, en exigeant remboursement avec intérêts.

Surtout, les créditeurs internationaux (fonds de pension, fonds souverains des pays excédentaires tels la Chine, le Qatar ou l'Arabie saoudite) commencèrent à prendre en compte la clause des traités européens stipulant que les États ne sont pas responsables financièrement les uns des autres. Ils courent donc un risque différencié de faire défaut, les uns parce qu'ils sont plus endettés que d'autres (l'Europe périphérique), d'autres parce qu'ils sont grevés de lourds engagements hors bilan (telle la France, dont l'accident de Fukushima révélait l'exposition au risque d'un accident équivalent, dont le coût serait pour elle de l'ordre d'une demi-année de PIB). Lorsque, en décembre 2009, le Premier ministre grec Papandréou à peine élu constata que ses prédécesseurs avaient laissé une dette publique largement sous-évaluée, les prêteurs commencèrent à appliquer un différentiel de taux meurtrier par rapport au meilleur emprunteur (l'Allemagne) : le *spread*.

La première moitié de l'année 2010 vit alors éclater la crise systémique de l'Europe, qui condensait toutes les tensions précédentes. D'une part, l'endettement excessif des pays périphériques n'avait plus aucune chance de se résorber, du fait des politiques de déflation compétitive menées en Allemagne. D'autre part, le risque de défaut d'un pays, si petit soit-il (la Grèce représente 2 % du PIB européen), attisait la spéculation contre des pays de plus en plus gros qui étaient leurs créditeurs, jusqu'à l'Espagne, l'Italie, la France et la Grande-Bretagne. Enfin, les conséquences institutionnelles d'un défaut n'étaient pas du tout claires et donc potentiellement dangereuses. Les assurances sur le défaut de paiement de dettes souveraines (les *credit default swaps*, CDS) sont des institutions non régulées dont on ne sait exactement à quelles conditions elles sont déclenchées et avec quels effets. Et le défaut d'un pays dont la monnaie est l'euro affaiblit nécessairement le crédit de l'euro lui-même.

Fallait-il dans ces conditions renforcer la solidarité entre pays membres de l'euro ? Devait-elle être purement financière (des moins endettés vers les plus endettés, au risque de généraliser le doute sur la capacité de remboursement des pays « moyens ») ? Ou impliquer un début de coordination des politiques macroéconomiques, ouvrant des débouchés aux plus endettés ? Ou allait-on au contraire vers l'expulsion des pays faisant peser sur les autres un « risque (ou aléa) moral » excessif ?

La réponse fut typique des ambiguïtés de la construction européenne depuis Maastricht. Oui, les autres pays paieraient pour les pays en difficulté. Mais, non, il n'y aurait pas de politique macroéconomique commune assurant une balance équilibrée entre les pays les plus compétitifs et les autres : au contraire, on affirmait pousser plus loin encore la gouvernance par les règles, et condamner les endettés à des politiques d'austérité socialement dramatiques et macroéconomiquement catastrophiques pour l'Union tout entière. Et, non, la Banque centrale européenne (BCE) ne prêterait pas aux pays en difficulté, car ce « financement par la planche à billets » compromettrait la valeur de l'euro, ce dont l'opinion publique allemande, encore traumatisée par les souvenirs d'hyperinflation, ne voulait à aucun prix. C'est pourtant ce qui se passa, la BCE « monétisant » indirectement les dettes insolvables : l'euro perdit 20 % par rapport au dollar. Mais n'était-ce pas surtout la conséquence de la défiance qu'inspirait désormais la construction européenne ?

Ainsi, après dix-huit mois de négociations et de bricolages, un Mécanisme européen de stabilité (MES) fut adopté le 19 décembre 2011. Financé par tous les pays européens (sauf la Grande-Bretagne et la Tchécoslovaquie, qui se trouvèrent *de jure* expulsées du cœur de la négociation européenne), il aurait la capacité d'intervenir puissamment au secours d'un pays gravement endetté (après avoir, comme en Grèce, imposé l'annulation d'une grande partie de la dette publique aux banques privées… qu'il faudrait donc recapitaliser), et d'émettre des emprunts communs garantis par les Trésors publics, rien ne s'opposant à ce qu'il se refinance auprès de la Banque centrale. Mais le même jour fut adopté un second Traité sur la stabilité, la coordination et la gouvernance (TSCG) fixant des règles beaucoup plus drastiques que celles de Maastricht sur les déficits publics.

Naturellement, aucun pays capable de respecter les règles du TSCG n'aura jamais besoin du MES ! Il s'agissait donc d'une pure rhétorique dogmatique, dirigée contre l'aléa moral (le risque d'imprudence d'un agent couvert par une assurance « tous risques »), mais dont les accents potentiellement récessifs entraînaient un surcroît de défiance de la part des créditeurs internationaux. Toutefois, la ratification du MES au cours du premier trimestre 2012 permit de calmer la spéculation. L'Europe s'engageait en 2012, comme en 1992, dans une période d'austérité coordonnée la plaçant dans la situation la plus défavorable du monde industriel pour aborder la conversion écologique… sans pour autant rassurer ses créditeurs.

Une issue reste possible

L'Europe garde de très nombreux atouts. Troisième puissance mondiale en population, première en PIB, elle présente une large gamme de qualifications, dans le haut de la hiérarchie mondiale. Malgré sa fragmentation politique, elle hérite de l'expérience d'un demi-siècle de négociations et de coordination. Cette capacité de coordonner des États jadis hostiles fut même longtemps sa « carte de visite », son modèle de réponse aux défis de la mondialisation. Enfin, malgré son endettement, elle dispose d'une palette de produits exportables suffisamment large (hautes technologies, finances, tourisme…) pour gager solidement la monnaie qu'émet sa Banque centrale.

Il lui reste donc à assumer clairement, au plan politique, le processus d'unification économique initié il y a une soixantaine d'années. S'unifier politiquement, c'est se doter, au-delà de simples règles de coordination (certes indispensables), d'une capacité de réponse politique collective à des défis conjoncturels et structurels. Or le grand défi est la sortie de la triple crise mondiale (économico-sociale, alimentaire-sanitaire et énergie-climat). L'Europe en a la capacité, si elle sait transformer les intuitions de la stratégie de Lisbonne en planification de la transition écologique. Les réponses à la double crise écologique sont en effet le support principal de la réponse à la crise macroéconomique : formation, investissements « verts »…

Cela implique un élargissement de la solidarité conjoncturelle de l'Europe envers ses membres en difficulté (le MES), de sa solidarité structurelle envers ses régions les moins développées (Fonds européen de développement régional), et la réorientation de son organisme de crédit, la Banque européenne d'investissement, vers le financement de la transition verte. Ces trois sources de financement pourraient se voir reconnaître clairement le droit à un refinancement à très bas taux auprès de lá BCE. Enfin, l'Europe doit se doter d'un pouvoir de décision macroéconomique réfrénant les politiques d'austérité compétitive.

Mais tout cela suppose d'abord et avant tout l'acceptation par les opinions publiques nationales d'un pas en avant majeur vers le fédéralisme européen. Pour paraphraser Massimo d'Azeglio : « Nous avons fait l'Europe, il nous reste à faire les Européens. »

Pour en savoir plus

CONSEIL D'ANALYSE ÉCONOMIQUE, *Questions européennes*, n° 27, La Documentation française, Paris, 2000.

CONSEIL D'ANALYSE ÉCONOMIQUE, *Politique économique et croissance en Europe*, n° 96, La Documentation française, Paris, 2006.

A. LIPIETZ, *Green Deal. La crise du libéral-productivisme et la réponse écologiste*, La Découverte, Paris, 2012.

Revue de l'OFCE, « Perspectives 2011-2012 », n° 119, Presses de Sciences Po, Paris, 2011.

Les institutions européennes au défi de la crise

Renaud Dehousse
Directeur du Centre d'études européennes de Sciences Po

Le traité de Lisbonne, entré en vigueur le 1er décembre 2009, était censé mettre un point final à une décennie de discussions difficiles sur la réforme des institutions européennes, dont le point culminant a été le rejet du Traité constitutionnel en 2005, à l'issue de campagnes électorales passionnées en France et aux Pays-Bas. Une fois cette page refermée, les responsables politiques espéraient bien pouvoir oublier un moment les affaires européennes et se concentrer sur le « *business as usual* ».

Leur espoir a cependant été déçu. En l'espace de deux ans, en effet, l'Union a connu non pas une mais deux réformes majeures : d'abord la mise en place d'un Mécanisme européen de stabilité (MES), destiné à venir en aide aux pays menacés de défaut comme la Grèce (juillet 2011) ; ensuite le « pacte budgétaire » (Traité sur la stabilité, la coordination et la gouvernance au sein de l'Union économique et monétaire, TSCG) voulu par la chancelière allemande Angela Merkel (mars 2012). À quoi s'ajoute la mini-révision par laquelle on a augmenté le nombre des parlementaires européens...

Pourquoi cette accélération soudaine ? En raison de la superposition de trois crises de nature différente : crise économique d'abord, crise de gouvernance ensuite, et enfin crise de légitimité. Les difficultés économiques sans précédent que l'Europe a dû affronter au cours des dernières années ont mis en lumière le caractère incomplet de l'Union économique et monétaire : non seulement la coordination des politiques économiques réclamée par le traité de Maastricht est restée un vœu pieux, mais l'absence de tout mécanisme de solidarité empêchait l'Union de répondre aux menaces qui pesaient sur certains de ses membres, mettant ainsi en danger l'ensemble de la construction.

Adoptés dans l'urgence, et sans dessein d'ensemble, les deux nouveaux traités s'efforcent de remédier à ces lacunes. Leur caractère incomplet doit beaucoup à une deuxième crise, de gouvernance celle-là : le logiciel conçu par Jean Monnet et par ses disciples, la « méthode communautaire », remis en cause depuis deux décennies, a été mis sur la touche par les initiatives franco-allemandes sans que son remplacement fasse vraiment l'objet d'un consensus. Avec le « pacte budgétaire », l'Europe a désormais une feuille de route en matière économique, mais pas encore de gouvernement pour la mettre en œuvre ! Ses moyens d'action restent limités et l'on ne voit pas d'accord au sommet quant à la façon de les renforcer.

De surcroît, la réponse incomplète qui a été donnée aux deux premières crises pourraient bien aggraver le problème de légitimité dont souffre l'Union. Quel que soit en fin de compte le destin du « pacte budgétaire », dont la ratification reste incertaine à l'heure où sont écrites ces lignes, les gouvernements voient déjà leur marge de manœuvre réduite. Dans ce contexte, l'adhésion de l'opinion publique à la construction européenne, qui a déjà tendance à s'effilocher, pourrait bien reculer encore et déboucher sur une crise aiguë de légitimité.

Bien qu'ils soient étroitement liés, examinons tour à tour chacun de ces défis.

▰▰▰ D'une crise financière à une crise de la dette

La crise de la Zone euro comporte au moins trois facettes, qui ont mis en évidence plusieurs carences dans la gouvernance économique de l'Union monétaire.

La crise financière a pris naissance en 2007 avec la crise dite des *subprimes* aux États-Unis, liée à des dérives spéculatives au sein des marchés financiers. Pour enrayer la panique provoquée par la faillite de la banque Lehman Brothers en 2008, qui menaçait de paralysie le système financier mondial, les gouvernements européens sont intervenus de façon massive, avec une batterie d'instruments comportant des garanties des dépôts bancaires, des plans de recapitalisation des banques, voire des nationalisations (en Angleterre ou en Irlande).

L'Union européenne ne disposant que de faibles ressources financières (avec un budget de l'ordre de 1 % de son PIB), la réponse ne pouvait guère venir que des capitales nationales et de la Banque centrale européenne (BCE), qui ont abondamment contribué à approvisionner les marchés en liquidités. On a par ailleurs constaté à cette occasion un problème structurel dans le dispositif européen de régulation des marchés financiers : alors que ceux-ci étaient partiellement intégrés, avec quelques acteurs européens importants comme BNP-Paribas ou UniCredit, les régulateurs, eux, étaient restés nationaux, ce qui les privait d'une vue d'ensemble sur le secteur. Pour remédier à cette carence, trois organismes de surveillance des marchés financiers ont été instaurés en janvier 2011.

La crise financière et le resserrement du crédit ne pouvaient évidemment pas rester sans conséquences sur l'« économie réelle ». Les années suivantes ont été marquées par une réduction de la croissance économique et une progression du chômage, entraînant l'activation des mécanismes de stabilisation des États-providence européens. De nombreux plans de relance ont été mis en place.

Crise économique et crise financière ont ainsi débouché sur une aggravation de la dette publique, qui a rapidement atteint des sommets sans précédent [1]. La situation s'est brutalement aggravée à la suite de la révélation, par le gouvernement grec issu des élections d'octobre 2009, d'un déficit record de près de 13 %. Les mesures d'austérité radicales arrêtées pour rétablir les comptes publics n'y parviennent pas ; la récession et les difficultés qu'éprouve l'exécutif à faire passer des réformes en profondeur de l'État et de l'économie amènent une détérioration brutale du crédit de la Grèce. Incapable d'emprunter, menacée de faire défaut, celle-ci fait appel à la solidarité de ses partenaires. Plusieurs d'entre eux, soucieux d'éviter une contagion qui frapperait d'autres maillons faibles comme l'Irlande, le Portugal ou l'Espagne, et qui pourrait même remettre en cause l'existence de la monnaie unique, se prononcent en faveur d'un plan d'aide. Ils se heurtent toutefois à plusieurs obstacles de taille.

Rien n'est en effet prévu pour répondre à un problème de ce genre. Monnaie sans État, l'euro ne peut pas s'appuyer sur une banque centrale qui interviendrait en « prêteur de dernier ressort » pour venir en aide aux États menacés de défaut. À la demande de l'Allemagne, qui craignait d'être condamnée à payer pour le laxisme des États du Sud, le traité de Maastricht a interdit à la BCE de jouer ce rôle : ni l'Union ni les États membres ne peuvent

---

1   En 2011, la dette publique s'élevait à 165 % du PIB en Grèce, 120 % en Italie, 86 % en France et 81 % en Allemagne.

être appelés à répondre des engagements des États impécunieux (art. 123 et 125 du Traité sur le fonctionnement de l'Union européenne).

L'Union monétaire a été construite sur l'hypothèse optimiste que, pour conjurer les risques d'instabilité, il suffisait que les États coopèrent et qu'ils évitent les dérapages budgétaires. La Zone euro n'a été dotée que d'un mécanisme de surveillance très faible, puisque la Commission européenne et la Cour de justice ne disposent pas en la matière des pouvoirs de contrôle normalement prévus pour sanctionner les violations du droit communautaire. En 2005 encore, le Conseil des ministres refusait d'augmenter les pouvoirs de contrôle de l'office statistique Eurostat, ce qui aurait sans doute permis de découvrir les fraudes dont s'était rendue coupable la Grèce : l'air du temps n'était décidément pas aux transferts de pouvoirs... Le système a cependant vite montré ses limites : dès 2003, pour éviter de fâcher la France et l'Allemagne qui ne respectaient pas le Pacte de stabilité et de croissance (PSC) conclu en 1997, il a été décidé d'assouplir celui-ci.

Lorsque éclate la crise grecque, l'Europe est donc dans une position extrêmement difficile. Elle ne dispose pas des instruments adéquats et doit prendre des mesures sous la pression des marchés, dans un climat politique tendu, les États les plus vertueux sur le plan budgétaire (conduits par l'Allemagne d'Angela Merkel) estimant qu'apporter une assistance financière aux pays en difficulté équivaudrait à les encourager à persévérer dans la voie du laxisme (théorie de l'aléa moral). Inventer de nouveaux mécanismes dans un pareil contexte tient évidemment de la gageure.

Il a donc fallu de nombreuses réunions aux chefs d'État et de gouvernement pour s'entendre sur les réponses à apporter à la crise : toutes catégories confondues, les sommets ont été au nombre de cinq en 2009, sept en 2010 et neuf en 2011. La voie à suivre n'a été définie que de façon très progressive, en réaction aux doutes de plus en plus forts émis par les marchés financiers, qui ont exigé des taux de plus en plus élevés pour financer les pays menacés. Entre le début de la crise et l'adoption du « pacte budgétaire », plus de deux ans se sont écoulés.

En mai 2010, l'Union européenne met en place avec le Fonds monétaire international (FMI) un mécanisme de stabilisation de 750 milliards d'euros. La Commission en apporte 60, le FMI 250 ; les États membres injectent 440 milliards dans un Fonds européen de stabilité financière (FESF), auquel ils apportent leur garantie. Alimenté par emprunt, cet organisme, qui devrait être actif jusqu'en juin 2013, permet aux pays qui y ont recours de bénéficier du crédit des États les plus vertueux sur les marchés financiers ; ceux-ci leur imposent toutefois un taux supérieur à celui auquel ils ont emprunté.

De son côté, la BCE décide de contourner l'interdiction contenue dans l'article 123 en commençant à acheter de la dette publique sur les marchés secondaires. En octobre 2010, lors d'une rencontre bilatérale à Deauville,

Nicolas Sarkozy et Angela Merkel se mettent d'accord sur le principe d'une modification des traités en vue de la création d'un mécanisme permanent de résolution des crises : ce sera le Mécanisme européen de stabilité, accepté par les dirigeants de la Zone euro quelques jours plus tard. L'accord de Deauville prévoit également que les banques seront invitées à effacer une partie de la dette grecque, ce qui va contribuer à alarmer les marchés financiers. Un second plan d'aide à la Grèce est approuvé en juillet 2011 : il prévoit une réduction des taux auxquels celle-ci emprunte, ainsi que des discussions avec les créanciers privés sur une réduction de sa dette. Loin d'apaiser la tension, cet accord incomplet contribue à l'aggraver : l'Italie et l'Espagne sont claire-ment dans le collimateur. Lors du Conseil européen de décembre 2011, il est finalement décidé que ce principe ne doit pas faire jurisprudence : si d'autres États devaient connaître les mêmes difficultés, le secteur privé ne serait pas mis à contribution.

En matière de gouvernance économique aussi, les réformes se font par vagues successives. En mars 2011, à l'initiative de l'Allemagne et de la France, un « pacte pour l'euro » proclame plusieurs objectifs généraux largement inspirés de la « Stratégie 2020 » adoptée l'année précédente : favoriser la compétitivité et l'emploi ; assurer la viabilité des finances publiques ; renforcer la stabilité financière. En décembre de la même année, le Pacte de stabilité est rendu plus contraignant par un paquet législatif – cinq règle-ments et une directive, qui forment ce que l'on appelle le « Six Pack » dans le jargon européen. Prenant acte de ce que les déséquilibres budgétaires ne constituent pas la seule explication des difficultés de la Zone euro, il étend le contrôle européen à un ensemble d'indicateurs macroéconomiques (balance des paiements courants, marché immobilier, coût du travail…). Ce processus de durcissement est couronné par le « pacte budgétaire », conclu en mars 2012 par vingt-cinq États membres – la Grande-Bretagne et la Répu-blique tchèque ayant refusé de s'y rallier.

La valeur ajoutée de ce nouveau traité est relativement faible. La moitié des mesures qu'il contient figuraient déjà dans le « Six Pack ». Sa principale innovation est constituée par la fameuse « règle d'or », qui interdit tout déficit budgétaire et que les signataires s'engagent à transcrire dans le droit national, de préférence au niveau constitutionnel. Il est vrai que la voie était relativement étroite : conclu en marge des traités en raison de l'opposition britannique, il ne pouvait pas les modifier. Il a donc fallu recourir à des acro-baties juridiques – d'une légalité parfois douteuse – pour réformer la gouver-nance économique de l'Union.

Pourquoi alors lancer les États membres dans un débat sur la ratification d'un nouveau traité dont on connaît les risques et qui promet d'absorber une énergie considérable ? Comme souvent lorsqu'il s'agit de décisions des chefs d'État et de gouvernement, la réponse est à rechercher dans des considérations de politique intérieure. Pour faire accepter par une opinion publique allemande profondément hostile le plan de sauvetage de la Grèce – qui constitue, rappelons-le, le plus grand programme d'assistance financière à un État jamais mis en œuvre –, la chancelière a estimé qu'il était nécessaire d'obtenir de ses partenaires un engagement fort, qui garantisse aux Allemands qu'ils ne seraient pas sans cesse appelés à venir en aide à des pays trop « cigale » à leur yeux.

La portée de cet accord est avant tout symbolique. La réforme du Pacte de stabilité prévoyait déjà le renforcement des pouvoirs de la Commission. La Cour de justice, elle, ne pourra intervenir que pour assurer la mise en œuvre de la règle d'or, et elle n'interviendra qu'à la demande des États, plutôt que de la Commission, alors que c'est précisément sa capacité d'action autonome qui fait la force du contrôle communautaire. La surveillance mutuelle des membres de l'Union n'a pas la même efficacité. Ils peuvent être tentés de s'entendre pour ne pas appliquer les règles, comme ils l'ont fait en 2003 à propos du PSC. Certes, l'Allemagne se trouve aujourd'hui dans un tout autre état d'esprit. Mais qu'en sera-t-il dans deux ou trois ans ? Le Pacte de stabilité ancienne manière avait lui aussi été réclamé par Berlin ; cela n'a pas empêché un autre gouvernement allemand de l'ignorer !

Les cas de la Grèce ou, dans une moindre mesure, de l'Espagne montrent également que la maîtrise des dépenses ne suffit sans doute pas pour résoudre le problème de la dette publique : sans croissance, la discipline budgétaire risque de déboucher sur une aggravation des déficits, faute de rentrées fiscales. De nombreuses voix, y compris celle du FMI, se sont donc élevées pour réclamer des mesures de soutien à la croissance.

Si l'idée fait l'objet d'un consensus grandissant, il en va autrement lorsqu'on aborde la question des moyens par lesquels celle-ci devrait être encouragée. En février 2012, une douzaine de gouvernements ont écrit au président de la Commission européenne José Manuel Barroso pour demander un effort accru de libéralisation (réforme du marché du travail, déréglementation de certaines professions, etc.). La gauche européenne, elle, pousse à la mise en place d'un système d'euro-obligations émises par l'Union pour financer certains grands travaux d'intérêt stratégique.

Vu les contraintes qui pèsent sur les finances publiques nationales, il ne serait pas absurde de voir l'Union jouer un plus grand rôle macroéconomique. Cependant, nombre de gouvernements ne l'entendent pas de cette oreille : dans les négociations sur les perspectives financières qui se sont ouvertes, plusieurs d'entre eux ont annoncé qu'ils espéraient obtenir une *réduction* du budget européen. Même si le « pacte budgétaire » a été suivi par un retour au calme sur les marchés financiers, il n'est pas certain que son adoption mette un point final aux débats sur la réforme de la gouvernance économique.

Une crise de gouvernance ?

L'actualité politique de l'Union a largement été dominée par les questions qui viennent d'être rappelées. Bien que les réunions du Conseil européen se soient multipliées, la tourmente financière n'a pas permis de consacrer beaucoup de temps et d'énergie à des problèmes d'une autre nature. Même des enjeux communautaires classiques comme la négociation des perspectives financières ou la réforme de la politique agricole commune ont disparu des écrans radar.

Ce changement d'agenda s'est aussi traduit par un changement de méthode. Le rôle de l'Allemagne et de la France a été déterminant dans l'élaboration de la réponse européenne aux défis des marchés financiers. La plupart des mesures évoquées plus haut ont fait l'objet d'initiatives bilatérales entre Paris et Berlin avant d'être présentées au Conseil européen – quand elles n'étaient pas annoncées par une conférence de presse préalable ! Elles ont été adoptées par les chefs d'État et de gouvernement plutôt que par les ministres des Finances.

Élevé au rang d'institution de l'Union et doté d'un président stable par le traité de Lisbonne, le Conseil européen peut désormais suivre avec plus de régularité certains dossiers. En revanche, la Commission n'a pas joué le rôle moteur que lui attribuent les traités en temps normal. Ce n'est pas elle qui a voulu le nouveau traité et elle semble avoir peu pesé dans sa négociation ; elle s'est même fait vertement tancer quand elle est sortie de sa réserve, en août 2011, pour rappeler aux gouvernements les engagements qu'ils avaient pris au Conseil européen du mois précédent.

Plusieurs facteurs ont contribué à cette hégémonie franco-allemande. Sur le plan économique, les deux pays représentent à eux seuls près de la moitié du PIB de la Zone euro. Sur le plan politique, ils ont joué un rôle moteur dans la construction de l'Europe, dont la fonction première a été de pacifier leurs rapports ; cela confère un poids naturel aux vues qu'ils défendent. De surcroît, nourris par des traditions distinctes, les responsables français et allemands ont souvent tendance à réagir de façon très différente ; de sorte que lorsqu'ils parviennent à s'entendre, leur accord se situe souvent aux alentours d'une position médiane dans l'éventail des positions nationales.

La gestion de la crise de la dette souveraine entre largement dans ce cas de figure : Nicolas Sarkozy a très vite plaidé en faveur d'un soutien à la Grèce (où les banques françaises étaient très exposées) ; Angela Merkel ne l'a accepté qu'avec réticence, exigeant en échange des garanties de discipline budgétaire. Il est toutefois clair que dans le couple franco-allemand, c'est désormais Berlin qui mène le bal. Pays le plus peuplé, doté d'une économie florissante, plébiscité par les marchés financiers, l'Allemagne est en position hégémonique. Cela explique pourquoi, avec le pacte budgétaire, Nicolas Sarkozy a fini par accepter un renforcement d'une gouvernance européenne par les règles qui se situe aux antipodes de sa conception de la politique, dans laquelle le volontarisme gouvernemental figure au premier plan.

Bien que l'on ait entendu ici et là quelques grincements de dents contre l'impérialisme du tandem « Merkozy » (y compris, cela mérite d'être relevé, du côté du candidat Hollande), cela n'a pas empêché les intéressés de théoriser, chacun à sa façon, l'avènement d'un nouveau mode de gouvernance de l'Europe appelé à dépasser la traditionnelle « méthode communautaire ». Dans un grand discours prononcé à Bruges en novembre 2010, Angela Merkel s'est efforcée de tracer les contours d'une « méthode de l'Union », qui verrait les institutions européennes et les gouvernements nationaux agir de concert, chacun dans sa sphère propre, pour atteindre des objectifs communs. Si le concept restait flou, la volonté d'innover était, elle, manifeste. Nicolas Sarkozy a été beaucoup plus précis : « La crise a poussé les chefs d'État et de gouvernement à assumer des responsabilités croissantes parce qu'au fond eux seuls disposaient de la légitimité démocratique qui leur permettait de décider. C'est par l'intergouvernemental que passera l'intégration européenne parce que l'Europe va devoir faire des choix stratégiques, des choix politiques [1]. »

Faut-il en conclure que la crise financière a marqué une étape décisive dans un processus de renforcement des éléments intergouvernementaux de l'Union initié par le traité de Maastricht ? D'aucuns l'ont soutenu ; c'est même la thèse officielle en France, où l'on se plaît à mettre en exergue le caractère « intergouvernemental » du nouveau traité et la création par celui-ci de sommets de la Zone euro, que préside désormais Herman Van Rompuy. Mais plusieurs éléments incitent à nuancer ce propos, car rien ne dit que le nouvel équilibre politique qui a émergé à cette occasion se maintiendra dans le futur.

Observons tout d'abord le caractère exceptionnel de la période que nous venons de traverser. En période de crise, il n'est pas surprenant que les leaders politiques nationaux occupent une plus grande place : étant investis directement ou indirectement par le suffrage universel, ils disposent, comme l'avait rappelé l'ex-président Sarkozy, d'une légitimité plus forte que celle de la Commission. De surcroît, le traité n'offrant pas d'indication quant à la façon dont devait être abordée cette crise, il s'agissait avant tout de combler un vide dans l'édifice institutionnel. Or, dans l'Union européenne, cette fonction « constituante » reste largement l'apanage des États.

Ensuite, si l'on examine le fonctionnement de la machine européenne dans d'autres domaines, on s'aperçoit que la méthode communautaire – certes adaptée au goût du jour, avec un Conseil européen et un Parlement plus actifs que par le passé – continue à fonctionner : la production législative

---

1   Discours de l'ex-président de la République à Toulon le 1er décembre 2011.

ne diminue pas ; les votes au Conseil sont même plus fréquents et les décisions plus rapides qu'avant l'élargissement.

Par ailleurs, les mesures adoptées en réponse à la crise ont souvent contribué au renforcement des institutions supranationales. La raison en est simple : quelles que puissent être leurs réticences, les gouvernements qui souhaitent des mécanismes de surveillance du respect par chacun des décisions communes finissent généralement par reconnaître la nécessité d'un recours à des organismes indépendants. Le « Six Pack » a ainsi doté la Commission d'un droit de regard sur les budgets nationaux dont les gouvernements belge et espagnol ont déjà senti les effets, et la Cour de justice pourrait demain être saisie d'éventuelles violations de la « règle d'or ». Ces décisions sont d'autant plus remarquables qu'elles ont été prises dans un climat politique incontestablement peu propice aux transferts de souveraineté.

Du reste, bon nombre des solutions retenues – comme par exemple l'idée de faire précéder les procédures budgétaires nationales par un « semestre européen », au cours duquel sera examinée leur conformité aux grandes orientations décidées à l'échelle de l'Union, ou les engagements en matière de compétitivité mis en exergue dans le « Pacte euro plus » – font partie d'une boîte à outils que la Commission s'efforce de promouvoir depuis longtemps. En d'autres termes, si le leadership politique et la rhétorique sont incontestablement plus intergouvernementaux que par le passé, la situation se révèle beaucoup moins tranchée dans le domaine des idées et des négociations entre experts. Pour ce qui est de la mise en œuvre des choix politiques, la délégation de pouvoirs à des organes supranationaux, cœur de la méthode communautaire, apparaît comme une sorte de centre de gravité de la construction européenne : on tend toujours à y revenir, même lorsqu'on souhaite s'en écarter.

Une crise de légitimité

L'Europe souffre également d'une crise de légitimité. Celle-ci n'est pas nouvelle mais elle apparaît au grand jour à mesure que s'assombrissent les indicateurs économiques et que s'aggravent les programmes d'austérité.

Depuis deux décennies, l'idéal européen a perdu de son éclat aux yeux de l'opinion. Les indices de cette désaffection se multiplient. Les enquêtes « Eurobaromètre » de la Commission montrent un affaiblissement du soutien à l'intégration, même dans les pays où l'on estime qu'elle a été source de bénéfices. Les opinions positives, au plus haut au début des années 1990, se sont brutalement écroulées après le traité de Maastricht ; après quelques progrès en dents de scie lors du lancement de l'euro, elles sont en net recul depuis le début de la crise économique et financière.

Plus que l'hostilité, ce sont l'incompréhension et l'indifférence qui semblent dominer L'Union apparaît à la fois plus présente que par le passé – elle intervient dans un nombre grandissant de domaines – et plus difficile à comprendre, étant donné le foisonnement des institutions et des procédures. On ne voit pas bien qui décide, avec des gouvernements qui se posent en maîtres mais qui n'hésitent pas à renvoyer à une nébuleuse sans visage – « Bruxelles » – la responsabilité des décisions impopulaires.

Comment s'étonner dans ces conditions que la participation recule chaque fois que les électeurs sont appelés à élire les membres du Parlement européen, même si les pouvoirs et l'influence de ce dernier se sont considérablement accrus au cours de la même période ? Pourquoi les électeurs se mobiliseraient s'ils ont l'impression que leur vote ne peut en rien influencer les décisions prises au niveau européen ? Rien de surprenant non plus à ce que les mouvements populistes aient le vent en poupe dans de nombreux pays : dans un monde de mutations profondes, où la globalisation est souvent perçue comme la source d'un phénomène de déclassement de l'Europe, le rejet des élites et le maintien des acquis font évidemment recette, à gauche comme à droite.

Toutes ces tendances, à l'œuvre depuis des années, se trouvent naturellement aggravées par les turbulences économiques et financières que traverse l'Union depuis 2008. Dans de nombreux pays, des plans d'austérité ont été lancés pour répondre à la montée vertigineuse de la dette publique. Leur cortège habituel de coupes dans les budgets sociaux a eu des effets ravageurs sur la popularité des gouvernements en place, qui ont pour la plupart (à l'exception de la Pologne) subi de lourdes défaites dans les pays où avaient eu lieu des élections. Cela n'a pas peu contribué à aggraver l'indécision des autres responsables nationaux, avec les effets délétères que l'on a vus sur la qualité des réponses adoptées au niveau européen : les atermoiements du Conseil européen en 2010-2011 étaient souvent liés à des échéances électorales difficiles pour la chancelière allemande, qui devait faire face à une série d'élections régionales. On sait qu'il est difficile d'engager des réformes à la veille d'un scrutin ; mais dans une union de vingt-sept membres, toutes les années sont électorales…

La crise a également favorisé l'apparition de tensions sans précédent, qui pourraient signaler des modifications durables dans les équilibres politiques au sein de l'Union. Les pays « sous programme » (Grèce, Irlande, Portugal), qui ont dû faire appel à l'aide de leurs partenaires, comme les pays les plus menacés (Espagne et Italie) se situent tous à la périphérie et ont mal accepté les « diktats » du centre. En Grèce, des drapeaux européens et allemands ont été brûlés, et les caricatures hostiles au tandem « Merkozy » ont fleuri. Faut-il y voir l'annonce de tensions durables entre le centre et la périphérie, favorisées par l'effacement relatif de la Commission ?

En Italie comme en Grèce, le discrédit radical qui frappe la classe politique et la nécessité d'une réponse crédible aux menaces que les marchés financiers faisaient peser sur les finances publiques ont conduit à la mise en place fin 2011 de cabinets atypiques. Non seulement leur présidence a été confiée à des économistes plutôt qu'à des politiciens, mais dans les deux cas l'aval de l'Europe a été un facteur de légitimité, puisqu'on a eu recours à des personnalités à l'expérience européenne reconnue – à la Commission pour Mario Monti ; à la BCE pour Lucas Papademos. L'un et l'autre ont obtenu l'accord des principales forces politiques de leur pays pour un programme de crise à adopter dans l'urgence.

Il est trop tôt pour se prononcer sur l'impact de ces choix, qui ne sera pas nécessairement identique dans les deux pays, mais on voit bien ce qu'ils comportent de paradoxal sur le plan politique : dans l'urgence, pour « rester en Europe », on a choisi de transposer au niveau national le mode de gouvernance qui prévaut au niveau de l'Union, à savoir une gouvernance apolitique, dans laquelle ce sont les résultats (« *outputs* ») qui priment. S'agit-il d'un cas extrême, explicable par la gravité de la crise et d'une portée limitée aux seuls États faibles, ou faut-il au contraire y voir l'indice d'une mutation plus générale vers une *légitimation par les outputs* du pouvoir politique ?

La pause dans les réformes que devait amener le traité de Lisbonne n'aura décidément été qu'un vœu pieux. Avant même que celui-ci n'entre en vigueur, les premières secousses de la crise des *subprimes* annonçaient des jours difficiles pour l'Union. Si la tempête qui a suivi a plus fortement ébranlé la Zone euro, ce n'est pas du côté de l'économie qu'il faut en chercher les raisons. Des pays comme les États-Unis ou la Grande-Bretagne, qui doivent affronter des déséquilibres structurels tout aussi graves, n'ont pas été soumis aux mêmes pressions.

La cause première du problème est d'ordre institutionnel : la crise a mis en lumière les déséquilibres de l'édifice construit à Maastricht.

D'une part, elle a montré le bien-fondé de certaines critiques académiques, qui soutenaient que l'Union monétaire ne pouvait pas fonctionner sans un pilier économique plus fort. Le « pacte fiscal » ne constitue au mieux qu'une première réponse, qui demande a être complétée par un pare-feu solide et par l'octroi à l'Union de moyens d'action supplémentaires pour aider la croissance.

D'autre part, les incertitudes nées de la crise ont aggravé le déficit de légitimité dont souffre l'Union depuis Maastricht. Les réponses apportées, à la fois partielles et tardives, n'ont pas suffi à rassurer les populations. Si rien n'est fait pour leur donner voix au chapitre, leur impatience à l'égard d'une Europe qui ne leur promet que l'austérité pour les années à venir ne peut que grandir.

Ainsi, que l'on examine le problème sous l'angle économique ou sous celui de la légitimité politique, on parvient à la même conclusion. Les pays de la Zone euro sont confrontés à une alternative : soit ils trouvent les ressources politiques nécessaires pour se doter d'une gouvernance économique plus robuste, appuyée sur une forme de légitimation démocratique plus directe ; soit il y a fort à parier que l'édifice actuel ne résistera pas aux coups de boutoir conjugués des marchés et de l'opinion.

Pour en savoir plus

L. Boussaguet, R. Dehousse, S. Jacquot, « Change and continuity in European governance », *Les Cahiers européens de Sciences Po*, n° 06/2010, décembre 2010, <http://www.cee.sciences-po.fr/erpa/docs/wp_2010_6.pdf>.

S. Duchesne *et alii*, « Europe between integration and globalisation. Social differences and national frames in the analysis of focus group conducted in France, francophone Belgium and the United Kingdom », *Politique européenne*, n° 30, p 67-106, 2010.

J. Pisani-Ferry, *Le Réveil des démons. La crise de l'euro et comment nous en sortir*, Fayard, Paris, 2011.

Lanceurs d'alerte : les experts militants en santé et en environnement

Roger Lenglet
Philosophe et journaliste d'investigation

Mediator, bisphénol A (BPA), phtalates, parabène, OGM, amiante, gaz de schiste, électrosmog, nanotubes de carbone, nanoargent, pesticides, fuites nucléaires, mercure, sels d'aluminium dans l'eau du robinet et les vaccins... Les produits mis en cause, interdits ou de retour dans l'actualité au cours des années 2010-2012, confirment le rôle crucial des citoyens dans la veille sanitaire et le traitement des risques. Ils ont défrayé la chronique grâce aux associations et aux personnes prenant sur elles d'en dévoiler les méfaits ou d'agir en justice.

Aucun des ministères concernés (Santé, Environnement, Travail, Industrie...) n'est à l'initiative de ces alertes ou des procès. Seule leur médiatisation les a poussés à communiquer sur le sujet et à promettre un suivi. À nouveau, ces affaires montrent qu'ils sont longtemps restés sourds aux alarmes et aux rapports qui ont tenté de les avertir, quand ils n'ont pas abandonné les lanceurs d'alerte aux représailles de leur employeur ou des industriels critiqués.

▮▮▮▮ Médicaments et produits de santé

Prenons le dossier du benfluorex (Mediator), médicament à l'origine de valvulopathies cardiaques et de milliers de décès dans le monde (entre mille et deux mille en France). La revue médicale *Pratiques* le critiquait déjà sévèrement en 1976. Et la revue *Prescrire* demandait son retrait dès 2005, soit quatre ans avant qu'il soit suspendu. Voilà qui le démontre : les publications médicales, quand elles restent indépendantes des firmes pharmaceutiques, peuvent contribuer au lancement d'alertes.

De même, dès 1998, plusieurs médecins ont averti l'Agence française du médicament sur les effets cardiopathiques du Mediator. Mais sans l'opiniâtreté de la pneumologue Irène Frachon, établissant ses propres calculs épidémiologiques et mettant l'Afssaps (Agence française de sécurité sanitaire des produits de santé) devant ses responsabilités en 2009, les morts continueraient sans doute de s'accumuler. L'Afssaps a suspendu le médicament en novembre 2009 et l'Agence européenne des médicaments (EMEA) l'a interdit en juin 2010. La pneumologue a reçu en 2011 le prix Éthique catégorie Lanceur d'alerte citoyen, décerné par l'association Anticor (association de lutte contre la corruption).

Cette « crise sanitaire » a illustré une nouvelle fois la trop grande porosité des instances d'évaluation des médicaments aux ingérences des laboratoires pharmaceutiques à travers les experts qu'ils rémunèrent dans le cadre de missions privées. Le scandale du Mediator a rappelé beaucoup d'autres médicaments trop facilement autorisés et trop largement prescrits malgré les études accumulées sur leurs dégâts, tels le rofécoxib, la cérivastatine, les benzodiazépines... Ainsi le Vioxx® (rofécoxib), commercialisé par le laboratoire Merck entre 1999 en 2004, a-t-il été responsable, au cours de ces quelques années, de dizaines de milliers de décès dans le monde, dont près de vingt-huit mille aux États-Unis.

Les différents médicaments incriminés avaient fait l'objet de sérieuses mises en garde par des associations de patients et la revue *Prescrire*. Cette dernière démontre régulièrement la possibilité d'une contre-expertise de qualité inégalée alors qu'elle est essentiellement fondée sur une consultation systématique des études scientifiques internationales disponibles en ligne.

Suite au scandale du Mediator, une réforme de l'Afssaps a été entreprise fin 2011 pour lui donner une plus grande indépendance vis-à-vis des firmes, mais cette affaire a accru la défiance du public envers les autorités et souligné la nécessité de développer des circuits d'information plus critiques et ouverts à tous.

Les sites Internet où chacun peut aller chercher des avis et croiser ses sources en matière de médicaments et de soins se sont multipliés. Une grande partie d'entre eux sont financés par le secteur pharmaceutique. Mais d'autres témoignent d'une indépendance farouche et font régulièrement la preuve de leur intégrité : *Pharmacritique* tenu par Elena Pasca (membre de la fondation Sciences citoyennes), les sites des revues *Prescrire* et *Pratiques*, celui du Formindep dirigé par Philippe Foucras et Philippe Masquelier…

En 2010-2011, le scandale des prothèses mammaires PIP, du nom de son fabricant Poly Implant Prothèse, a souligné la faiblesse des organismes de contrôle et de certification des produits de santé. Dès 1996, le ministère des Affaires sociales avait été alerté par des courriers anonymes. Les associations de victimes espèrent que les milliers de plaintes des femmes « implantées » sur tous les continents où ces prothèses ont été commercialisées, et le coût des interventions chirurgicales pour les systèmes d'assurance, conduiront à un renforcement des garanties entourant ces produits. Mais cette affaire a surtout apporté la preuve que les patients doivent s'organiser pour exercer leur propre expertise tout en exigeant de siéger dans les organismes habilités, avec voix délibérative.

▉▉▉▉ Expositions environnementales : les réseaux des experts citoyens

Au cours de l'année 2011, les réseaux associatifs ont enregistré d'importants succès dans les domaines de la santé et de l'environnement. L'un des plus spectaculaires concerne les gaz de schiste.

Les informations diffusées sur le Web par les ONG américaines mobilisées contre l'exploitation des gaz de schiste et ses conséquences catastrophiques ont suscité un vif intérêt dans les pays pressentis pour de prochaines exploitations. En opposant leurs propres données scientifiques à celles des décideurs politiques s'informant auprès des exploitants, en tête desquels Total, les citoyens français ont pu enrayer le lancement de chantiers que le gouvernement avait décidé d'autoriser sans même les consulter. Au début de l'été 2011, le législateur suivait en partie l'alerte des ONG, appuyée notamment par un rapport du toxico-chimiste André Picot et de l'Association Toxicologie-Chimie (ATC), et faisait de la France le premier pays à refuser la fracturation hydraulique, un procédé dispendieux en eau et libérant des substances cancérogènes et neurotoxiques qui contaminent les sols, les nappes phréatiques, l'air, les végétaux, les animaux et la population.

D'autres techniques non conventionnelles de fracturation du schiste restent certes autorisées, et l'administration continue de délivrer des permis, mais le débat sur l'intérêt des gaz de schiste eux-mêmes est ouvert, grâce à l'expertise citoyenne qui rappelle les nombreux accidents qu'ils génèrent et leur contribution redoutable à l'effet de serre.

Au cours de la même année, les lanceurs d'alerte ont obtenu que le Parlement français commence à interdire un cocktail de cancérogènes, mutagènes et toxiques pour la reproduction et les neurones : alkylphénols, phtalates, parabènes et bisphénol A (BPA). Ce dernier était particulièrement montré du doigt. Après avoir interdit le BPA dans les biberons, le législateur a décidé que son interdiction serait étendue à tous les contenants alimentaires en 2014.

Ces avancées ont été rendues possibles par le travail des associations et de leurs experts militants, en particulier par le Réseau Environnement Santé (RES), créé en 2009 et regroupant des associations de malades, de scientifiques, de professionnels de santé ou encore de protection de la nature, dont la liste est impressionnante [1]. Ce ne sont en effet pas les experts désignés par les autorités, mais les experts militants des ONG qui ont obtenu ce résultat.

Le cas du BPA est exemplaire : « La veille scientifique des membres du RES, explique son porte-parole André Cicolella, a révélé l'impact sanitaire du BPA à des doses très inférieures à la dose journalière admissible préconisée par l'Agence française de sécurité sanitaire des aliments. Nous avons d'ailleurs démontré que cette agence ignorait 95 % des études scientifiques consacrées à cette substance, avant d'admettre finalement les conclusions des études indépendantes en septembre 2011... »

Au niveau international, les choses avancent aussi, notamment grâce au poids de la soixantaine d'ONG qui animent en Europe le vaste réseau de l'Alliance pour la santé et l'environnement (Heal), la centaine d'organisations qui composent Women in Europe for a Common Future (WECF), celles regroupées au sein du Bureau européen de l'environnement (BEE), les centaines d'ONG fédérées dans Pesticide Action Network (PAN) et International POPs Elimination Network (IPEN), pour ne citer que quelques exemples.

Ces réseaux ont acquis une représentativité auprès de grandes institutions (Union européenne, ONU, Organisation mondiale de la santé...) qui leur permet d'intervenir de plus en plus souvent dans l'élaboration des conventions internationales touchant à la sécurité sanitaire et environnementale.

---

1 Voir <reseau-environnement-sante.fr>.

Ainsi, durant les années 2010-2012, les associations mobilisées contre les méfaits du mercure ont renforcé leur rôle. Intégrées à la commission d'expertise du Traité international sur le mercure, préparé sous l'égide de l'ONU, elles parviennent à opposer leurs dossiers scientifiques aux arguments « rassurants » des lobbies industriels ou corporatifs voulant maintenir l'usage du mercure dans certains produits (amalgames dentaires, ampoules fluocompactes, cosmétiques, médicaments…) ou dans le cadre de l'exploitation des mines d'or.

Certes, les experts rétribués par les filières concernées (dentisterie, chlore, cimenteries, mines, producteurs d'ustensiles médicaux, fabricants d'ampoules et d'enseignes lumineuses, etc.), très présents dans les instances d'expertise auprès de l'ONU, bénéficient toujours d'un large soutien institutionnel et politique, mais le déséquilibre des forces semble se réduire. Marie Grosman, représentante pour l'Europe de l'Alliance mondiale des associations en lutte contre le mercure dentaire (World Alliance for Mercury-Free Dentistry), souligne les conséquences de cet infléchissement : « Plus de cent vingt pays sont désormais d'accord pour signer l'arrêt de nombreux usages polluants du mercure. Nous sommes sur le point d'obtenir que les dentistes du monde entier cessent définitivement d'utiliser ce métal hautement toxique, ce qui serait un important progrès pour les patients et l'environnement, sans oublier les praticiens eux-mêmes et leurs assistant(e)s. Mais la France a retardé cette avancée en s'opposant à l'interdiction du mercure dentaire dans l'Union européenne. »

▓▓▓▓ Expositions professionnelles

D'autres événements récents ont eu une grande résonance en matière de lancement d'alertes. En 2009, la mort d'Henri Pézerat, toxicologue et figure de proue de la lutte contre l'amiante, a été saluée par un hommage spontané dans toute la France et par la création d'une association éponyme. Elle fut l'occasion de rappeler son rôle phare dans le développement de l'expertise citoyenne. Faut-il préciser que les autorités et les industriels n'ont pas pris part à cet hommage national ?

Le 13 février 2012, le tribunal italien de Turin condamnait par contumace à seize ans de prison deux hauts dirigeants de la multinationale de l'amiante Eternit, notamment pour « homicide par négligences criminelles » de 2 889 personnes contaminées sur quatre sites industriels, et pour avoir sciemment provoqué une « catastrophe sanitaire et environnementale permanente ». Cette décision a été ressentie dans toute l'Europe comme une victoire historique. D'autant qu'ils étaient aussi condamnés à verser plusieurs dizaines de millions d'euros aux six mille plaignants des parties civiles.

Ce premier procès au pénal a fait naître l'espoir de créer un précédent dans tous les pays où les risques ont été niés. Il a souligné le décalage entre l'Italie et le reste de l'Europe. En France, l'Association nationale de défense des victimes de l'amiante (Andeva) a d'ailleurs rappelé à cette occasion que cette condamnation « sonnait comme un avertissement » et rendait le contraste avec la procédure française « plus insupportable »[1]. Le manque de moyens accordés à la justice dans cette affaire et les obstructions du Parquet sont en effet criants. La complaisance des responsables politiques envers les industriels a paralysé les efforts de prévention et contribué ainsi à l'hécatombe due à l'amiante : ce genre d'attitude continue à freiner la justice partout dans le monde.

Le 13 février 2012 restera dans les annales à un autre titre. Le tribunal de première instance de Lyon a en effet établi ce même jour la responsabilité du géant Monsanto dans l'intoxication de l'agriculteur Paul François par le Lasso, un désherbant[2]. Ce procès a permis de souligner l'opiniâtreté de ce lanceur d'alerte sur les intoxications professionnelles aux pesticides. Paul François a fondé, avec d'autres agriculteurs malades, l'association Phyto-Victimes, soutenue par André Picot, l'expert militant François Veillerette et l'association Générations futures. Le procès a été l'occasion de souligner aussi l'urgence de prendre des mesures concernant d'autres pesticides trop vite autorisés, tel le Roundup.

Ces deux décisions de justice concernant la santé au travail sont apparues à l'opinion internationale comme la juste conclusion du long combat de lanceurs d'alerte militants et de leurs relais associatifs. Elles illustrent également deux évolutions : l'expertise citoyenne progresse dans le domaine des expositions professionnelles et des juges peuvent lui donner raison malgré le déni d'autorités exécutives préférant le plus souvent céder aux pressions des lobbies industriels.

Diversification des alertes

Depuis l'affaire du nuage de Tchernobyl, en 1986, et celle du sang contaminé, révélée en 1991, les dossiers mettant en cause les propos des autorités et de leurs experts se sont succédé à un rythme impressionnant. Leur liste est désormais si longue qu'on se contente généralement de ne citer qu'une partie des scandales les plus retentissants ou les plus durables (amiante, Distilbène, « vache folle », éthers de glycol, aluminium dans l'eau du robinet, mercure dentaire…).

---

1   En décembre 2011, les mises en examen de plusieurs dirigeants d'Eternit ont été annulées en France pour vices de procédure.
2   Monsanto a fait appel.

Dans la plupart des cas, en effet, les révélations portent sur des risques qui ont été cachés ou gravement minimisés et elles s'appuient sur ce qu'il est aujourd'hui convenu d'appeler des « lanceurs d'alerte » ou « experts citoyens », c'est-à-dire des personnes qui portent des dossiers à la connaissance du public malgré le risque de s'exposer à des représailles (intimidations, licenciements ou procès-bâillons destinés à faire taire le lanceur d'alerte, généralement intentés au titre de la « diffamation »). Il s'agit parfois de personnes isolées (malade, chercheur, simple salarié, syndicaliste, journaliste…), mais il est fréquent que les associations initient les alertes et les portent, surtout quand elles regroupent des victimes.

Il arrive aussi que des élus relaient ces avertissements, certains devenant partie prenante de l'expertise, notamment quand ils sont nommés à la tête d'une commission d'enquête parlementaire ou d'une mission d'information débouchant sur un rapport. Les nombreuses auditions auxquelles ils procèdent peuvent les confronter à des confidences les plaçant devant des responsabilités qui les poussent à tirer la sonnette d'alarme sur des menaces ou des dysfonctionnements gravissimes. Certains d'entre eux ont ainsi tenté de faire voter des lois spécifiques pour garantir l'indépendance des expertises ou pour protéger les lanceurs d'alerte.

Protéger les lanceurs d'alerte

Malgré les conséquences souvent très positives de l'action de ces lanceurs d'alerte (nouvelles mesures de prévention, vies sauvées, renforcement de la culture de santé publique…), la majorité des pays refuse toujours de leur accorder reconnaissance et protection. L'argument commun est que l'expertise exige un savoir complexe que seule détient une minorité de spécialistes. Pourtant, les autorités qui les nomment montrent traditionnellement autant d'aversion à l'idée de prendre en compte les experts citoyens qu'à mettre en place une expertise plurielle et contradictoire faisant intervenir les représentants choisis par les différents acteurs sociaux, dont les associations d'usagers. Il semble, à la vérité, que les responsables politiques censés prendre les décisions préfèrent des experts dont les qualités premières sont la discrétion et l'inclination à ne pas mettre en cause les autorités et les acteurs économiques concernés.

De fait, en 2012, les lanceurs d'alerte ne sont toujours pas protégés par un statut légal en Europe (à l'exception du Royaume-Uni). Seule la législation déjà existante, en particulier dans le cadre du droit d'expression et du droit du travail protégeant les salariés, peut être invoquée (harcèlement moral, pratiques discriminatoires, licenciement abusif), mais ces droits restent très fragiles face aux rétorsions possibles. Ils restent ainsi très vulnérables en comparaison des « *whistleblowers* » (littéralement, « ceux qui sifflent » pour lancer l'alarme) américains, anglais, australiens, sud-africains et néo-zélandais qui disposent d'un cadre législatif dissuadant les rétorsions [1].

Le cas de la France est particulièrement éloquent. Les accords du Grenelle de l'environnement, en 2007, avaient prévu la mise en place d'une législation pour les protéger. Cette convention, bien qu'initiée par des ONG, avait été adoptée à l'unanimité des partenaires, y compris des représentants des lobbies industriels. L'année suivante, le rapport de la mission d'information chargée de la mise en œuvre juridique du Grenelle insistait sur la nécessité d'intégrer ce volet et formulait des propositions détaillées [2]. Remis en février 2008 à Jean-Louis Borloo, ministre de l'Écologie de l'époque, le rapport est pourtant resté sans effet sur ce point.

La loi française du 29 décembre 2011 relative au renforcement de la sécurité sanitaire du médicament et des produits de santé (dont on attendait encore les décrets d'application en mars 2012) a toutefois marqué une avancée : elle introduit une protection contre toute mesure discriminatoire visant quiconque ayant « relaté ou témoigné, de bonne foi, soit à son employeur, soit aux autorités judiciaires ou administratives, de faits relatifs à la sécurité sanitaire ». Mais cette protection ne couvre que les alertes concernant la liste des produits mentionnés à l'article L. 5312-4-2 du code de santé publique (médicaments, cosmétiques, biomatériaux et dispositifs médicaux, insecticides « à usage humain », produits sanguins, etc.).

L'inertie politique de l'Europe en matière de protection des lanceurs d'alerte est révélatrice du poids des secteurs les plus concernés, notamment la chimie et l'agroalimentaire. Les compagnies d'assurance n'y sont pas non plus favorables, brandissant volontiers l'épouvantail économique et judiciaire de producteurs paralysés par des dénonciations incessantes. Certains y voient même un « danger collectiviste », oubliant que les États-Unis et le Royaume-Uni ne songent nullement à revenir en arrière. Les mêmes lobbies se cabraient contre le programme Reach lancé en Europe en 2007 et visant à évaluer la toxicité des substances mises sur le marché. Ils n'ont pas abandonné non plus leur projet d'effacer le principe de précaution de la Constitution française et de la législation européenne.

---

1   Voir Marie-Angèle HERMITTE, Christine NOIVILLE, intervention au colloque « Lanceurs d'alerte et système d'expertise : vers une législation exemplaire en 2008 ? », 27 mars 2008, organisé par la sénatrice Marie-Christine Blandin.

2   Rapport rendu par Corinne Lepage, sur l'information environnementale, l'expertise et la responsabilité. Il comporte douze propositions concernant les lanceurs d'alerte. L'information du public y est présentée comme un droit et comme un « devoir d'alerte », appelant la création d'un « délit de rétention d'information quand le risque est avéré », applicable aux industriels comme aux responsables politiques, de même qu'aux experts minimisant la toxicité d'un produit. Pour protéger le lanceur d'alerte, il propose de prendre modèle sur la loi du 13 novembre 2007 relative à la lutte contre la corruption.

■■■■■■ Une institutionnalisation irrésistible

Les alertes citoyennes ont largement acquis l'opinion publique à la cause de ceux qui les ont lancées. Leurs relais médiatiques se sont multipliés et le monde associatif de l'alerte s'inscrit désormais parmi les interlocuteurs régulièrement invités à s'exprimer sur les risques émergents. L'expression « lanceur d'alerte » est elle-même entrée dans l'usage commun. Signe des temps : les journalistes l'emploient désormais comme si son sens allait de soi, souvent sans l'expliquer. On peut noter aussi que le mot « lobbyiste », désignant les acteurs qui s'opposent activement aux lanceurs d'alerte pour rassurer l'opinion publique ou « gérer les crises » en faveur des groupes d'intérêt, est lui-même entré dans le vocabulaire courant de la grande presse qui ne prend plus soin d'en redonner la définition. De fait, la topographie des lanceurs d'alerte et de leurs adversaires est devenue relativement lisible pour l'opinion publique, ce qui n'était pas encore le cas au début des années 2000.

Traduisant la portée éthique et la nécessité historique de leur rôle, l'ancrage de l'expression « lanceurs d'alerte » dans le langage des politiques est patent. Une analyse portant sur le Parlement français révèle qu'entre 2007 et 2012 le législateur l'a employée des milliers de fois à l'occasion de séances plénières, de commissions, dans des amendements et des rapports... Durant cette période, l'Assemblée nationale est revenue cent vingt-cinq fois sur le sujet (contre quarante fois au cours de la précédente législature). Le Sénat l'a abordé à cent quatre-vingt-treize reprises [1].

Dans leur grande majorité, ces interventions ont concerné les secteurs de la sécurité sanitaire, de l'environnement et des nouvelles technologies, ainsi que la question du renforcement de la protection du lanceur d'alerte. Fait notable, la notion de « lanceur d'alerte » est parallèlement entrée en usage dans les interventions parlementaires concernant les domaines financiers, économiques, sociaux [2]... Par ailleurs, des députés et des sénateurs se sont révélés être d'actifs défenseurs de l'expertise sanitaire indépendante au cours des années 2000, tels Marie-Christine Blandin, Catherine Lemorton, André Aschieri, François Autain, Gérard Bapt...

Les collectivités locales illustrent elles aussi l'installation des alertes dans la réactivité civique. De nombreuses municipalités ont décidé de délivrer des repas bio dans les cantines de leurs établissements, à commencer par les écoles, choisissant de ne pas attendre un renforcement des normes sur les pesticides, les additifs alimentaires et les OGM pour protéger leur population. De même, des villes avaient anticipé la loi de 2010 en excluant de leur

---

1. Enquête de l'auteur, à paraître dans *Lanceurs d'alerte. L'expertise citoyenne*, La Découverte, 2012.
2. *Ibid.*

agglomération la vente des biberons contenant du bisphénol A, témoignant de l'élargissement des alertes citoyennes aux institutions territoriales.

Une autre voie d'institutionnalisation du lancement d'alerte est la jurisprudence. Les procès gagnés en Europe par les experts citoyens depuis 2010 sont nombreux. Ils ont permis de rappeler que le principe de prévention (mesures à prendre devant un risque avéré) est une obligation, tout comme le principe de précaution (mesures à prendre devant des risques graves et irréversibles pour lesquels existent des faisceaux de présomptions cohérents, même s'il subsiste un doute).

Une vigilance adaptée à la multiplication des risques

Toutes les époques ont connu des personnes dénonçant avec force des menaces graves et fondées. De même, le mouvement des ONG mettant en garde sur des dangers sanitaires ou environnementaux ne date pas d'hier, comme en témoigne le travail séculaire des associations hygiénistes et de celles qui luttent contre les cigarettiers et les alcooliers. Mais l'invasion de la chimie, à commencer par l'utilisation intensive des pesticides, a élargi le spectre des menaces. La publication en 1962 de *Printemps silencieux*, de la biologiste Rachel Carlson, représente à cet égard une alerte pionnière. Dans les années 1960, Ralph Nader les a multipliées en lançant l'association Public Citizen, avec des groupes de travail sur la santé, l'environnement, la sécurité, l'économie… ne craignant pas de faire des procès aux industriels.

L'expansion des maladies chroniques non infectieuses au cours des décennies suivantes a amplifié le mouvement. L'explosion des cancers puis des maladies neurodégénératives et des troubles allergiques a suscité d'innombrables études établissant clairement la responsabilité des produits délétères que l'industrie répand dans notre environnement, malgré les controverses entretenues par leurs lobbyistes et les laboratoires qu'ils financent.

L'évolution des connaissances en matière de santé publique, liées en grande partie aux études toxicologiques et épidémiologiques, permet d'identifier les cofacteurs chimiques en cause. Même les pandémies d'obésité et de diabète, dont les déterminants étaient jusqu'à présent réduits aux mauvaises habitudes alimentaires et à la sédentarité, se révèlent favorisées par des perturbateurs endocriniens dénoncés par les réseaux de lanceurs d'alerte, très attentifs aux études scientifiques.

L'extension des alertes militantes fait écho aussi à la prolifération des risques technologiques. Les nombreux incidents survenus dans les centrales nucléaires pendant les années 1970 et au début des années 1980 ont fait naître une grande défiance envers les informations officielles, qu'elles proviennent des autorités de sûreté des installations ou des gouvernements. Aux États-Unis, l'accident de la centrale nucléaire de Three Mile Island, en 1979, a déclenché une prise de conscience qui a dépassé les frontières américaines. Elle n'a cessé de grandir depuis, avec la multiplication des centrales, la dissémination des déchets radioactifs et des accidents.

Après le passage du nuage de Tchernobyl en 1986, notamment en France où la paralysie des autorités politiques et sanitaires a été proportionnelle à la puissance du lobby nucléaire, l'idée que les citoyens eux-mêmes devaient assurer le rôle de sentinelles s'est confirmée. Cette année-là, dans un contexte de complète perte de confiance à l'égard des informations officielles, Michèle Rivasi, agrégée en biologie, créait la Commission de recherche et d'information indépendantes sur la radioactivité (Criirad), qui se donnait pour mission d'évaluer les contaminations radioactives et de diffuser les données au public. La Criirad est devenue ensuite une source d'alerte fréquemment saisie par les ONG et dont la fiabilité n'est plus contestée. Elle a servi de modèle à d'autres associations d'expertise comme le Comité de recherche et d'information indépendantes sur le génie génétique (Criigen), fondé en 1999, et le Centre de recherche et d'information indépendantes sur les rayonnements électromagnétiques (Criirem), créé en 2005.

Pour porter au-devant de la scène les risques liés à divers produits toxiques, le toxicologue Henri Pézerat a fondé en 1986 la bien nommée ALERT (Association pour l'étude des risques du travail), qui assumait très précisément la responsabilité de lancer des alertes. On a compté parmi ses membres la sociologue Annie Thébaud-Mony, les médecins Bernard Cassou et Dominique Huez, le syndicaliste cégétiste Jean Hodebourg et le toxicologue André Cicolella qui se fera connaître en dénonçant les effets des éthers de glycol malgré les pressions de son employeur, l'Institut national de recherche et de sécurité (INRS).

On peut soutenir que la Criirad et l'ALERT représentent historiquement les premières organisations françaises à avoir conceptualisé la nécessité d'une expertise associative échappant aux pressions des autorités et des industriels. Annie Thébaud-Mony tient à nuancer la notion du lanceur d'alerte : « Avec Henri Pézerat, nous avons exprimé très tôt nos réserves sur l'expression de "lanceur d'alerte", qui tend à individualiser la représentation du lancement d'alerte et ne rend pas compte du travail accompli par les associations et les réseaux. La dimension collective est pourtant déterminante, depuis les personnes exposées jusqu'à celles qui répercutent et approfondissent l'alerte. À cet égard, le dossier de l'amiante est vraiment éloquent et je pourrais en citer beaucoup d'autres. »

Henri Pézerat, quoique très populaire, était lui aussi connu pour sa franche hostilité à la personnification des alertes. Craignant qu'elle rejette dans l'ombre le rôle essentiel des associations et de l'ensemble des acteurs mobilisés, il pointait l'ambivalence de ces sanctifications. De même, Pierre

Meneton, chercheur en santé publique à l'Inserm, a pu déclarer qu'il n'avait fait que son travail en portant à la connaissance du public les méfaits de l'abus de sel et en épinglant la propagande des fabricants : « Le lobby des producteurs de sel et du secteur agroalimentaire industriel est très actif. Il désinforme les professionnels de la santé et les médias. » Déclaration qui lui valut, en 2008, un procès en diffamation du lobby, qu'il remporta.

Le problème reste délicat : il se pourrait tout de même que les sociétés aient besoin d'apercevoir distinctement ces personnes à l'intégrité admirable pour adopter des repères chargés de sens et amplifier le mouvement de vigilance citoyenne.

Ce mouvement est destiné à prendre de l'ampleur compte tenu des choix technico-scientifiques et de la multiplication des risques qu'ils induisent, comme ceux qu'apportent les OGM, la densification des champs électromagnétiques, le développement des nanotechnologies... Après les coups de sifflet émis par Jean-Jacques Melet (fondateur de l'association Non au mercure dentaire, poussé au suicide), Gilles-Éric Séralini (cofondateur du Criigen) ou Pierre Le Ruz (cofondateur du Criirem), d'autres ont pris le relais et affrontent de lourdes représailles, comme Véronique Lapides (attaquée en justice pour diffamation par la mairie de Vincennes en 2008 pour avoir dénoncé, avec son collectif, la non-dépollution du site d'une ancienne usine Kodak, contenant des substances cancérogènes), Robert Gosseye (vétérinaire chargé de l'inspection de la santé animale dans le Haut-Rhin, sanctionné par sa hiérarchie en 1994 alors qu'il dénonçait un système de corruption des services vétérinaires douaniers), Christian Vélot (enseignant-chercheur sanctionné pour ses prises de position sur les risques présentés par les OGM dans l'agroalimentaire), Jacques Poirier (licencié par Sanofi-Aventis après avoir pointé le risque de s'approvisionner en héparine en provenance de Chine)... La fondation Sciences citoyennes, qui demande une « loi de protection de l'alerte et de l'expertise », s'efforce de faire connaître leurs combats.

Enfin, les nanotechnologies, immense réservoir à scandales sanitaires, font d'ores et déjà l'objet de nombreuses alertes. Les membres de l'« atelier » Pièces et Main d'Œuvre en ont fait l'un de leurs objets, et l'Agence de sécurité sanitaire de l'environnement et du travail (Afsset) a elle-même mis le gouvernement devant ses responsabilités en 2010 avant d'être soumise à une fusion forcée avec l'Agence de sécurité sanitaire des aliments (Afssa) sur décision de Roselyne Bachelot, alors ministre de la Santé.

Pour en savoir plus

A. Aschieri, *Mon combat contre les empoisonneurs. Comment les industriels s'organisent pour continuer à vendre leurs produits toxiques et comment les citoyens se mobilisent pour leur répondre*, La Découverte, Paris, 2010.

F. Chateauraynaud, D. Torny, *Les Sombres Précurseurs. Une sociologie pragmatique de l'alerte et du risque*, Éditions de l'EHESS, Paris, 1999.

A. Cicolella, D. Benoît Browaeys, *Alertes Santé. Experts et citoyens face aux intérêts privés*, Fayard, Paris, 2005.

M. Grosman, R. Lenglet, *Menace sur nos neurones. Alzheimer, Parkinson... et ceux qui en profitent*, Actes Sud, Arles, 2011.

M.-A. Hermitte, M. Torre-Schaub, « La protection du lanceur d'alerte en droit français. Santé publique et droit du travail », sciencescitoyennes.org, 2005.

B. de Peyret, « Lanceurs d'alerte et système d'expertise : vers une législation exemplaire en 2008 ? », Compte rendu de colloque, Paris, 27 mars 2008, NSS-Dialogues, EDP Sciences, 2009.

« Projet de loi pour la déontologie de l'expertise et la protection des lanceurs d'alerte », sciencescitoyennes.org, 2010.

Une nouvelle géopolitique des conflits

Dominique Vidal
Journaliste et historien

L e terme « conflits » est trompeur. À analyser ceux d'aujourd'hui avec les grilles de lecture d'hier, on y perdrait son latin. De la guerre froide au monde multipolaire en gestation, la typologie des affrontements aux quatre coins de la planète a changé en profondeur, et avec elle leurs conséquences.

La nostalgie, disait le titre d'un beau livre de Simone Signoret, n'est plus ce qu'elle était. Certains n'en viennent-ils pas à regretter le « bon vieux temps » de la guerre froide ? Reconnaissons que la période allant de 1948 à 1991 constitua une période bénie pour les géopolitologues amateurs. Il suffisait, croyait-on, de distinguer les alliés des États-Unis de ceux de l'Union soviétique pour prétendre expliquer tous les conflits de la planète.

Car si, en un peu plus de cinquante ans, le nombre de guerres fut alors multiplié par trois, toutes – ou presque – s'inscrivaient dans le cadre de la confrontation entre les deux blocs. Même lorsque leurs causes réelles s'enracinaient dans des situations régionales ou internationales, les deux « Grands » les instrumentalisaient, veillant toutefois à ce que leurs « clients » respectifs obéissent à la règle du jeu imposée par le péril nucléaire : savoir jusqu'où aller trop loin...

Partant du constat, évidemment heureux, que l'équilibre de la terreur a parfaitement fonctionné en évitant l'holocauste atomique, d'aucuns rosissent cette période en la présentant comme peu meurtrière. À tort : le bilan de bras de fer comme ceux de Corée, du Vietnam ou d'Afghanistan (le premier) se chiffre en millions de victimes ! C'est dire que la gestion par Washington et Moscou des affrontements entre leurs affidés n'empêchait pas le sang de couler abondamment – celui des militaires, mais aussi de très nombreux civils. L'équilibre de la (grande) terreur entre « superpuissances » se nourrissait de (petites) terreurs...

Cette formulation appelle néanmoins deux nuances. La première, de forme : l'expression « superpuissances » trompe car, si les États-Unis en constituaient une à tous points de vue, l'URSS ne l'était qu'au plan militaire. La seconde, de fond : toutes deux n'allèrent jusqu'au bord du gouffre qu'en deux occasions, lors de la crise de Berlin de 1948-1949 et au moment de celle de Cuba en 1962. Mais peut-on oublier pour autant la litanie de guerres chaudes, souvent très meurtrières, qui ont caractérisé cette période ?

À défaut de la place nécessaire pour pouvoir les analyser dans le détail, une simple liste de celles dans lesquelles les États-Unis et/ou l'URSS sont intervenus directement ou indirectement suffira : guerre civile grecque (1946-1949), guerre civile chinoise (1945-1949), guerre d'Indochine (1946-1954), guerre de Corée (1950-1953), coup d'État en Iran (1953), guerre d'Algérie (1954-1962), guerres israélo-arabes (1956, 1967, 1973, 1982), guerre de libération d'Angola, du Mozambique et de Guinée-Bissau (1961-1975), guerre sino-indienne (1962), guerre du Vietnam (1963-1973), intervention américaine en République dominicaine (1965), deux des guerres indo-pakistanaises (1965 et 1971), conflit de frontières sino-soviétique (1969), coup d'État au Chili (1973), guerre civile libanaise (1975-1990), guerre entre la Somalie et l'Éthiopie (1977-1978), intervention vietnamienne au Cambodge et guerre sino-vietnamienne (1979), intervention soviétique en Afghanistan (1979-1989), invasion américaine de la Grenade (1983)... Au total, plus de 30 millions de morts !

Aux guerres du tiers monde, il faudrait ajouter les secousses qui ébranlèrent le bloc communiste : révolte ouvrière en Allemagne de l'Est (1953), affrontements en Pologne et insurrection en Hongrie (1956), révolution culturelle en Chine (1965-1976), Printemps de Prague (1968), manifestations place Tienanmen (1989), etc. Sans oublier les mouvements de masse qui marquèrent la fin du communisme : pacifiques en Allemagne de l'Est (1989) et en Tchécoslovaquie (1991), violemment réprimés en Roumanie (1989).

▦ Du « nouvel ordre international » à l'Empire

En quelques mois, c'en était fini de la guerre froide, que l'Occident se vantait d'avoir remportée. Quant à l'expérience communiste, née en 1917 en Russie et tentée ensuite ailleurs, elle allait se terminer en deux ans – n'en resteraient que la Corée du Nord et Cuba, la Chine relevant d'évidence d'une autre catégorie.

Entre la chute du Mur de Berlin et la dissolution de l'Union soviétique, en l'espace de deux années, la coopération entre George H. Bush et Mikhaïl Gorbatchev allait susciter le rêve d'un « nouvel ordre international ». La formule est utilisée pour la première fois par le président américain dans un discours au Congrès, le 11 septembre 1990. Si cet espoir devait se transformer vite en illusion, il eut néanmoins le temps de déboucher sur une des rares guerres consensuelles entre l'Est et l'Ouest : la guerre du Golfe, riposte à l'occupation du Koweït par l'Irak de Saddam Hussein.

Sept mois plus tard, comme pour échapper à l'accusation de faire « deux poids deux mesures », l'administration Bush (père) organisera la conférence de Madrid pour relancer le « processus de paix » israélo-palestinien. Elle s'en servira d'ailleurs pour présenter sa stratégie d'expansion mondiale de l'économie de marché comme l'expression de la quête de valeurs communes.

Sous ce maquillage apparaît néanmoins le visage d'un nouvel Empire. La seule superpuissance survivante de la guerre froide, les États-Unis, se transforme en « hyperpuissance » – pour reprendre le terme inventé par l'ex-ministre français des Affaires étrangères Hubert Védrine. Arrivés au pouvoir avec George W. Bush, les néoconservateurs revendiquent tous les droits pour l'Amérique, garante de la liberté.

Stratèges et philosophes se chargent de théoriser cette nouvelle architecture mondiale. Dans *The Grand Failure* (« Le grand échec »), publié en 1989, Zbigniew Brzezinski pronostique l'échec de la *perestroïka* et de la *glasnost* gorbatchéviennes. Dans *La Fin de l'histoire et le dernier homme*, publié en 1992, Francis Fukuyama invente la « fin de l'Histoire », avec la conviction, feinte ou réelle, que la fin de la guerre froide signifierait la victoire de la démocratie libérale sur tous les autres régimes. Pour Samuel Huntington, elle marquerait le passage de clivages idéologiques à des clivages culturels, dont le principal oppose le judéo-christianisme à l'islam : c'est le « choc des civilisations », auquel il consacre un ouvrage éponyme paru en 1997.

La description du nouvel Empire correspond évidemment à une réalité. L'erreur ne consiste pas à mettre en lumière son ascension, mais à présenter celle-ci comme irréversible et, *a fortiori*, d'y voir une donnée de très longue durée. Or c'est là l'interprétation qui va prévaloir, à tort, tout au long des années 1990. Même l'excellent journaliste Paul-Marie de La Gorce écrivait à l'époque : « Au-delà des délires de victoires et des conformismes triomphants, on ne vit pas toujours ce dont l'Histoire venait d'accoucher : l'apparition d'une superpuissance unique, aux dimensions de la Terre [1]. »

▣ Bouleversement de l'hégémonie occidentale et « guerre contre le terrorisme »

Cette analyse, par son caractère excessif, s'est révélée trompeuse. De crise en crise, la mondialisation a progressivement montré ses limites : la liberté quasi totale donnée aux marchés a conduit à des secousses en série, de la crise asiatique (1998) à celle des *subprimes* (2008). Et, après le 11 Septembre, l'Empire s'est embourbé en Irak et en Afghanistan. Non seulement son déploiement de forces ne lui a pas permis de sortir de l'impasse, mais il a plongé ces deux pays dans un chaos durable et renforcé le rôle de l'Iran, tout en entachant profondément l'image de l'Amérique dans le monde. D'une certaine manière, cette impasse a donné corps aux prophéties autoréalisatrices des néoconservateurs bushistes...

C'est dire en tout cas que nous sommes entrés dans une phase historique nouvelle, dont, outre les menaces qui pèsent sur l'avenir même de la vie sur Terre, trois facteurs majeurs se conjuguent pour bouleverser l'hégémonie occidentale : la crise, devenue systémique ; la poussée des pays émergents, à commencer par les « BRICS » dont le PIB cumulé dépasserait dès 2020 celui du G-7 ; et l'irruption des sociétés défiant la perte de sens du politique, qu'analyse Bertrand Badie en introduction à cet *État du monde*.

Comment ne pas penser à 1968 ? Le Mai français, mais aussi le Printemps de Prague et, à un moindre degré, celui de Varsovie ; le mouvement étudiant en Allemagne et bien sûr au Mexique – sa répression sanglante par l'armée sur la place des Trois-Cultures à Mexico, et le poing ganté de noir des sprinters américains Tommie Smith et John Carlos lors des Jeux olympiques... La même révolte simultanée, le même rejet du vieux monde, la même absence de force politique pour porter cette vague comme de programme pour la canaliser. Comparaison n'est pas raison : le monde, entre-temps, a bien sûr changé, et les mouvements d'aujourd'hui diffèrent à bien des égards de ceux d'alors. Mais la secousse n'est pas moindre.

Cette évolution accélérée a aussi bouleversé la nature même des conflits, dont témoigne chaque année le rapport du Stockholm International Peace

---

1   Paul-Marie DE LA GORCE, *Le Dernier Empire*, Grasset, Paris, 1996.

Research Institute – Sipri [1]. Les dernières statistiques disponibles, qui concernent l'année 2010, font apparaître quinze « conflits armés majeurs [2] », contre dix-neuf en 2001 et sur un total de vingt-neuf durant l'ensemble de la décennie. Six d'entre eux ont connu une internationalisation, autrement dit l'intervention de forces armées à l'origine étrangères en soutien à l'une des parties – ce fut le cas, durant la décennie, de dix des vingt-neuf conflits recensés.

Ces derniers se sont déroulés en Afghanistan, en Inde comme entre Inde et Pakistan (Cachemire), au Myanmar, au Népal, aux Philippines ainsi qu'à Mindanao et au Sri Lanka ; en Russie (Tchétchénie) et en Azerbaïdjan (Haut-Karabakh) ; en Irak, en Iran, en Israël-Palestine, au Liban et en Turquie (Kurdistan) ; en Algérie, en Angola, au Burundi, en République démocratique du Congo (RDC), en République du Congo, au Libéria, en Ouganda, au Rwanda, en Somalie et au Soudan ; en Colombie et au Pérou – plus le combat de Washington contre Al-Qaeda et son intervention en Irak.

Un bon nombre de ces conflits s'inscrivaient, notons-le, dans la « guerre contre le terrorisme » engagée, en son temps, par l'administration de George W. Bush. Encore aurait-il fallu définir ce nouvel ennemi substitué au communisme, ce que le droit international n'a pas su faire jusqu'ici. Est-ce d'ailleurs un « ennemi » : ce concept issu du courant réaliste, des pensées schmittienne et clausewitzienne, est-il encore adapté ? Même une définition simple – par exemple : « tout acte de violence contre des civils innocents destiné à terroriser les populations » – conduirait à mélanger les attaques d'Al-Qaeda depuis 1998 et l'attentat de l'Irgoun coordonné par Menahem Begin contre l'hôtel King David (1946) de Jérusalem, la prise en otages des athlètes israéliens aux Jeux olympiques de Munich (1972) et le gaz répandu dans le métro de Tokyo par la secte Aum (1995), les opérations kamikazes en Israël et les assassinats commis dans les années 1970 par la Fraction armée rouge...

Dans ses statistiques sur 2010, le Sipri étudie la répartition régionale des « conflits armés majeurs ». Pour la huitième année consécutive, l'Asie arrive en tête de tous les continents avec cinq conflits. Et, durant la décennie, elle en a subi neuf, dont deux permanents (entre Inde et Pakistan ainsi qu'aux Philippines). Ensuite vient l'Afrique, avec quatre conflits. Il s'agit là d'une

---

1   *Sipri Yearbook 2011. Armaments, Disarmament and International Security*, Solna, Suède, 2011. Plusieurs autres institutions étudient les conflits dans le monde, notamment l'Institut international d'études stratégiques (IISS) basé à Londres. Mais, avec une typologie parfois différente, ils aboutissent sur l'essentiel aux mêmes conclusions.

2   Selon le Uppsala Conflict Data Program (UCDP), les « conflits armés majeurs » opposent, pour la conquête d'un territoire ou du pouvoir, deux forces armées, dont l'une appartient au gouvernement d'un État et dont l'affrontement a occasionné plus de 1 000 morts en un an – il suffit ensuite qu'il fasse 25 morts par an pour réapparaître dans les statistiques.

nette diminution, sensible depuis plusieurs années : au cours des années 2000, le continent noir fut le théâtre de dix guerres d'ampleur, dont trois quasi permanentes (au Soudan, en RDC et en Ouganda). Au Moyen-Orient, on en a également recensé trois en 2010 et cinq tout au long de la décennie. L'une avait opposé les États-Unis et leurs alliés contre l'Irak, l'autre met toujours aux prises les Palestiniens et Israël qui colonise leurs territoires ; la troisième a repris au Kurdistan turc.

Le continent américain a compté deux guerres, au Pérou et en Colombie. Curieusement, les statistiques ajoutent à cette brève liste l'affrontement entre les États-Unis et Al-Qaeda, qu'elles qualifient d'« interne ». Aucun conflit n'a eu lieu en Europe, pour la troisième année consécutive. Les années 2000 y avaient pourtant été caractérisées par les bras de fer entre Russie et Géorgie, entre Azerbaïdjan et Arménie ainsi qu'en Tchétchénie.

Si le Sipri n'a enregistré en 2010 l'apparition d'aucun nouveau brasier, il a noté que deux conflits actifs en 2009 ne l'étaient plus : au Sri Lanka, où l'armée a écrasé les Tigres de libération de l'Eelam tamoul (LTTE), et aux Philippines, où les négociations entre le gouvernement et le Front de libération islamique Moro (MILF) ont permis de maintenir le cessez-le-feu.

Six des quinze « conflits armés majeurs » de l'année 2010 ont connu une intensification par rapport à 2009 : Afghanistan, Myanmar, Philippines, Somalie, Soudan et Kurdistan turc (pour ces deux derniers, elle atteint plus de 50 %). Toutefois, le nombre de morts du fait de ces conflits ne dépasse – officiellement – le millier que dans quatre d'entre eux : plus de 6 000 en Afghanistan, 4 600 au Pakistan, 2 100 en Somalie et 1 500 en Irak.

Au cours des années 2000, les affrontements les plus meurtriers – toujours officiellement, et selon le Sipri – ont eu pour théâtre le Soudan (près de 42 000 morts), les Philippines (plus de 28 000), le Kurdistan turc (plus de 26 000), le Cachemire (19 000), l'Ouganda (plus de 18 000), la Colombie (plus de 16 000), Israël-Palestine (près de 16 000), le Pérou (plus de 15 000) et le Myanmar (près de 14 000). Les chiffres concernant l'Irak (30 000) et la RDC (près de 8 000) paraissent manifestement sous-estimés. Le Mexique manque aussi dans la liste, bien que les violences des cinq dernières années s'y soldent par plus de 50 000 morts. Fait également défaut, avec un bilan comparable, la guerre civile au Nigéria. Quant aux statistiques de la guerre en Afghanistan, elles font défaut – mais il y aurait eu près de 14 000 décès au seul Pakistan.

▬▬▬ Typologie des conflits du XXIᵉ siècle

Allons plus loin que ces données factuelles. Une étude des statistiques et des analyses du Sipri sur la longue durée le confirme : si, contrairement à une idée répandue durant les années 1990, le nombre et la gravité des conflits ont plutôt diminué depuis la fin de la guerre froide, leur typologie a fondamentalement changé [1].

La première grande tendance, c'est que les guerres extérieures – entre États – ont progressivement cédé la place à des guerres intérieures, le plus souvent à base sociale, sous couvert de référence ethnique ou religieuse (ou les deux). Ainsi, en 2010, aucun « conflit majeur » recensé n'a présenté de caractère interétatique, et ce pour la septième année consécutive. D'ailleurs, dans les dix années précédentes, seuls deux avaient mis directement aux prises des États : les combats entre l'Inde et le Pakistan de 1997 à 2003, puis entre les États-Unis avec leurs alliés et l'Irak de Saddam Hussein en 2003.

La deuxième grande tendance concerne l'évolution des enjeux de ces batailles. Les unes visent le contrôle d'un territoire particulier, les autres celui du pouvoir lui-même au sein d'un État. À la première catégorie appartiennent par exemple, dans les années 2000, les affrontements au Soudan (Sud-Soudan) ; en Inde (Cachemire), au Myanmar (Kachin, Shan et Karen), aux Philippines (Mindanao) et au Sri Lanka (Eelam Tamoul) ; en Turquie (Kurdistan) ; ou en Azerbaïdjan (Haut-Karabakh) ; en Géorgie (Abkhazie et Ossétie) ou encore en Russie (Tchétchénie). À la seconde, on peut rattacher les guerres en Afghanistan, au Népal et aux Philippines ; en Angola, au Burundi, en Ouganda, en RDC, en République du Congo, au Libéria, en Ouganda, au Rwanda et en Somalie ; en Colombie et au Pérou ; en Irak et en Iran ; ou encore en Algérie. La lutte des Palestiniens relèvent des deux à la fois : il s'agit d'arracher leur indépendance en acceptant que celle-ci ne concerne que Jérusalem-Est, la Cisjordanie et la bande de Gaza. Il en va de même des affrontements au Pakistan, avec pour objectif à la fois la maîtrise des zones dites « tribales » mais aussi le pouvoir à Islamabad. Ajoutons que les deux derniers conflits interétatiques de la décennie peuvent aussi se classifier en fonction de ce clivage : l'Inde et le Pakistan se disputaient un territoire, le Cachemire, tandis que Washington et ses alliés entendaient s'emparer du pouvoir en Irak.

La troisième tendance intéresse la toile de fond de nombre de ces bras de fer : la lutte de plus en plus âpre pour s'approprier les richesses naturelles. Largement sous-estimée depuis la fin de la guerre froide, cette dimension est à nouveau à la mode dans certains milieux d'analyse stratégique, qui en usent et, parfois, en abusent. Pour autant, comment nier que nombre de déchirures, aux quatre coins du monde, trouvent là une part essentielle de leur explication ?

C'est bien sûr vrai de la course aux matières premières traditionnellement convoitées, à commencer par l'or ou le diamant, mais aussi les métaux précieux (platine, argent) ou autres (cuivre, nickel, titane) : en Angola, au

---

1   Voir sur ces deux points Ignacio RAMONET, *Géopolitique du chaos*, Galilée, Paris, 1997.

Libéria ou en Sierra Léone, on s'entretue aussi pour des diamants ; en RDC pour la caverne d'Ali Baba que représente son sous-sol ; en Afghanistan, en Colombie et ailleurs pour la drogue… Qu'on songe par ailleurs à la plainte déposée devant l'Organisation mondiale du commerce (OMC) par les États-Unis, le Japon et l'Union européenne contre la Chine, qu'ils accusent de vouloir, par le biais de quotas, monopoliser les « terres rares » – dont elle extrait 95 % de la production mondiale – pour rattraper l'Occident en matière de hautes technologies.

Il en va de même des sources d'énergie comme le charbon, l'uranium indispensable au nucléaire (civil comme militaire) et bien sûr les hydrocarbures. Pour ces derniers, la compétition devient de plus en plus féroce, au fur et à mesure que l'on approche du *peak oil*, autrement dit du moment où la production mondiale commencera à décliner du fait de l'épuisement des réserves, et ce alors que les besoins énergétiques de l'humanité continueront à croître…

Une autre catégorie de richesses naturelles occupe toutefois une place grandissante dans les disputes du XXIᵉ siècle : celles que menacent le réchauffement climatique. Dès 2007, le secrétaire général des Nations unies Ban Ki-moon ne mettait-il pas en garde : « Dans les prochaines décennies, les changements dans notre environnement et les bouleversements qui en résulteront – de la sécheresse aux zones côtières inondées et à la perte de terres arables – deviendront probablement un facteur majeur de guerre et de conflit [1] » ?

Le *Sipri Yearbook 2011* consacre tout un chapitre à ce qu'il qualifie de « renouveau de l'attention portée au rôle des ressources [2] ». Ses auteurs, Neil Melvin et Ruben de Koning, discernent plusieurs dimensions de cette évolution : on observe ainsi des combats de plus en plus violents pour l'accès à des ressources naturelles ; accès qui procure ailleurs à tel ou tel groupe armé le financement dont il a besoin ; cette question peut aussi accentuer le risque de conflits ; ou conduire tel ou tel État à trop dépendre de ses exportations, ce qui rend son économie vulnérable à la spéculation, etc.

« À long terme, poursuivent-ils, la détérioration de l'environnement due largement au changement climatique pourrait entraîner une compétition sur l'eau fraîche et la terre arable susceptible de devenir violente. Inondations, raz-de-marée, sécheresses, famines et autres désastres résultant de – ou exacerbés par – la modification du climat pourraient créer des chocs économiques, tels que de soudaines chutes dans les emplois disponibles, qui affaibliraient les États et contribueraient à l'émergence de groupes armés. Sinon, la pénurie, l'instabilité et la violence [qui en résulteraient] pourraient

---

1   <www.un.org/apps/news/infocus/sgspeeches/search_full.asp?statID=70>.
2   *Sipri Yearbook 2011, op. cit.*, p. 39-60.

provoquer des mouvements de populations massifs et non maîtrisés. » Si les tensions d'ores et déjà observées n'ont pas conduit jusqu'ici – concluent en substance les auteurs – à des conflits armés, rien n'exclut qu'il en aille autrement demain...

La quatrième grande tendance, et dans l'immédiat la plus grave, ce sont les conséquences humaines de la fragmentation et de la diversification de la violence armée. Dans les guerres interétatiques, les soldats constituaient – Seconde Guerre mondiale exclue – le gros des victimes. Les guerres infra-étatiques, elles, exercent surtout leurs ravages parmi les civils. Comme l'écrit le Sipri, « 99 % de la violence unilatérale – c'est-à-dire qui cible directement et intentionnellement des civils – se produisent dans des pays où un conflit armé est actif ».

Poussons plus loin l'analyse. Si, dans la lutte pour le pouvoir, la responsabilité de nombre de morts incombe aux États, les groupes non étatiques en occasionnent le plus dans la bataille pour un territoire. D'où la multiplication des victimes civiles, directes et indirectes, y compris les déplacés et réfugiés. Ces querelles intestines voient proliférer les groupes armés, qui abolissent les frontières entre les différentes formes de violence, terrorisme inclus. L'État, par sa faiblesse, alimente souvent ce glissement vers le pire, en s'appuyant sur des milices tribales ou des groupes de sécurité privés. Voilà pourquoi les civils, qui constituaient 5 % des tués et blessés des guerres au début du XXᵉ siècle, en forment 90 % au commencement du XXIᵉ.

Parmi ces victimes figurent en masse les enfants. Dans son rapport du 21 juillet 2011 au Conseil de sécurité, la représentante du secrétaire général des Nations unies pour les enfants et les conflits armés, Radhika Coomaraswamy, estime que « les enfants continuent d'être affectés de manière disproportionnée [...] et de voir leurs droits fondamentaux violés ». Ils sont « recrutés de force, tués et mutilés, enlevés, soumis à des violences sexuelles et privés d'aide humanitaire ». Ils ne bénéficient pas d'un accès normal à « l'éducation, aux services de santé et à la justice ». Car, note le rapport, « le changement de nature des conflits armés crée de nouveaux dilemmes pour la protection des enfants » : non seulement ils deviennent des « cibles prioritaires » pour les acteurs de ces conflits et se voient de plus en plus utilisés « à des fins d'espionnage » et comme « boucliers humains », mais ils sont aussi « directement affectés par des attaques ciblées contre des écoles et des hôpitaux » [1].

Quelques statistiques compilées par les Nations unies ces dernières années donnent la mesure des conséquences de cette évolution : 2 millions de mineurs ont trouvé la mort dans des guerres ; plus de 6 millions en sortent gravement blessés ou à jamais invalides, plus de 1 million orphelins et plus

---

1   <www2.ohchr.org/english/bodies/hrcouncil/docs/18session/A.HRC.18.38_en.pdf>.

de 10 millions accablés de graves traumatismes psychologiques ; les mines antipersonnel font chaque année 10 000 victimes de moins de 18 ans (tuées ou mutilées) ; près de 6 millions d'enfants sont réfugiés, et près de 10 millions déplacés. Rien d'étonnant si quinze des vingt pays enregistrant les taux de mortalité des enfants de moins de 5 ans les plus élevés et les taux de scolarisation primaire les plus faibles subissent un conflit armé.

Sur le site Internet de la représentante, vingt-deux États sont notamment cités : l'Afghanistan, le Burundi, la République centrafricaine, la Colombie, la RDC, la Côte-d'Ivoire, Haïti, l'Inde, l'Irak, Israël, le Liban, le Myanmar, le Népal, l'Ouganda, le Pakistan, les Philippines, la Somalie, le Soudan, le Sri Lanka, le Tchad, la Thaïlande et le Yémen.

On y recensait, en janvier 2012, quelque 250 000 enfants soldats. Cette pratique viole évidemment la Convention des droits de l'enfant de 1989 – ratifiée par tous les États membres de l'ONU, sauf les États-Unis et la Somalie – et le protocole additionnel concernant l'implication d'enfants dans des conflits armés. Entré en vigueur en 2002 et signé ou ratifié dix ans plus tard par 146 États, ce dernier fixe à 18 ans au moins l'âge d'enrôlement dans les forces armées.

Outre les morts et les blessés, mineurs et adultes, les guerres du XXIe siècle entraînent une autre conséquence : la multiplication des réfugiés et déplacés, dont les statistiques se révèlent fort peu fiables – elles « flottent » entre 10 et 200 millions ! Dans son dernier rapport, le Haut Commissariat des Nations unies pour les réfugiés (HCR) recense 25,2 millions de personnes – 10,6 millions de réfugiés et 14,6 millions de déplacés – qu'il protège et assiste. S'y ajouteraient 12 millions d'apatrides. Les pays en développement accueillent les quatre cinquièmes des réfugiés, dont les trois quarts se trouvent dans un pays voisin du leur. Comparés à leur capacité économique, les trois principaux pays hôtes sont le Pakistan (710 par dollar de PIB), la RDC (475) et le Kénya (247)…

Et chaque guerre grossit leurs rangs. Parmi les personnes réfugiées à l'étranger et placées sous la responsabilité du HCR, 3 millions (soit près du tiers du total) viennent d'Afghanistan ; 1,7 million d'Irak ; 770 000 de Somalie ; 476 000 de RDC ; 416 000 du Myanmar ; 396 000 de Colombie ; 387 000 du Soudan, etc. Quant au nombre de réfugiés palestiniens, il tournait fin 2011, selon l'agence spécialisée des Nations unies, l'UNRWA, autour de 5 millions au Moyen-Orient.

Les enjeux nouveaux de l'armement

Avec ces conséquences humaines tragiques, la nouvelle nomenclature de la belligérance bouscule la donne. L'opinion mondiale se préoccupe surtout de l'élargissement du club des détenteurs de la bombe : si l'Inde et le Pakistan ont rejoint ce dernier sans provoquer de tempête (à moins, évidemment, que les talibans s'emparent du pouvoir à Islamabad), il n'en va pas de même de l'Iran. L'intention prêtée – sans preuve formelle – à Téhéran de détourner son programme nucléaire civil pour se doter de l'arme atomique sert même de prétexte à Tel-Aviv pour tenter d'entraîner Washington dans une opération de bombardement des infrastructures iraniennes.

Qu'Israël menace réellement le régime des mollahs ou qu'il bluffe pour obtenir des sanctions plus lourdes contre lui, il cherche surtout à faire oublier qu'il détient le monopole nucléaire au Proche-Orient et à échapper à l'exigence de la communauté internationale : dénucléariser la région. C'est l'objet de la conférence convoquée par les Nations unies à Helsinki en 2012, à laquelle l'État hébreu refuse de participer, comme il refuse de signer le Traité de non-prolifération (TNP) et d'accepter des inspections de sa centrale de Dimona. Cela dit, jusqu'ici, ce n'est pas la prolifération nucléaire qui tue, mais celle des armes classiques, et singulièrement des armes légères, toujours moins coûteuses et plus meurtrières.

Selon le *Small Arms Survey 2011* [1], un millier d'entreprises réparties dans une centaine de pays produisent des « armes de petit calibre » et des « armes légères » directement, sous licence ou illégalement. En tête des exportateurs : les États-Unis, l'Italie, l'Allemagne, l'Autriche, la Belgique, le Brésil, la Chine et la Russie – pour un total annuel régulier d'au moins 100 millions de dollars chacun. Quant aux premiers importateurs, ce sont les États-Unis, le Canada, la France, l'Allemagne, l'Arabie saoudite et le Royaume-Uni – également pour un total annuel régulier d'au moins 100 millions de dollars chacun. Le commerce autorisé de ces armes, ajouté à celui des munitions qui leur sont destinées, dépasse chaque année 7 milliards de dollars. Le nombre détruit chaque année (environ 500 000) paraît infime par rapport au nombre en circulation : 875 millions, dont les trois quarts sont des armes à feu appartenant à des civils. Dans certains pays comme les États-Unis et la Suisse, ces derniers peuvent même en acheter librement. Détournée, une grande partie de toutes ces armes alimente les groupes de combattants non étatiques, qui luttent contre leur gouvernement ou/et entre eux.

On imagine avec effroi l'évolution de la planète si ce genre de guerres qui l'ensanglantent déjà devait se généraliser au fil du XXIe siècle. Seules une rupture avec les logiques économiques, sociales et politiques en vigueur, une transition accélérée vers le monde multipolaire qui se dessine et bien sûr la

---

1   <www.smallarmssurvey.org>. Un groupe d'experts de l'ONU, réuni en 1997, a défini les « armes de petit calibre » et les « armes légères » comme des armes civiles ou militaires tirant des projectiles et pouvant être portées par un individu (carabines et fusils d'assaut par exemple) ou un petit groupe d'individus (mitrailleuses, lance-grenades, lanceurs portables de missiles antiaériens ou antichars, etc.).

réforme, voire la reconstruction, de l'architecture internationale qui en découle (à commencer par les Nations unies) seraient de nature à éviter cette dérive meurtrière et à assurer la paix. Mais on en est loin, très loin. Jean Jaurès n'avait pas tort de citer, dans son *Histoire socialiste de la Révolution française* (1924), cette phrase de Marx : « Nous ne sommes encore que dans la préhistoire de l'Humanité. »

@ Sites Internet

Stockholm International Peace Research Institute (Sipri) : www.sipri.org.

Fonds des Nations unies pour l'enfance (Unicef) : www.unicef.org.

Programme des Nations unies pour l'environnement (PNUE) : www.unep.org.

Agence des Nations unies pour les réfugiés (HCR) : www.unhcr.fr.

Small Arms Survey : www.smallarmssurvey.org.

Groupe de recherche et d'information sur la paix et la sécurité (GRIP) : www.grip.org.

Guerres sans fin

Alain Joxe
Spécialiste des questions stratégiques, directeur d'études à l'EHESS

L'impuissance des États-Unis, sous George W. Bush comme sous Barack Obama, à terminer les guerres engagées dans le « Grand Moyen-Orient » ébranle les « théoriciens » de la stratégie, pour qui se pose une question nouvelle : ces guerres restent-elles « clausewitziennes » ? Constituent-elles toujours la continuation de buts politiques (« *Zwecke* » pour Clausewitz) par la mise en action d'objectifs militaires (« *Ziele* »), à laquelle il est possible de mettre fin par une négociation diplomatique et le retour à la paix ?

La non-puissance euro-américaine ?

Comment comprendre ce phénomène paradoxal de « non-victoires » qui demeure finalement inexpliqué, comme noyé aujourd'hui dans le chaos innovant qu'on appelle la « crise » depuis 2007 ? Pourquoi la plus grande puissance militaire du monde et de tous les temps ne parvient-elle pas à remporter une seule victoire politique réelle dans sa zone d'intervention militaire permanente majeure depuis l'effondrement sans guerre du système soviétique en 1990[1] ?

Cette zone du « Grand Moyen-Orient », stratégique pour les États-Unis en raison des ressources pétrolières qui s'y trouvent, prend aussi une importance majeure pour l'Europe à cause du risque inhérent au voisinage immédiat d'un désordre politique, social et économique devenu sans frontières depuis les « printemps arabes ». Les appréciations européennes et américaine diffèrent donc nécessairement, pour des raisons géopolitiques, sur la situation engendrée dans cette région par des guerres issues d'une « gouvernance » chaotique et qui semblent « sans fin », au trois sens de l'expression (sans *Zweck*, sans *Ziel* et sans paix).

Dans le méli-mélo de la transformation du monde par la globalisation stratégique de la violence et de la finance (deux « gouvernances » informatisées qui dominent depuis plus de vingt ans), il faut admettre que les guerres se prolongent pour des causes variables, qui en outre se multiplient dans la durée. Il faut reconnaître aussi que les acteurs de ces guerres, les identités de leurs agents décisionnels et la teneur de leurs objectifs ne sont pas forcément visibles « à l'œil nu ».

Un classement des guerres fondé sur une « anthropologie des non-victoires » aidera à comprendre cette impuissance euro-américaine. Pour l'établir, il faut remonter aux conflits de la fin de la guerre froide bipolaire. Dans ces « guerres de transition » de la décennie 1990 (guerre du Golfe et guerres des Balkans), des peuples ont certes été détruits ou écrasés au cours de plusieurs phases d'opérations successives de maintien ou de rétablissement de l'« ordre ». Ces interventions n'ont cependant abouti qu'à des « guerres sans fin » ou du moins ne se terminant pas par une paix stable, à l'occasion desquelles on a en outre vu émerger un agent de guerre nouveau : le système transnational néolibéral, dont les États-Unis semblaient en passe de devenir le simple instrument.

▇▇▇▇ La « mercenarisation » des États-Unis

La guerre du Golfe (1991) apparaît comme une ultime guerre traditionnelle : une guerre éclair qui commence avec l'invasion du Koweït par l'Irak, provoquant une intervention américaine et occidentale sur résolution du Conseil de sécurité de l'ONU. Cette force repousse les envahisseurs, libère le Koweït, mais n'occupe pas le territoire du vaincu.

---

1   C'est un des thèmes principaux de mon dernier ouvrage : *Les Guerres de l'empire global*, La Découverte, Paris, 2012.

Il s'agit en fait du premier conflit de l'après-bipolarité, qui pose d'emblée une curieuse question. Les États-Unis, tenant le rôle de maître d'œuvre, ont fait appel avec succès aux contributions financières des alliés de l'OTAN et autres. Or, à l'issue d'une victoire totale et rapide, le bilan financier se révèle *bénéficiaire* pour Washington : l'empire américain vainqueur est-il alors bien le nouvel empire global qui domine le monde ? Ou est-ce un empire parmi d'autres, mais surarmé, et devenu mercenaire du système capitaliste global ? On a parlé, lors de l'apurement des comptes de l'expédition, d'une « mercenarisation » des États-Unis au service du système transnational, récemment vainqueur (sans guerre) de la Russie soviétique [1].

Le but politique de cette guerre (*Zweck*, dans le vocabulaire de Clausewitz) reste d'ailleurs flou puisque, malgré la victoire écrasante (*Ziel*, but militaire : retrait et destruction de l'armée de Saddam Hussein), les vainqueurs n'occupent pas le territoire des vaincus. De ce fait, la fin du conflit n'est pas datable : il se poursuit d'ailleurs à travers le maintien par les vainqueurs de sanctions de type embargo naval et bombardement aérien, qui sont des actes de guerre.

Un protocole de destruction des États centralisés

La vague des guerres yougoslaves (la guerre à trois camps « religieux » de Bosnie-Serbie-Croatie en 1992-1995 ; la guerre à deux camps « linguistiques » serbo-kosovare en 1992-1999) a dépecé la structure fédérale en « poupées russes » de la Yougoslavie titiste.

Si elle a trouvé une issue dans les accords de Dayton signés en 1995, l'intervention des États-Unis, de l'Union européenne, des Nations unies et de l'OTAN n'a pas atteint le but (*Zweck*) virtuel affiché au départ : elle n'a pu empêcher l'éclatement violent de la Yougoslavie, ni celui de la Bosnie, ni celui de la Serbie. La communauté internationale a plutôt accompagné, voire orchestré, cette décomposition aux trois échelles de l'État yougoslave (État fédéral central, républiques, régions autonomes), comme trois « guerres de purification ethnique » qui ont conduit à une série de sécessions et n'ont été stabilisées sous contrôle euro-américain qu'après le déchaînement de crimes contre l'humanité du côté croate et du côté serbe.

On peut y voir la victoire (politique) du néolibéralisme. La destruction de la Yougoslavie, à son échelle, est homomorphe à celle du système soviétique : c'est l'éclatement d'un État-parti fédéral, « jacobin-girondin », « laïc-confessionnel », « macro-micro ». C'est en outre le modèle de destruction de tous les États impériaux possibles, et de tous les États jacobins possibles – pas seulement d'un État fédéral communiste.

---

1   Voir Alain JOXE, *L'Amérique mercenaire*, Stock, Paris, 1992.

Les guerres yougoslaves ont abouti à la création paradigmatique, aux marges de l'Union européenne, d'un « empire fractal », un système de gouvernance propre au triomphe du néolibéralisme financier « globcal ».

Le désordre éthique et théorique des politiciens et des soldats

L'expérience de ces « guerres de transition » a nourri les doctrines militaires des États-Unis : les guerres génocidaires yougoslaves ont semble-t-il constitué une « recette », un programme politique, un protocole expérimental pour refonder des États néolibéraux néocoloniaux. Cette doctrine mise en place sous le président George W. Bush par le secrétaire à la Défense Donald Rumsfeld, comme une apologie de la purification ethnique pour l'Irak, a été homologuée par Joseph Biden lui-même (futur vice-président de Barack Obama) en 2006.

L'apologie de l'école française de la « guerre révolutionnaire », qui a conduit à la défaite des armées françaises en Indochine et en Algérie, a de son côté inspiré le général David H. Petraeus en Irak. On ne peut comprendre les actuelles guerres du Moyen-Orient sans exposer ces représentations militaires de base, symboliques du désordre éthique et théorique des politiciens et des soldats qu'a exhibé le système américain dans cette suite de conflits critiques.

Les trois principales guerres permanentes depuis le début des années 2000 (Afghanistan, 2001-2013 ? ; Irak, 2003-2011 ; et Israël-Palestine), bien que fort différentes, présentent quelques caractères communs dérivant des représentations stratégiques globales du système impérial nouveau, mises en œuvre en dépit des changements de présidents.

Commençons par la guerre d'Irak, purement américaine et réputée terminée tandis que les deux autres durent encore.

La guerre d'Irak (20 mars 2003-18 décembre 2011)

La guerre d'Irak commence le 20 mars 2003 avec l'opération « Iraki Freedom », au cours de laquelle une coalition menée par les États-Unis contre le parti Baath irakien de Saddam Hussein envahit le pays. Elle se termine le 18 décembre 2011, avec le retrait précipité des dernières troupes américaines (39 000 hommes) en une nuit.

Pour *Zweck*, les puissances attaquantes, États-Unis en tête, s'étaient fixé la destruction finale, sans accord initial de l'ONU, de l'État Baath faussement accusé de vouloir acquérir l'arme nucléaire et d'être complice d'Al-Qaeda. Il s'agissait ensuite d'installer un régime démocratique qui servirait les intérêts pétroliers américains et qui représenterait une menace pour plusieurs régimes islamiques voisins. Le *Ziel*, l'objectif stratégique militaire, visait à installer des troupes américaines sur des bases permanentes en Irak.

La recette de la « tripartition » et du nettoyage ethnique de type « bosniaque » – pensée par Donald Rumsfeld – a été acceptée et relayée en 2006 par Joseph Biden, alors principal élu démocrate de la commission des Affaires étrangères du Congrès. Constatant que les efforts de l'administration Bush pour doter l'Irak d'un gouvernement fort se soldent par un échec irrémédiable, il suggère que le pays devrait être divisé (« comme la Bosnie ») en trois régions – kurde, sunnite et chiite – bénéficiant chacune d'une large autonomie. Cette division « huntingtonienne » de l'Irak en trois cultures adverses créerait, selon lui, les conditions du maintien d'une présence militaire minimum et d'une médiation prolongée des États-Unis.

Le but affiché est la destruction de l'État irakien jacobin tyrannique, en voie de développement grâce à la manne pétrolière, et sa transformation en confédération tricommunautaire hétéroclite. Ces objectifs se heurtent en 2006 à des échecs militaires flagrants en « guerre urbaine » : les troupes américaines ne tiennent pas le terrain. À cette crise militaire grave s'ajoute la crise politique du gouvernement irakien de Nouri al-Maliki.

Face à ces échecs et au mémorandum du général Petraeus, qui en septembre 2006 critique les erreurs politiques devant le Sénat, le désarroi du président Bush ouvre un espace diplomatique faisant de nouveau place à l'idée de paix. La situation exige une correction de tir à la fois politique, stratégique et militaire. C'est cette réévaluation qui aboutit en 2007 sous le nom de « *surge* » (l'« afflux » massif de troupes).

Véritable tournant stratégique (produit sous Bush, il a été considéré par Obama comme source d'un concept valable pour les deux champs de bataille d'Irak et d'Afghanistan), ce moment mérite d'être analysé dans ses trois composantes.

L'aspect politique est venu du rapport Hamilton-Baker sur la situation (catastrophique) en Irak, rédigé par l'« Iraq Study Group », un groupe de travail bipartisan constitué en mars 2006. Publié le 6 décembre de la même année, ce mémorandum critiquait vigoureusement les erreurs commises sur le terrain, et l'état politique, militaire et économique de l'Irak : les États-Unis échouaient totalement à maîtriser une situation où se mêlaient un soulèvement antiaméricain « sunni-baathiste », des agissements terroristes des infiltrés d'Al-Qaeda, une guerre civile entre chiites et sunnites, une opposition radicale entre « autonomie des provinces locales » (chiites de basse Mésopotamie et Kurdes de haute Mésopotamie) et maintien d'un pouvoir central fort au moins à Bagdad, avec partage au sommet des ressources du pétrole.

La grande opération conjointe (« Forward Together ») de reprise en main de Bagdad, menée du 14 juin à la fin août 2006 pour réduire la violence déchaînée dans la capitale depuis l'attentat de février 2006 contre la grande mosquée chiite Al-Askari à Samarra, est décrite dans ce rapport comme un cruel échec (la violence urbaine avait augmenté de 45 % d'août à octobre 2006 ; les milices communautaires armées s'évaporaient avant chaque opération répressive locale et se réinstallaient ensuite ; aucune zone « nettoyée » ne pouvait être conservée sous contrôle du fait de la défaillance de la police irakienne, supposée tenir le terrain après le retrait des troupes). Le document en précise les causes de manière accablante : fautes politiques et stratégiques, impasses tactiques, faillite économique du fait de la corruption générale et du détournement des fonds des contrats de reconstruction par les sous-traitances privées. Le gouvernement irakien fait figure de lamentable fantoche, et l'armée américaine se trouve piégée par les erreurs de la version Rumsfeld de la modernité militaire. Le soldat, transformé en robot électronique, producteur de bavures en guerre urbaine, ne dispose d'aucune qualité humaine lui permettant de tenir le terrain. De plus, on manque d'effectifs.

Le rapport suggère alors une étonnante démarche diplomatique macro-stratégique, qui inciterait les deux ennemis régionaux, Iran et Syrie, à bien examiner le contexte du désordre irakien et à prendre conscience des conséquences déstabilisantes qu'ils auraient à subir en tant qu'États voisins encore « ordonnés » si l'Irak s'effondrait totalement dans la guerre civile à trois camps, l'explosion intercommunautaire et la purification ethno-religieuse généralisée. Il énonce clairement : « Il n'existe pas de solution militaire à ce conflit. » Les États-Unis pensent dès lors offrir un cadre international large où restaurer la stabilité de la région circumirakienne – y compris la solution du problème israélo-arabe (Liban, Syrie et Palestine) – en négociant avec les forces politiques qui acceptent le droit d'Israël à exister et en excluant toute poursuite de l'aide au Hezbollah et au Hamas.

Cette proposition préconisait donc le retour à une diplomatie qui, pour être un renoncement au pur usage de la force, n'en demeurait pas moins « impériale » et ne modifiait guère les principes de la solution aux problèmes israélo-palestinien et libanais. L'Iraq Study Group n'évoquait aucunement à aucun moment les limitations à toute perspective générale de paix au Proche-Orient qu'imposait l'alliance inconditionnelle des États-Unis avec Israël, ni le problème insoluble d'une diplomatie englobant tout l'environnement de l'Irak mais excluant le Hezbollah chiite et le Hamas sunnite du champ de la négociation, par extraction de la réalité des zones d'antiaméricanisme religieux armé. C'était d'une naïveté finalement toujours aussi brutale qu'inefficace.

Le petit appel à l'aide contenu dans le rapport, demandant qu'on permette aux États-Unis de quitter l'Afghanistan en laissant les alliés finir le travail, restait donc sans aucune modestie et ne tenait pas compte du potentiel conflictuel autonome de la guerre afghane et de ses prolongements pakistanais vers l'Inde, la Chine ou l'Asie centrale.

Le document Hamilton-Baker suggérait enfin que la présence américaine en Irak passe de la qualité d'une conquête avec installation d'une administration sous mandat à celle d'un mandat d'occupation et finalement d'un protectorat agréé par l'ONU. Cette proposition préconisait une diminution des effectifs globaux en même temps que l'augmentation et la généralisation d'un mode d'affectation directe, aux unités de l'armée et de la police irakiennes, de militaires américains et de membres de la coalition comme adjoints de commandement, combattants, techniciens ou formateurs.

Outre la pression politique transmise par ce rapport, l'appel au changement de doctrine d'emploi des forces est venu des militaires, à travers notamment le *Counterinsurgency Field Manual* du général Petraeus. Pétri de culture coloniale française, source supposée la meilleure pour compenser l'échec irakien et reconstruire la stratégie afghane, ce texte s'inspire directement de la théorie de la guerre contre-insurrectionnelle élaborée par les officiers français dans les années 1950 et connue depuis 1963 aux États-Unis grâce au colonel David Galula [1]. L'esprit de « recette » de l'école américaine lui a fait supposer que la validité de ces contributions théoriques s'étendait aujourd'hui aux guerres du Moyen-Orient.

Dans l'interview de Petraeus servant de préface à la tardive édition française du livre *Contre-insurrection* de Galula, le traducteur souligne que, pour cet auteur, « contrairement à la guerre conventionnelle au cours de laquelle le principal enjeu est la puissance respective des adversaires, toutes les actions de contre-insurrection doivent avoir pour but la protection de la population indigène ». Il faut pourtant bien admettre que ce discours conquérant, quels qu'aient été naguère sa sincérité et son réalisme impérial, ne peut s'appliquer mécaniquement aux situations de soulèvements anticolonialistes dans l'Algérie coloniale pied-noir, et moins encore aux expéditions de reconquête néo-impériales sponsorisées par les Américains. Ceux-ci n'ont pas pour but de conquérir et de protéger la population, mais au contraire de la libérer au sens de la délivrer, de la livrer, de l'asservir aux lois du libre marché.

Or, si l'on oublie qu'une stratégie militaire doit se définir par rapport à des buts politiques, et si l'on en fait un art technique fondé sur l'idée que les « indigènes » ne comprennent pas les enjeux des interventions qu'ils subissent, on développe forcément une représentation policière de la guerre, une

---

1 David GALULA, *Contre-insurrection. Théorie et pratique* (publié en anglais en 1963), Economica, Paris, 2008. Galula, capitaine d'août 1956 à août 1958 à la tête de la 3ᵉ compagnie du 45ᵉ bataillon d'infanterie coloniale, se distingua par la mise en application de tactiques personnelles dans le Djebel Mimoun en Kabylie, qui lui permirent d'éliminer un temps l'insurrection dans ce secteur.

définition infrapolitique de la répression et une croyance en l'imbécillité sinon de l'adversaire, du moins de la population qui le soutient.

La nouvelle doctrine COIN (*COunterINsurgency*) du général Petraeus, adossée au rapport Hamilton-Baker, appelait à neutraliser les erreurs stratégiques et politiques liées à l'emploi indiscriminé des assauts urbains brutaux et des frappes aériennes, touchant durement la population civile au lieu de la protéger. Elle fut appliquée en Irak par son auteur, sous la forme du « *surge* » mentionné plus haut. La décision de procéder à cet afflux de troupes, proclamée en janvier 2007 par George W. Bush, a été largement influencée par un *think tank* néoconservateur bien connu, l'American Enterprise Institute, qui présenta au Président, en décembre 2006, un rapport de Frederick Kagan. Celui-ci soulignait « comment les États-Unis pouvaient vaincre en Irak et pourquoi la victoire était la seule issue acceptable ». Il admettait la nécessité d'augmenter les effectifs sur le terrain de la guerre urbaine, afin de maintenir dans le temps et dans l'espace les équilibres qui permettraient la pacification de certains secteurs.

Mais le projet comportait une aile offensive d'un autre ordre, affectant un renfort de 4 000 *marines* au soutien d'une opération engagée dans la province d'Anbar où « des terroristes d'Al-Qaeda [s']étaient] rassemblés » et où « des forces locales [avaient] commencé à montrer une volonté de les combattre ». « Nous n'avons pas repoussé Al-Qaeda de ses zones de sécurité en Afghanistan seulement pour les laisser installer de nouvelles zones de sécurité dans un Irak libre », déclara alors le président Bush dans un discours télévisé.

Nous n'entrerons pas dans le détail de l'opération qui amena de fait une certaine reprise en main de la sécurité dans les villes, du fait aussi d'un rapprochement politique avec les fractions de la résistance sunnite (soit qu'on la considère comme baathiste, soit qu'on la qualifie par son origine tribale). Ces dernières décidèrent d'éliminer de manière prioritaire l'intromission de commandos d'Al-Qaeda dans le chaos irakien et d'assurer, par la garantie américaine, le retour d'une légitimité « ubiquitaire » des groupes sunnites baathistes, les seuls à ne pouvoir réclamer une partition géographique aussi claire que celle des Kurdes du Nord ou des chiites du Sud.

Rapidement émergea une question, qui se fit plus précise à mesure de l'évacuation de la majorité du corps expéditionnaire américain : cet équilibre pourrait-il subsister après le retrait ? Le succès « final » de la stratégie du « *surge* » en Irak n'était absolument pas garanti. Par ailleurs, l'objectif militaire « l'Irak base militaire américaine au Moyen-Orient », qui restait à l'ordre du jour en 2007, fut totalement abandonné, et il ne restait plus en 2012 aucune troupe d'opération en Irak.

De cette évolution ressort la croyance américaine dans les « recettes ». Visiblement, derrière les suggestions de l'Iraq Study Group ou du manuel de

Petraeus, l'idée existe que les guerres ne sont pas des processus historiques à mémoire, et que l'on peut tout reprendre à zéro en nettoyant le laboratoire pour une nouvelle expérience bien meilleure, ayant fait ses preuves.

En outre, la proposition n° 63 de l'Iraq Study Group suggérait de continuer la guerre d'Irak « jusqu'à ce que les compagnies pétrolières américaines se soient vu reconnaître un accès légal à tous les champs pétroliers irakiens ». Cette recherche de pacification restait donc difficile à distinguer d'une conquête plus « néocoloniale » que coloniale, certes moderne, mais archaïque par le but prédateur que ce type d'objectif remet perpétuellement en selle dans le monde arabo-islamique.

En somme, tout se passe comme si une guerre devait *ne pas* aboutir à la formation d'un État viable. Ce but n'est certes pas celui affiché par les États-Unis. Il semble toutefois correspondre aux intérêts d'une mondialisation néolibérale dont la force armée américaine, aidée par des supplétifs mercenaires privés, serait seulement l'instrument.

▬▬▬ La guerre d'Afghanistan (2001-2013 ?)

Bien qu'entamée plus tôt que la guerre d'Irak, et malgré la hâte du président Obama à préciser la date de départ, en 2013, des troupes américaines (et donc des coalisés membres de l'OTAN qui y ont déployé des unités combattantes), la guerre d'Afghanistan reste inachevée.

Le but politique premier de l'expédition avait été une longue vengeance contre la mouvance Al-Qaeda, à l'origine de l'attentat de 2001 contre les Twin Towers et dont le chef Oussama Ben Laden, hébergé au départ par le régime des talibans, fut ensuite protégé par les services spéciaux pakistanais. Restée claire pour les États-Unis, cette fin convainquait bien moins les alliés, engagés sous mandat de l'ONU puis sous label OTAN à une reconstruction démocratique de l'État afghan évidemment impossible sous occupation militaire et en état de guerre permanente.

Le but opérationnel (*Ziel*), l'écrasement de la rébellion des talibans avec l'appui ambigu de l'armée pakistanaise aux frontières, s'est modifié à l'occasion de plusieurs rectifications de la doctrine d'emploi des forces.

Après le renversement rapide du régime taliban par une coalition internationale menée par les États-Unis dans l'opération « Liberté immuable » (« Enduring Freedom ») et les accords de Bonn de décembre 2001 qui donnèrent naissance à un gouvernement provisoire dirigé par Hamid Karzaï, la guerre a pris la forme d'une intervention de l'ONU, avec la création de la Force internationale d'assistance à la sécurité (FIAS). Cette dernière avait pour mandat, d'après la résolution 1386 du Conseil de sécurité, d'aider l'Autorité de transition afghane en instaurant un environnement sûr à Kaboul et dans ses environs et en soutenant la reconstruction du pays.

Dès le mois d'août 2003 pourtant, l'OTAN a pris la direction de la FIAS, devenant l'enveloppe qui recouvrait la réalité d'un commandement américain dont les buts politiques et militaires n'étaient pas strictement conformes à la résolution de l'ONU. Cette « otanisation » a bientôt gagné la stratégie opérationnelle : lors du sommet de Riga en novembre 2006, plusieurs pays comme la France, l'Italie, l'Allemagne et l'Espagne ont accepté de lever les restrictions au déploiement de leurs troupes hors des zones d'attribution, relativement calmes, afin d'apporter un soutien aux quelque 10 000 soldats canadiens, britanniques, danois, australiens et néerlandais engagés depuis l'été 2006 dans de violents combats dans le Sud. Et, au sommet de Bucarest en avril 2008, la France et d'autres pays ont répondu à l'appel à envoyer des renforts, le pays étant confronté à une forte résistance et à de nombreux attentats.

En réduisant le recours excessif à l'arme aérienne et ses bavures, on a cherché tardivement, par une version afghane du « *surge* », à s'assurer l'appui de la population et le « succès politique » de l'expédition. À mesure que se sont succédé les étapes stratégiques, l'écart entre le *Ziel* américain (destruction de tout pouvoir taliban et occupation) et le *Zweck* onusien (mise en place d'un État démocratique et reconstruction) s'est fait plus critique et intenable. Le maintien des deux objectifs s'est révélé chaotique, sapant en particulier le travail des équipes de reconstruction provinciales (PRT), élément essentiel de la stratégie sociopolitique civile pour l'Afghanistan (déroulée en trois volets théoriques : la sécurité, la gouvernance et le développement), et supposé justifier, sur les critères de l'ONU, la présence de la FIAS et de l'OTAN en Afghanistan.

L'autonomie des *Zwecke* de chaque contingent s'est souvent maintenue, certains gouvernements refusant malgré la pression des États-Unis de jouer un rôle purement opérationnel direct dans la guerre américaine et cherchant à s'en tenir, dans la mesure du possible, aux tâches de reconstruction de l'État voulues par l'ONU et en principe gérées par l'OTAN.

La transformation par le président Obama, dès son discours inaugural, de cette guerre d'Afghanistan en « guerre AFPAK » (AFghanistan-PAKistan), y ajoutant l'objectif de contrôler le Pakistan militaire nucléaire qui, en outre, tendait au compromis avec les talibans internes, s'est soldée par un échec patent. La tentative d'application du « *surge* » n'a pu être mécaniquement transcrite sur le terrain afghan, malgré l'appel au général Petraeus lui-même ; de sorte que l'action des États-Unis a continué à reposer sur des actions « robotisées » et sur l'emploi de troupes appuyées par des mercenaires professionnels, débouchant sur des exactions.

Dès lors, la fin annoncée s'est réduite à sauver la face en partant vite après l'assassinat de Ben Laden, le 2 mai 2011 à Abbottabad (Pakistan), considéré comme un succès total selon la définition initiale de la guerre punitive par les

États-Unis. Quant au *Zweck* politique tel que défini par l'ONU, il est laissé de côté.

Au total, cette projection de force a pris la forme d'une guerre de reconquête territoriale au profit d'un gouvernement afghan dont les troupes se montrent bien incapables de se charger de cette tâche de souveraineté, face au soutien populaire acquis aux talibans (au moins en zone pachtoune). Annoncé au printemps 2012 dans le programme du nouveau président François Hollande, le retrait des troupes françaises vise à restaurer une autonomie diplomatique au Moyen-Orient. Si elles n'ont pas été accusées d'exactions, leur maintien ne correspond à aucun but politique. Leur départ aura donc lieu avant celui des contingents militaires et paramilitaires américains, dont les « bavures » n'ont jamais cessé.

Israël-Palestine : état de guerre permanent

Le conflit israélo-palestinien contient en lui un résumé des causes et des conséquences de l'évolution du système stratégique global en raison de l'alliance inconditionnelle des États-Unis, qui paraît acquise *ad eternum*. Il se double depuis 2011 d'une menace de guerre contre l'Iran qui manifeste une perte de leadership des États-Unis.

La guerre de décolonisation de la Palestine arabe du mandat britannique est avortée lors de la proclamation de l'État d'Israël en 1948, sans la proclamation de l'État palestinien prévue par l'ONU. Une négociation sans fin sous tutelle internationale maintient donc sans solution l'état de guerre par le régime d'occupation militairement vainqueur depuis longtemps, mais politiquement sans but politique négociable, donc vaincu, du fait de son idéologie « antiterroriste » terroriste et de ses pratiques illégales du point de vue des conventions de Genève.

Le gouvernement d'Israël refuse d'évacuer les Territoires occupés et ronge la Cisjordanie et Jérusalem-Est en violant perpétuellement les résolutions de l'ONU. Son *Zweck* est devenu très clairement celui du « sionisme révisionniste », programme adopté par l'extrême droite israélienne au pouvoir : la conquête de la Palestine dans la tradition des colonies de peuplement britanniques ou françaises, réalisée par l'expulsion des Palestiniens en s'appuyant sur toutes les ressources légales en matière de spoliation disponibles dans les corpus juridiques hérités des Empires turc et britannique.

Ce programme entretient un état de guerre permanent. Il signifie dans toute la région qu'étant clairement vainqueur, Israël ne cherche pas la paix et s'est au contraire donné un supplément d'âme guerrier en proclamant que l'affrontement avec l'Iran chiite pourrait impliquer une attaque aérienne contre ses installations de recherche nucléaire.

Les menaces israéliennes ont provoqué un embarras extrême de Barack Obama, qui a vu son leadership mis en question par son propre allié principal dans la zone. Le refus permanent d'Israël de négocier avec les Palestiniens sur la base de la résolution 242 du Conseil de sécurité sape en permanence sa légitimité devant l'ONU. Les États-Unis ne veulent pas, dans l'affrontement avec l'Iran, se laisser entraîner par Israël à des actions pouvant aboutir à une guerre mondiale en Asie qui mettrait en danger les flux de ressources énergétiques mondiales.

Le but stratégique du système global et la modernisation des néocolonialismes

Le *Zweck* affiché s'est évanoui en Irak comme en Afghanistan et la guerre, prolongée dans des mutations de doctrines militaires, devenue sans but politique, se termine par un abandon du terrain, laissé comme en friche sans tambour ni trompette. Ainsi, l'évacuation vers le Koweït de tout le corps expéditionnaire américain restant en Irak (39 000 hommes en une seule nuit, sans dire au revoir aux collègues irakiens) apparaît certes comme un triomphe logistique, mais aussi comme une démonstration de l'évanouissement du *Zweck* politique « démocratique » dans la durée.

Restent la réussite de la destruction du régime Baath et la construction d'institutions instables avec l'espoir, pour le système global, d'une récupération juteuse des gisements pétroliers du fait de la faiblesse irrémédiable de l'État divisé – un sursaut national irakien visant à recouvrer pleinement la rente pétrolière n'est pas à exclure.

La destruction d'États pluricommunautaires jacobins se profile bien comme le but stratégique réel de ce nouveau système impérial, où l'absence de pouvoir politique favorise l'extension de l'hégémonie financière dépolitisée. On trouve trace de cette préoccupation fondamentale dans tous les systèmes impériaux bien avant l'expansion du néolibéralisme à l'ensemble du globe. Ainsi, on a abandonné de longue date la vraie décolonisation de la Palestine britannique binationale : non-construction d'un État-nation israélien pacifique normal, qui continue au lieu de cela de vouloir être reconnu comme État juif bien que sa population compte 20 % de citoyens arabes musulmans ou chrétiens, et qui persiste dans sa stratégie d'expulsion des Palestiniens.

Concernant la génération des soulèvements démocratiques amorcée en 2011 en Tunisie et ensuite en Égypte et en Libye, puis le cas de la guerre civile en Syrie, il est encore trop tôt pour déterminer s'ils font partie de la famille des guerres « sans fin, car sans victoire » favorisant finalement la modernisation des néocolonialismes. Dans certains cas, ces révoltes pourraient à leur corps défendant contribuer à l'objectif de l'empire global de « destruction des États-nations », mais elles sont aussi porteuses d'une revendication populaire de relocalisation des politiques sociales, qui au départ ne comporte pas l'acceptation d'une mainmise du néolibéralisme, et qui pourrait se transcrire en une option « islamiste populiste » dont le démocratisme reste problématique. C'est dans ce contexte que l'« empire sans nom » freine le plus longtemps possible les interventions armées néolibérales, pour ne pas favoriser un soulèvement démocratique susceptible, dans l'espace-temps de la « crise », de devenir avant tout « anticapitaliste ».

Cela pose donc aussi des questions politiques. Les buts militaires démocratisants antiterroristes qu'affichent théoriquement les États-Unis sont-ils réels ou même possibles à partir de la société américaine telle qu'elle est ? Ou, au contraire, s'agit-il de simples simulacres destinés aux opinions démocratiques et masquant la continuité d'un programme systémique anonyme, triomphant bien que non revendiqué, de destruction globale des pouvoirs d'État locaux ?

Ce programme se réalise sous nos yeux, par la gouvernance mondiale des entreprises délocalisables précarisant l'ensemble des salariats ; par l'art tactique des destructions ponctuelles proposé par le nouvel arsenal informatisé comme dissuasion permanente des insurrections possibles ; par l'art stratégique des chocs financiers manipulant à toutes les échelles la pugnacité des grandes ou des petites religions, capables de se déchirer, hors politique, comme des clubs sportifs.

Ce système de domination dépend de deux progrès technologiques devenus financiers et militaires : la révolution électronique appliquée à la maîtrise du temps court et de l'espace ponctualisé, dans la finance comme spéculation continue, et dans la guerre comme activité sans limites. Les contradictions de ce phénomène sont à la mesure de son ampleur et le détournement de l'électronique banalisée dans le sens de la mobilisation démocratique a montré immédiatement, dans les révoltes arabes, la possibilité d'un renversement de tendance dans la dynamique même de l'informatisation.

L'Arabie saoudite, une puissance conservatrice sous-estimée ?

Joseph Bahout
Professeur à Sciences Po Paris, chercheur à l'Académie diplomatique internationale

Dès mars 2011, l'ensemble de la presse occidentale se demandait si l'Arabie saoudite ne serait pas le prochain pays submergé par la vague de soulèvements qui déferlait sur la région depuis quelques mois. Ironie suprême : au moment où les « printemps arabes » commençaient à secouer le Moyen-Orient en décembre 2010, le monarque saoudien se trouvait en soins intensifs dans une clinique des États-Unis, dans un état alors considéré comme plus que critique.

▬▬▬ Un royaume qui vacille à l'annonce des « révolutions arabes »

À peine rentré de sa convalescence marocaine fin février 2011, le roi Abdallah décide dans l'urgence de débourser plus de 36 milliards de dollars en aides diverses, programmes sociaux, investissements dans le logement, mesures pour l'emploi et autres services en direction de la jeunesse du pays. Une hausse immédiate de 15 % de l'ensemble des salaires publics est décrétée, ainsi que la relaxe de tous les créanciers en défaut. Un plan d'investissement à hauteur de 400 milliards de dollars étalés jusqu'en 2014 est mis en œuvre. Certes, la somme peut paraître banale au regard des réserves gigantesques sur lesquelles est assis le royaume, près de 450 milliards de dollars ; elle révèle pourtant la panique qui gagne la famille royale devant le tsunami qui souffle sur les autres pays arabes, laissant l'ensemble des princes et de leurs conseillers pantois et surpris.

Malgré cela, les « twitteurs » saoudiens organisent le 11 mars, alors que le soulèvement égyptien bat son plein, une « journée de la colère » pour occuper à leur tour les rues et entamer la contestation du régime. La tentative fait toutefois long feu. Dans ce pays peuplé de 25 millions d'habitants, dont 70 % ont moins de 30 ans (avec un âge médian de 19 à 23 ans, selon les sources très divergentes dans le cas saoudien) alors que la moyenne d'âge ministérielle s'élève à 65 ans, et où, par ailleurs, le taux de chômage réel dépasse les 40 %, il n'existe pratiquement aucune tradition de mobilisation politique, et encore moins de regroupement organisé. Tout juste avait-on pu voir, depuis la moitié des années 2000, quelques intellectuels et activistes des droits de l'homme inaugurer une pratique de la pétition, ou encore de la doléance écrite remise au roi, souvent par l'intermédiaire du « Majlis El-Shura » (Conseil consultatif inspiré de la tradition), lui-même de création relativement récente.

Lorsque s'amorcent les « révolutions arabes », au moins trois pétitions importantes circulent dans le royaume, dont l'une a reçu la signature d'au moins mille cinq cents Saoudiens éminents, libéraux et islamistes modérés réunis. Leurs revendications portent essentiellement sur des mesures à même de transformer l'Arabie en monarchie constitutionnelle. Fait nouveau, alors que le roi Abdallah jouit d'une relative popularité par rapport au reste de la famille royale, en raison notamment d'une réputation de moindre corruption, les pétitions fustigent entre autres la dépense somptuaire et démesurée de 12 milliards de dollars consacrée au seul projet de l'université qui porte le nom du monarque.

En outre, une grande partie de ces doléances sont le fait d'activistes issus de la minorité chiite du pays (près de 10 % de la population, à en croire les chiffres officiels saoudiens ; plus, selon les activistes chiites eux-mêmes ou certaines organisations civiques) et concernent souvent les droits de cette communauté, négligés par la hiérarchie wahhabite. C'est d'ailleurs dans les provinces de l'est du royaume, majoritairement peuplées de chiites mais où se concentrent aussi l'essentiel de la richesse et des ressources pétrolières, que la contestation se fait jour et se répète de manière sporadique depuis mars 2011 malgré la répression méthodique qui lui est systématiquement opposée.

La « riposte » du royaume, et le début de l'offensive « contre-révolutionnaire »

Très vite, la monarchie saoudienne comprend l'ampleur de ce qui, dans le grand mouvement qui assaille le monde arabe, la menace – et à travers elle l'ordre conservateur dont elle se considère comme la première ligne de défense dans la région. Aussitôt passé l'effet de surprise causé par le départ, le 14 janvier 2011, du dirigeant tunisien Zine el-Abidine Ben Ali (qui se réfugie d'ailleurs en Arabie saoudite, où il est accueilli par le prince Nayef – alors encore ministre de l'Intérieur –, son ami et « collègue » au sein du cercle des « sécuritaires arabes »), et alors que le pouvoir d'Hosni Moubarak tangue en Égypte, Riyad fait savoir à son allié et protecteur américain toute sa réticence à admettre ce qui se joue. Plus encore, le pouvoir saoudien affirme sa distance par rapport au discours des États-Unis, hâtivement adapté à la situation et révisé dans le sens d'un soutien à la démocratisation, discours jugé sans ambages naïf et dangereux. La monarchie craint en effet plus que tout l'effet domino : elle saisit assez vite l'impact dévastateur de la mise en réseau, à travers l'espace virtuel, de la jeunesse arabe éreintée par ses gérontocraties, et regarde avec effroi la chaîne satellitaire de son voisin qatari, Al-Jazeera, relayer les événements avec une ferveur toute militante.

Or la contagion contestataire gagne bientôt les portes de l'Arabie saoudite, touchant en février 2011 le Yémen, puis Bahreïn. Ce dernier, en plus d'en être le voisin, présente des caractéristiques institutionnelles, politiques et communautaires similaires à celles du royaume wahhabite : une monarchie quasi absolue teintée d'une vie parlementaire stochastique et aux interruptions récurrentes ; une dynastie royale qui tient grâce à la rente pétrolière et à la protection américaine ; et – c'est là l'élément de panique le plus important – une composante chiite de la population qui a décidé de réclamer ses droits, et derrière laquelle on ne veut voir que la main de l'Iran. Ce qui s'y passe est donc jugé par le pouvoir saoudien éminemment plus dangereux que tout autre « printemps arabe ».

Aussi, lorsque Washington conseille la seule voie du dialogue dans le royaume voisin, et que le président américain Barack Obama dépêche à Manama les plus hauts responsables diplomatiques et militaires pour pousser à l'ouverture, Riyad fait subitement front. L'Arabie saoudite décide de diriger la manœuvre et de prendre la main dans la crise bahreïnie. À travers un mandat qu'elle se fabrique auprès du Conseil de coopération du Golfe (CCG) en vertu d'un accord de défense commune, elle intervient militairement sur l'île en mars 2011 pour y opérer une répression brutale. Le mouvement populaire à Bahreïn en sort très réduit, confiné dans un huis clos golfien oppressant. C'est plus ou moins la même logique qui se met à l'œuvre au Yémen, où l'entre-soi des pays du Golfe gère la crise, conduit la transition et assure finalement à Ali Abdallah Saleh, fin janvier 2012, une sortie sans bruit et sans comptes à rendre – et à son régime une continuité presque parfaite.

Seulement, Riyad a tout aussi vite compris qu'il fallait construire, dans un deuxième temps, l'instrument de sa « Sainte Alliance » conservatrice. La crise bahreïnie a assagi le Qatar, qui braque désormais les projecteurs d'Al-Jazeera sur le soulèvement syrien, et qui s'est rangé aux nécessités du *statu quo* dans la Péninsule. L'Arabie saoudite entreprend alors de faire du CCG le club des monarchies conservatrices, sunnites sans le dire, menacées par la vague contestataire dont on pense qu'elle sert, *in fine*, les intérêts de Téhéran dans sa marche conquérante. Sous son impulsion, et dans une démarche défiant les logiques de la géopolitique arabe, voire de la géographie tout court, le Conseil invite en mai 2011 deux autres monarchies, la Jordanie voisine et le lointain Maroc, à le rejoindre – adhésion que les six États membres du CCG se montrent toutefois peu pressés de concrétiser par la suite, et qui restait au stade de projet un an plus tard.

C'est avec l'insurrection syrienne, nettement déclarée vers la fin mars 2011, que l'Arabie saoudite saisit vraiment l'opportunité de retourner la vague de contestation arabe en sa faveur, se faisant elle-même, dans un paradoxe aux limites dangereuses, acteur et soutien du changement à l'œuvre dans ce pays pair. Aux yeux de nombre d'observateurs, ce sont là encore les soupçons sur le jeu de l'Iran qui précipitent cette décision saoudienne. Si ce paramètre est indéniable, d'autres raisons s'y ajoutent. La relation syro-saoudienne apparaît en effet extrêmement complexe et ambiguë, faite d'une longue série d'antagonismes, de frictions, d'ententes forcées, et parfois de gestion commune de certains dossiers. Tant qu'Hafez el-Assad a conservé la mainmise sur la Syrie, de 1970 à sa mort en 2000, Riyad a entretenu avec Damas des rapports empreints d'un grand réalisme, qui portaient autant sur l'aspect bilatéral que sur des terrains – le Liban, l'Irak, le dossier palestinien – où les deux pays étaient forcés de coexister. Mais dans ces relations comptait aussi pour beaucoup la dimension personnelle entre le roi et le président.

C'est, on peut le dire sans exagération, sur cet aspect que le lien syro-saoudien va d'abord et surtout se détériorer lorsque Bachar el-Assad succède à son père : de l'assassinat de l'ancien Premier ministre libanais Rafic Hariri à Beyrouth en 2005 aux modalités de la recomposition politique de l'Irak après 2009, en passant par une série d'autres épisodes, le monarque saoudien sentira (et le dira) que son homologue et ancien « protégé » syrien lui ment, le trahit, et lui préfère son alliance de plus en plus profonde avec Téhéran. Lorsque le souffle révolutionnaire gagne la Syrie, le premier réflexe du roi Abdallah est le même qu'ailleurs : éviter la contagion, éteindre la contestation, acheter le *statu quo*. Il s'emploie, durant les trois premiers mois, à convaincre Bachar el-Assad de calmer la rue par des réformes qu'il propose même de soutenir financièrement. Il pèse, avec ses pairs du CCG devenus omnipotents au sein de la Ligue arabe, afin que la question syrienne ne soit pas abordée, alors que la crise libyenne avait, pour la première fois sans doute, sorti l'institution de sa torpeur. Il va même jusqu'à esquisser un nouveau « marché » : le silence irano-syrien sur la répression à Bahreïn en contrepartie de la couverture par le Golfe du retour à l'ordre en Syrie.

Le tournant survient toutefois dans un deuxième temps. Durant le mois de Ramadan, début août 2011, le roi adresse au peuple syrien une lettre personnelle, médium assez rare dans la coutume diplomatique saoudienne pour en souligner la gravité, dans laquelle il exprime son indignation devant la sauvagerie de la répression et affirme son soutien aux insurgés. Quelques semaines plus tard, l'opposition syrienne se regroupe et fédère une grande partie de ses factions dans un Conseil national syrien où, aux côtés de la Turquie, de certains pays occidentaux comme la France ou les États-Unis, l'influence et l'entregent du Qatar et de l'Arabie saoudite sont flagrants.

Le temps du repli sous l'effet du choc provoqué par des révoltes inattendues semble alors passé. Une Arabie saoudite proactive – en Syrie avec la décision d'armer la rébellion anti-Assad ; en Égypte avec une pression de plus en plus accentuée pour limiter la montée des forces qu'elle considère comme hostiles – commence même à se dessiner au début de l'année 2012. Au service de cette politique bien plus offensive, et qui se démarque de la tradition diplomatique jusque-là « quiétiste » de la monarchie wahhabite, les réseaux salafistes, longuement cultivés par Riyad, sont mobilisés. Certains sont même utilisés dans leur version djihadiste, comme en a attesté l'afflux de combattants de diverses obédiences islamistes en Syrie dès l'hiver 2012. Si le changement doit être inéluctable, semble-t-on penser dès lors à Riyad, autant faire en sorte qu'il tourne à l'avantage des forces qui, une fois au pouvoir, conforteront l'influence et le sentiment de sécurité dégagés par le royaume saoudien. Et si reconfiguration il doit y avoir, qu'elle serve au moins à contenir l'influence de l'Iran au Proche-Orient, qui risquerait sans cela de se retrouver sur un pied d'égalité stratégique avec l'Arabie saoudite.

▰▰▰ L'Arabie saoudite entre périls régionaux et fragilités structurelles

De fait, depuis plus de trois ans (soit bien avant l'irruption révolutionnaire arabe), l'Arabie saoudite se trouvait déjà aux prises avec un environnement régional turbulent, quasiment révolutionnaire lui aussi. En plus du problème majeur que posait à Riyad, comme à l'ensemble des monarchies du Golfe, un Iran aux visées stratégiques et nucléaires préoccupantes, la principale inquiétude du royaume venait de Sanaa. Face à un pouvoir yéménite de plus en plus bousculé par la rébellion « houthiste » – dans laquelle Riyad ne voulait voir, une fois encore, que la main de Téhéran –, ainsi que par une vague de contestation grandissante de la dynastie républicaine des Saleh, l'Arabie saoudite avait investi une partie importante de son appareil politico-sécuritaire.

Dans une démarche rare pour un pays à la diplomatie bien plus appuyée sur la construction de consensus dûment monnayés, l'armée saoudienne avait même franchi la frontière en novembre 2009 pour « pacifier » les zones rebelles, dont elle craignait la menace pour le royaume lui-même. Au même moment, les énergies saoudiennes se trouvaient embourbées dans la guerre froide que se livraient Riyad et Téhéran : au Liban, où il fallait maintenir à flot le tout nouveau gouvernement de Saad Hariri face à un Hezbollah de plus en plus puissant ; en Irak, où l'annonce du retrait américain imposait aux Saoudiens de prendre leurs responsabilités pour que le vide créé ne soit pas exclusivement comblé par l'influence de l'Iran ; ou encore en Turquie, puissance dont les prétentions à la « représentation » sunnite régionale faisait souvent grincer des dents les princes saoudiens. Sans oublier le front palestinien, où Riyad devait à la fois maintenir sous perfusion le pouvoir anémique et contesté de Mahmoud Abbas à la tête de l'Autorité palestinienne et s'assurer un filet de sécurité minimum par des tentatives répétées de parrainer la réconciliation avec le Hamas.

Tout cela devait se faire dans un environnement international de moins en moins aisé, avec les contrecoups encore présents du 11 Septembre et ce qu'ils avaient entamé de la confiance entre les États-Unis et le wahhabisme du Golfe ; avec la montée de puissances alternatives ou franchement concurrentes dans les prés carrés traditionnellement acquis ; ou encore avec le dépérissement graduel des ressources mêmes du royaume, et au premier chef de son personnel régnant et dirigeant.

Lorsque Abdallah succède à Fahd en 2005, les espoirs sont grands, tant à l'intérieur du royaume qu'auprès de ses alliés et protecteurs occidentaux, que le nouveau monarque, auréolé d'une réputation d'ouverture et de transparence relatives, et auquel on prête alors des velléités réformatrices, sera à même de préparer son pays aux temps difficiles qui s'annoncent pour lui, et de refaire de Riyad un pôle arabe de poids dans le jeu régional.

C'était sans compter avec l'usure du système lui-même. D'une part, l'inertie – devenue entre-temps structurelle – de l'appareil politico-diplomatique le rendait de moins en moins en phase avec les changements du monde. D'autre part, les complications des mécanismes de prise de décision allaient grandissant (du fait de l'âge et du nombre des dirigeants impliqués) au sommet d'un ordre familial de plus en plus impuissant à organiser son propre ordonnancement.

La maladie longue, et sans doute encore bien problématique, du roi Abdallah (âgé de 89 ans), la mort en octobre 2011 du prince héritier Sultan (83 ans), suivie en juin 2012 de celle du prince héritier Nayef (79 ans), auquel a succédé le prince Salmane (76 ans), soulignent la fatigue d'un appareil politique lui aussi structurellement bloqué. Si l'ordre de succession devait être scrupuleusement respecté, la suite gérontocratique à la tête de l'Arabie ne laisserait entrevoir aucun changement pour le royaume. Autant de perspectives peu porteuses d'espoirs d'adaptation, qu'il s'agisse de faire progresser les chantiers intérieurs majeurs d'un pays en soif de renouvellement, ou d'affronter les défis d'une région qui se sera, en l'espace d'un an, profondément métamorphosée.

Pour en savoir plus

J. Bradley, « Saudi Arabia's invisible hand in the Arab spring », *Foreign Affairs*, octobre 2011.

B. Haykel, « Saudi Arabia *vs.* the Arab spring », *Project Syndicate*, avril 2011.

M. Kamrava, « The Arab spring and the Saudi-led counterrevolution », *Orbis*, vol. 56, n° 1, hiver 2012.

S. Lacroix, *Les Islamistes saoudiens. Une insurrection manquée*, PUF, Paris, 2010.

Qui a encore prise sur l'évolution du monde ?

Pierre Grosser
Historien, Sciences Po Paris

D'un côté, des États-Unis aux postures plus modestes et une Europe en crise. De l'autre, des puissances qui s'affirment et des peuples en mouvement. Les cadres traditionnels des années 1990 (hégémonie américaine, institutions héritées de l'après-guerre) semblent vaciller. Le Centre historique peut-il encore guider les transformations du monde et assurer un certain ordre mondial ? Ou bien faut-il attendre que de nouvelles formes d'action collective structurent un monde en pleine transformation ?

Les interrogations sur les capacités du Centre

Avec les premières difficultés en Irak et l'affirmation de la Chine, l'éditorialiste de *Newsweek* **Fareed Zakaria** avait annoncé dès 2006 un monde post-américain. Son ouvrage paru en 2008 et désormais disponible en français (*Le Monde post-américain*) connaît de nombreuses rééditions augmentées d'analyses des évolutions actuelles confortant la thèse de l'auteur. Ce nouveau cycle d'angoisse « décliniste » à Washington amène à s'interroger sur les transformations profondes du monde.

Tout d'abord, les États-Unis n'ont-ils pas surévalué leurs capacités à transformer le monde, et le « siècle américain » annoncé par le journaliste Henry Luce en 1941 n'a-t-il pas été un leurre ? Dans leurs contributions à l'ouvrage collectif dirigé par **Andrew Bacevich**, *The Short American Century*, des historiens rappellent les ambitions messianiques et quasi révolutionnaires du pays, mais aussi leurs dérives et une incapacité à transformer les réalités locales qui préfigurait le scepticisme actuel. Nombre d'analystes reviennent avec leurs diagnostics du début des années 1990. **Charles Kupchan**, dans *No One's World*, prolonge ses réflexions sur l'inévitable multipolarisation de la scène internationale. **Philip Golub** arrive à la même conclusion dans *Une autre histoire de la puissance américaine*, mais à la suite d'une narration bien plus critique : les États-Unis, loin d'être exceptionnels, ont toujours été un empire en expansion. Tous les dix ans, **Alain Joxe** revisite son analyse de la domination impérialiste et de ses dimensions militaires : dans *Les Guerres de l'empire global*, il décrit un militarisme à dimension policière destiné à faire face au chaos provoqué par le néolibéralisme, notamment dans ses dimensions financières. **Dana Priest et William Arkin**, dans *Top Secret America*, décrivent le monde en expansion continue des officines privées qui a reconfiguré l'appareil de sécurité américain depuis le 11 Septembre.

Plus largement, ce sont les critères de puissance qui semblent remis en cause, ce que décrit le diplomate **Pierre Buhler** dans un large tour d'horizon (*La Puissance au xxⁱ siècle*). On s'interroge sur les fondements mêmes de la discipline des relations internationales. Elle avait été décrite dès les années 1970 comme discipline « américaine ». On s'efforce désormais de comprendre comment elle est « indigénéisée » à travers le monde, et de montrer qu'il existe des traditions et des manières de penser le monde spécifiques, notamment en Asie. À côté du rouleau compresseur des études sur le terrorisme, des spécialistes essayent de comprendre les pensées djihadistes, leurs genèses et leurs contextes, leurs cohérences comme les débats internes qu'elles suscitent : *Contextualizing Jihadi Thought*, de **Jeevan Deol et Zaheer Kazmi** (sous la dir. de), est un instrument de compréhension très riche pour sortir des simplifications présentant cette idéologie de manière trop globale.

Si les études se multiplient sur la politique des États-Unis en Irak et sur les relations sino-américaines, il est évident que le prisme américain n'est pas suffisant : les interactions régionales doivent être prises en compte, avec leur profondeur historique. Ainsi des réactions des voisins face à la montée en puissance de la Chine et de l'Inde (examinées dans *Asia Responds to Its Rising Powers*, dirigé par **Ashley Tellis *et alii***) ou à la situation troublée en Irak (analysées par **Henri Barkey *et alii*** (sous la dir. de) dans *Iraq, Its Neighbors, and the United States*).

L'impulsion impériale demeure pourtant : mettre de l'ordre dans le monde

Un nouveau coup de canif a été donné par le spécialiste de sociologie historique **John Hobson**, dans *The Eurocentric Conception of World Politics*. Il s'appuie sur les nombreux travaux d'historiens qui ont récemment montré à quel point la pensée (ainsi que le droit) internationale a été marquée par le contexte impérialiste, et notamment par ses approches racialistes et paternalistes. Il estime que les prétentions scientifiques de la discipline à partir des années 1950 masquent mal un eurocentrisme « subliminal ».

En fait, la pensée de type impérial a connu un renouveau depuis les années 1990, justifiant maintes formes d'interventionnisme. **Davide Rodogno**, dans *Against Massacre*, revient sur les pratiques et les justifications des interventions « humanitaires » du XIXᵉ siècle. **James Mayall et Ricardo Soares de Oliveira** (sous la dir. de) montrent dans *The New Protectorates* la continuité entre les pratiques d'aujourd'hui et la mission « civilisatrice » de l'ère impériale. L'historien **Jeremi Suri**, dans *Liberty's Surest Guardian*, constate une continuité dans les efforts américains pour reconstruire des États après les guerres. Ce type d'impulsion est aussi déterminant que la logique sécuritaire pour consolider les « États fragiles », **Stewart Patrick** soulignant d'ailleurs dans *Weak Links* que le discours alarmiste sur les menaces issues de ces États se révèle souvent exagéré : tous ne sont pas des havres pour les terroristes ni des relais de trafics d'armes de destruction massive et d'êtres humains ! En revanche, les violences durent parce que les acteurs ont un intérêt, souvent économique, à leur prolongation, comme le rappelle **David Keen** dans *Useful Enemie*s : la démonstration est éclairante pour les zones de conflit, comme la Colombie ou l'Afghanistan, l'Ouganda ou Sri Lanka ; elle rejoint, pour les États-Unis, la vision d'Alain Joxe sur le besoin américain de guerre.

Il est bien sûr aisé de critiquer cette volonté transformatrice et de se lamenter sur ses faibles résultats face aux réalités locales complexes, voire de l'estimer contre-productive. Le monde des « *nation builders* » ou la caravane des organisations internationales et des ONG, avec leur « novlangue », leurs procédures administratives (notamment d'évaluation) et leurs prétentions quasi scientifiques ont donné lieu à des études ethnographiques acides et à des descriptions assez désabusées, telle celle proposée par **Nathan Hodge** dans *Armed Humanitarians*. Avec *Sanctions, Statecraft, and Nuclear Proliferation*, **Etel Solingen** (sous la dir. de) montre que les carottes pas plus que le bâton ne constituent des recettes miracles pour empêcher la prolifération nucléaire et socialiser les « hors-la-loi ».

Pourtant, ces efforts ne sont sans doute pas étrangers au déclin général des affrontements armés décrit et interprété par **Joshua Goldstein** dans *Winning the War on War*. On peut se gausser de la volonté de globaliser la négociation raisonnée théorisée à Harvard et les pratiques de médiation testées dans les villes nord-américaines ou en Scandinavie, mais la diplomatie permet de mettre fin à nombre de conflits, comme le rappellent deux spécialistes à la longue expérience, **I. William Zartman et Guy Olivier Faure**, dans *Engaging Extremists*. De manière plus modeste et pragmatique, les expériences de terrain de Médecins Sans Frontières racontées dans *Agir à tout prix ?* par **Claire Magone** *et alii* (sous la dir. de) rappellent qu'au-delà des dilemmes moraux et politiques les ONG d'urgence peuvent se constituer un espace d'action.

La rencontre du droit de la guerre, du régime des droits de l'homme et du droit international pénal est en train de créer un monde nouveau, comme l'explique **Ruti Teitel** dans *Humanity's Law*. Après avoir exposé comment les normes des droits de l'homme se sont diffusées, **Kathryn Sikkink** décrit dans *The Justice Cascade* la généralisation à travers le monde des procédures judiciaires contre les dirigeants coupables de graves violations des droits de l'homme dans leur pays. Sans triomphalisme, **Jean-Baptiste Jeangène Vilmer** estime, dans *Pas de paix sans justice ?*, que la généralisation de la justice post-conflit a plutôt servi la paix.

Les historiens se disputent pour leur part pour savoir quand a eu lieu la « révolution des droits de l'homme » : dans les années 1940 ou dans les années 1970 ? Au-delà de la polémique, cette interrogation a permis la multiplication des travaux sur un sujet auparavant laissé aux juristes et aux politistes. En témoignent deux excellents ouvrages collectifs : **Stefan-Ludwig Hoffmann** (sous la dir. de), *Human Rights in the Twentieth Century* ; et **Akira Iriye** (sous la dir. de), *The Human Rights Revolution*.

Mais quelle instance collective peut mettre de l'ordre ?

L'impulsion de type impérial peut éteindre certains incendies et créer certaines bases de gouvernance locale. Mais si les pouvoirs sont redistribués au niveau global, s'il est difficile de s'entendre sur la compréhension du monde, sur les normes et sur les desseins communs, et si le monde connaît une crise multiforme (**Craig Calhoun et Georgi Derluguian** [sous la dir. de], *The Deepening Crisis*), n'est-ce pas la gouvernance globale qu'il faut repenser ? Si on laisse de côté le combat pour des ressources toujours plus rares, prophétisé une nouvelle fois par **Michael Klare** dans *The Race for What's Left*, quels arrangements globaux peut-on espérer ?

Faut-il se contenter de constater la multiplication des formes de régulation transnationale ? **Jacques Attali** en dresse un tableau dans *Demain, qui gouvernera le monde ?*, tandis que le *Handbook of Transnational Governance* de **Thomas Hale et David Held** (sous la dir. de) regroupe des notices très utiles sur une cinquantaine d'institutions qui ne font jamais la une de l'actualité malgré leur rôle fondamental, depuis les réseaux transgouvernementaux comme le Comité de Bâle pour la supervision bancaire ou l'International Association of Insurance Supervisors, jusqu'aux régulations volontaires comme les organisations de standardisation ou le Global Compact des Nations unies, en passant par les instances d'arbitrage et les mécanismes innovants de financement (comme UNITAID). **Guillaume Devin et Marie-Claude Smouts** présentent dans *Les Organisations internationales* l'histoire et la théorie de l'architecture classique de ces grandes organisations, mais surtout montrent leurs capacités de transformation, souvent sous la pression des sociétés. Elles reflètent également des enjeux de pouvoir : **Marc Abélès** et ses collègues, dans *Des anthropologues à l'OMC*, décrivent les dessous de cette « global-politique » construite par les institutions internationales, sa mise en scène, les jeux de pouvoir et l'importance du monde des experts dans sa définition et sa légitimation.

Pour **Bertrand Badie**, dans *La Diplomatie de connivence*, la diplomatie de club, qui s'apparente à une pratique oligarchique héritière du concert européen, n'est plus à même de répondre aux défis de la mondialisation et aux contestations des « émergents ». La solution du G-20 ne constitue pour le moment que le *Laboratoire d'un monde émergent*, selon **Karoline Postel-Vinay** : s'il remet en cause la « famille » que formait le G-7, rien n'indique qu'il deviendra un instrument efficace et légitime de gouvernance.

Le droit au développement puis le droit à la reconnaissance n'ont pas ébranlé profondément le droit international libéral et restent subordonnés au droit économique, comme le remarque **Emmanuelle Jouannet** au terme de sa très éclairante étude *Qu'est-ce qu'une société internationale juste ?* Faut-il attendre une sorte de Big Bang démocratique-cosmopolitique dans la gouvernance globale comme le souhaite depuis longtemps (et en dernier lieu dans *Global Democracy*) **Daniele Archibugi**, ou bien espérer que la pression de la société civile poussera les institutions internationales à se montrer toujours plus responsables et à rendre des comptes, poursuivant une tendance décrite dans *Building Global Democracy ?* de **Jan Aart Scholte** (sous la dir. de) ? Mais la société civile globale n'est pas forcément progressiste, puisque s'organisent depuis des années des réseaux réactionnaires qui cherchent à peser sur la définition des règles, comme le rappelle **Clifford Bob** dans *The Global Right Wing and the Clash of World Politics*.

Les points d'interrogation dans les titres témoignent bien d'espérances fragiles. Plus militant, **Stephen Gill** (sous la dir. de), dans *Global Crises and the Crisis of Global Leadership*, s'appuie sur une analyse gramscienne du pouvoir, initiée depuis les années 1980, pour montrer comment la crise « organique » actuelle délégitime les élites en place et pourrait faire émerger des alternatives progressistes. **Jean-Michel Severino**, ancien directeur général de l'Agence française de développement, propose **avec Olivier Ray** dans *Le Grand Basculement* une analyse des impasses sociales et écologiques actuelles à la lumière de la « question sociale » du début du XXe siècle : il faudrait penser le financement d'une politique sociale mondiale et mettre en place une action « hypercollective » entre acteurs du Nord et du Sud pour faire face aux défis de demain, comme les États et les sociétés nationales avaient su le faire, à leur échelle, aux lendemains de la Seconde Guerre mondiale aux États-Unis et en Europe occidentale.

Bibliographie

Marc Abélès (sous la dir. de), *Des anthropologues à l'OMC. Scènes de la gouvernance mondiale*, CNRS Éditions, Paris, 2011.

Daniele Archibugi *et alii* (sous la dir. de), *Global Democracy. Normative and Empirical Perspectives*, Cambridge University Press, Cambridge, 2011.

Jacques Attali, *Demain, qui gouvernera le monde ?*, Fayard, Paris, 2011.

Andrew J. Bacevich (sous la dir. de), *The Short American Century. A Postmortem*, Harvard University Press, Cambridge (Mass.), 2012.

Bertrand Badie, *La Diplomatie de connivence. Les dérives oligarchiques du système international*, La Découverte, Paris, 2011.

Henri J. Barkey *et alii* (sous la dir. de), *Iraq, Its Neighbors, and the United States. Competition, Crisis, and the Reordering of Power*, United States Institute of Peace, Washington, 2011.

Clifford Bob, *The Global Right Wing and the Clash of World Politics*, Cambridge University Press, Cambridge, 2012.

Michael E. Bonine, Abbas Amanat, Michael Ezekiel Gasper, *Is There a Middle East ? The Evolution of a Geopolitical Concept*, Stanford University Press, Stanford, 2011.

Pierre Buhler, *La Puissance au XXIe siècle. Les nouvelles définitions du monde*, CNRS Éditions, Paris, 2011.

Craig Calhoun, Georgi Derluguian (sous la dir. de), *The Deepening Crisis. Governance Challenges after Neoliberalism*, New York University Press, New York, 2011.

Jeevan Deol, Zaheer Kazmi (sous la dir. de), *Contextualizing Jihadi Thought*, Columbia University Press/Hurst, New York/Londres, 2012.

Guillaume Devin, Marie-Claude Smouts, *Les Organisations internationales*, Armand Colin, Paris, 2011.

Stephen Gill (sous la dir. de), *Global Crises and the Crisis of Global Leadership*, Cambridge University Press, Cambridge, 2011.

Joshua S. Goldstein, *Winning the War on War. The Decline of Armed Conflict Worldwide*, Dutton, New York, 2011.

Philip S. Golub, *Une autre histoire de la puissance américaine*, Seuil, Paris, 2011.

Thomas Hale, David Held (sous la dir. de), *Handbook of Transnational Governance. Institutions and Innovations*, Polity Press, Londres, 2011.

John M. Hobson, *The Eurocentric Conception of World Politics. Western International Theory, 1760-2010*, Cambridge University Press, Cambridge, 2012.

Nathan Hodge, *Armed Humanitarians. The Rise of the Nation Builders*, Bloomsbury, New York, 2011.

Stefan-Ludwig Hoffmann (sous la dir. de), *Human Rights in the Twentieth Century*, Cambridge University Press, Cambridge, 2011.

Akira Iriye *et alii* (sous la dir. de), *The Human Rights Revolution. An International History*, Oxford University Press, New York, 2011.

Jean-Baptiste Jeangène Vilmer, *Pas de paix sans justice ? Le dilemme de la paix et de la justice en sortie de conflit armé*, Presses de Sciences Po, Paris, 2011.

Emmanuelle Jouannet, *Qu'est-ce qu'une société internationale juste ? Le droit international entre développement et reconnaissance*, Pedone, Paris, 2011.

Alain Joxe, *Les Guerres de l'empire global. Spéculations financières, guerres robotiques, résistance démocratique*, La Découverte, Paris, 2012.

David Keene, *Useful Enemies. When Waging Wars is More Important that Winning Them*, Yale University Press, New Haven, 2012.

Michael T. Klare, *The Race for What's Left. The Global Scramble for the World's Last Resources*, Metropolitan Books, New York, 2012.

Charles A. Kupchan, *No One's World. The West, The Rising Rest, and the Coming Global Turn*, Oxford University Press, New York, 2012.

Claire Magone *et alii* (sous la dir. de), *Agir à tout prix ? Négociations humanitaires : l'expérience de Médecins Sans Frontières*, La Découverte, Paris, 2011.

James Mayall, Ricardo Soares de Oliveira (sous la dir. de), *The New Protectorates. International Tutelage and the Making of Liberal States*, Columbia University Press/Hurst, New York/Londres, 2012.

Karoline Postel-Vinay, *Le G20, laboratoire d'un monde émergent*, Presses de Sciences Po, Paris, 2011.

Dana Priest, William M. Arkin, *Top Secret America. The Rise of the New American Security State*, Little, Brown & Co., New York, 2011.

Davide Rodogno, *Against Massacre : Humanitarian Intervention in the Ottoman Empire, 1815-1914*, Princeton University Press, Princeton, 2011.

Jan Aart Scholte (sous la dir. de), *Building Global Democracy ? Civil Society and Accountable Global Governance*, Cambridge University Press, Cambridge, 2011.

Jean-Michel Severino, Olivier Ray, *Le Grand Basculement. La question sociale à l'échelle mondiale*, Odile Jacob, Paris, 2011.

Kathryn Sikkink, *The Justice Cascade. How Human Rights Prosecutions Are Changing World Politics*, Norton, New York, 2011.

Etel Solingen (sous la dir. de), *Sanctions, Statecraft, and Nuclear Proliferation*, Cambridge University Press, Cambridge, 2012.

Jeremi Suri, *Liberty's Surest Guardian. American Nation-Building from the Founders to Obama*, Free Press, New York, 2011.

Stewart Patrick, *Weak Links. Fragile States, Global Threats, and International Security*, Oxford University Press, New York, 2011.

Ruti G. Teitel, *Humanity's Law*, Oxford University Press, New York, 2011.

Ashley Tellis *et alii* (sous la dir. de), *Asia Responds to Its Rising Powers. China and India*, The National Bureau of Asian Research, Seattle, 2011.

Fareed Zakaria, *The Post-American World*, Norton, New York, [2008] 2011 ; trad. fr. *Le Monde post-américain*, Perrin, Paris, 2011.

I. William Zartman, Guy Olivier Faure (sous la dir. de), *Engaging Extremists. Trade-Offs, Timing, and Diplomacy*, United States Institute of Peace Press, Washington, 2011.

II. Transitions.
Entre facteurs de blocage
et esquisses d'alternatives

Le soulèvement arabe entre révolution et contre-révolution

Gilbert Achcar
Professeur à l'École des études orientales et africaines (SOAS),
Université de Londres

L e processus révolutionnaire enclenché par les manifestations consécutives à l'immolation par le feu du jeune Mohamed Bouazizi dans la ville tunisienne de Sidi Bouzid, le 17 décembre 2010, a remporté plusieurs victoires ou semi-victoires au cours de sa première année. Le renversement du président tunisien Zine el-Abidine Ben Ali, le 14 janvier 2011, a ouvert la voie à celui du président égyptien Hosni Moubarak le 11 février, puis à la défaite par les armes du dictateur libyen Mouammar Kadhafi en Libye, suivie de son assassinat le 20 octobre, et enfin à la signature, le 23 novembre à Riyad, en Arabie saoudite, de l'accord prévoyant la passation des pouvoirs du président yéménite Ali Abdallah Saleh, en vertu duquel ce dernier abandonna la présidence le 27 février 2012.

Persistance des luttes à Bahreïn et en Syrie

À Bahreïn, en revanche, le mouvement de protestation contre la monarchie déclenché en février 2011 fut brutalement réprimé après avoir culminé le mois suivant, tandis que se déployaient sur l'île des troupes des autres monarchies membres du Conseil de coopération du Golfe (CCG), menées par le royaume saoudien. La mobilisation protestataire ne tarda pas à se ressaisir, atteignant de nouveau en mars 2012 un niveau comparable à celui qu'elle avait atteint au mois de mars 2011.

En Syrie, le soulèvement contre le régime dictatorial présidé par Bachar el-Assad, qui s'étendit à diverses régions du pays à partir de mars 2011, était encore en butte à une répression féroce un an plus tard. Enhardi par l'éloignement de la perspective d'une intervention armée extérieure directe – à l'instar de l'action de la coalition dirigée par l'OTAN qui contribua au renversement du régime libyen, avec l'aval initial du Conseil de sécurité de l'ONU –, le régime syrien put même reprendre l'initiative en déclenchant de vastes opérations militaires contre les régions insurgées.

Le soulèvement syrien ne semblait pour autant pas près de s'essouffler. Sa militarisation, signalée par la formation à l'été 2011 de l'Armée syrienne libre, évoluait en guérilla contre les forces armées du régime, visant à susciter une scission de plus grande ampleur au sein de ces mêmes forces. Sous l'égide de l'ONU, des efforts intensifs étaient déployés au printemps 2012 – avec finalement l'accord de la Russie et de la Chine – pour atteindre un règlement politique et aménager une transition pacifique évitant la dégénérescence du conflit en une guerre civile interconfessionnelle qui risquerait de déboucher sur un chaos sanglant aux conséquences incalculables, vu la localisation stratégique du pays.

▰▰▰ Destins liés des processus révolutionnaires de la région

L'enlisement du soulèvement en Syrie a eu pour effet de ralentir la dynamique régionale ascendante du mouvement. Les luttes sociales et politiques continuaient à progresser en Jordanie et en Mauritanie, aux deux extrémités de l'espace arabophone, un an après le premier apogée de l'hiver 2011. Elles sont retombées au Maroc après la formation du gouvernement dirigé par le Parti (islamique) de la justice et du développement (PJD), vainqueur des élections législatives de novembre 2011, qui entraîna le retrait du mouvement protestataire de l'autre formation politique islamique du pays, le mouvement Justice et Bienfaisance.

Dans la plupart des autres pays de la région, des luttes intermittentes et localisées continuaient à révéler un potentiel explosif dont le sort semblait dépendre à court terme de l'évolution du soulèvement régional dans son ensemble – non seulement de la reprise éventuelle de son extension en fonction du sort du soulèvement syrien, mais aussi de l'évolution de la situation dans les quatre pays dans lesquels des victoires ont été emportées. En effet, le renversement ou le remplacement des dirigeants en Tunisie, en Égypte, en Libye et au Yémen, loin de signaler la fin du processus révolutionnaire dans ces quatre pays, a seulement marqué chaque fois la fin d'une étape et inauguré une nouvelle, non moins mouvementée bien que moins dramatique. Les situations sont certes fort différentes d'un pays à l'autre.

Du chaos libyen à la succession yéménite : l'inégal démantèlement des institutions

Aux deux extrémités de l'éventail des situations se trouvent la Libye et le Yémen. En Libye, le renversement du régime par une insurrection armée au bout de plusieurs mois de guerre civile a entraîné l'effondrement de l'État, et notamment de ses forces armées. Ce bouleversement a débouché sur une situation hautement chaotique avec des milices armées locales tenant lieu de forces de maintien d'un ordre précaire, et des tensions ethniques et régionales menaçant de dégénérer en affrontements à grande échelle. Une course a été engagée contre cette dynamique avec des efforts pour construire un nouvel appareil d'État en intégrant les insurgés de la guerre civile et en passant par l'élection d'une Assemblée constituante annoncée pour le mois de juin 2012.

Au Yémen, en revanche, l'accord conclu sous l'égide des monarchies pétrolières du CCG a largement frustré les attentes des opposants au régime de Saleh, dont les structures restent en place. Le vice-président de Saleh fut candidat unique à l'élection présidentielle du 21 février 2012, tandis que le fils de l'ex-Président restait à la tête de la Garde républicaine, force d'élite de l'armée yéménite. Beaucoup d'opposants soupçonnaient les membres du régime de faciliter la recrudescence des actions d'Al-Qaeda dans le pays après le départ de Saleh afin de justifier la perpétuation de leur pouvoir.

Frustrations politiques en Tunisie

En Tunisie, la fuite de Ben Ali en janvier 2011 a été suivie, deux mois durant, du démantèlement par étapes des institutions de son régime sous la pression de manifestations de rue. Les mobilisations obtinrent le départ des ministres membres du parti dirigeant sous Ben Ali, puis la dissolution de ce parti, suivie de la démission du chef du gouvernement en poste depuis sa désignation par Ben Ali en 1999, et enfin l'annonce d'une date pour l'élection d'une Assemblée constituante. Les élections du 23 octobre 2011 connurent un taux de participation de 52 % des inscrits, plutôt faible pour un pays sortant à peine d'une tourmente révolutionnaire et connaissant les premières élections véritablement libres et transparentes depuis son indépendance.

Elles furent remportées par le parti islamique Ennahda (37 % des voix), qui dépassa largement les autres formations, dont les deux suivantes en nombre de voix – le Congrès pour la République (CPR, 8,7 %) et le Forum démocratique pour le travail et les libertés (7 %) – formèrent avec lui une coalition gouvernementale. Ennahda obtint la prépondérance dans le gouvernement ainsi que sa présidence, attribuée au numéro deux du mouvement, tandis que le chef du CPR était élu par le Parlement à la présidence de la République avec des pouvoirs réduits à ceux d'un chef d'État en régime parlementaire. Le chef du Forum, quant à lui, fut élu à la présidence de l'Assemblée.

Ces élections créèrent beaucoup de frustration. D'une part, le mode de scrutin et le découpage des circonscriptions firent que près d'un tiers des votes exprimés se portèrent sur des listes qui ne furent pas représentées à l'Assemblée. D'autre part, le parti Ennahda a bénéficié de moyens financiers considérables, attribués par la rumeur publique au soutien de l'émirat du Qatar, sponsor des Frères musulmans et de leurs satellites à l'échelle régionale. Enfin et surtout, les forces vives du soulèvement, celles qui avaient joué un rôle central dans l'organisation des mobilisations et dans le renversement de Ben Ali, ne furent pas représentées dans la campagne électorale. Il s'agit, d'une part, de réseaux de jeunes qui font un usage intensif des technologies modernes de la communication, Internet en particulier, et d'autre part du mouvement ouvrier – organisé dans l'Union générale tunisienne du travail (UGTT) – qui a joué un rôle directement politique à plusieurs reprises dans l'histoire du pays, et contribué de façon décisive au renversement de Ben Ali.

▓▓▓▓ Le « printemps arabe » dans le temps long des luttes sociales

Cette frustration s'est traduite par une montée continue des luttes et revendications sociales face à un gouvernement incapable de l'enrayer, et tenté de recourir à des méthodes qui ont irrésistiblement évoqué l'ancien régime : attribution des luttes sociales à l'action d'« extrémistes » et attaques contre l'UGTT par des partisans du nouveau parti dominant. Le problème fondamental est toutefois que le soulèvement tunisien, comme l'ensemble du processus révolutionnaire régional qu'il a mis en branle, plonge ses racines à un niveau bien plus profond que celui de la seule revendication démocratique, aussi importante fût-elle. Il est avant tout le produit d'un blocage économique de longue durée, que traduisent les taux records de chômage qui caractérisent la région arabe par rapport aux autres régions en développement. Aussi les revendications centrales du soulèvement tunisien portaient-elles autant sur l'emploi que sur la liberté.

Le jeune Bouazizi, marchand ambulant des quatre-saisons qui, par son suicide, mit le feu aux poudres dans son pays, ne protestait pas, ou pas seulement, contre le caractère despotique du régime, mais d'abord contre sa condition sociale misérable et précaire. Il représente fort bien une grande partie des protestataires entrés en action en Tunisie comme dans l'ensemble de la région : une masse composée de millions de jeunes et de moins jeunes qui appartiennent au secteur dit informel, lequel regroupe de façon prédominante des « chômeurs déguisés », ou bien sont formellement chômeurs dans l'attente d'un emploi régulier. À ces masses se sont jointes, en Tunisie comme en Égypte, les forces organisées ou inorganisées des travailleurs salariés, les deux pays se distinguant par l'existence d'un mouvement ouvrier authentique dont les luttes ont constitué un préalable direct au « printemps arabe ».

Division verticale entre forces islamiques et laïques

À ces problèmes de fond qui divisent la société horizontalement et auxquels les vainqueurs des premières élections tunisiennes n'ont pas su apporter de réponse convaincante, étant indigents sur le plan programmatique quant aux questions sociales et économiques, s'ajoute une division verticale entre forces islamiques et laïques. L'arrivée au pouvoir d'Ennahda a mis à nu l'hétérogénéité de ses propres rangs, qui comprennent une fraction intégriste dure dont le discours détonne avec celui que tient le dirigeant central du mouvement, Rached Ghannouchi. Cette hétérogénéité a été d'autant plus ressentie que les salafistes, tendance ultra-intégriste qui s'inspire de l'islam wahhabite du royaume saoudien, ont connu une poussée remarquable en Tunisie dans les mobilisations de rue, sans pouvoir accéder au Parlement.

Le clivage religieux/laïque s'est cristallisé autour du projet de mentionner la charia comme source de la législation dans la nouvelle Constitution, en plus de la mention de la religion islamique comme religion d'État qui existait déjà dans l'ancienne. Devant des rapports de forces qui ne permettent pas à Ennahda de faire le forcing sur cette question, Ghannouchi – véritable dirigeant du pays, bien que n'ayant aucun poste officiel au gouvernement – a tranché dans le sens de la reconduction de la formulation antérieure. Cette décision a évité que les tensions s'enveniment dans l'immédiat, mais les autres problèmes restent entiers.

Égypte : du « printemps » au putsch

La situation en Égypte présente de nombreux points communs avec celle de la Tunisie, mais aussi des différences fondamentales. L'euphorie qui a accueilli le départ de Moubarak et son remplacement par le Conseil suprême des forces armées (CSFA), perçu dans un premier temps comme une junte révolutionnaire, n'a pas tardé à céder la place à la constatation amère que le 11 février 2011 avait été en réalité un putsch par lequel l'armée, colonne vertébrale du régime égyptien depuis six décennies, a pris les commandes des mains de son chef de la veille, trop discrédité pour continuer à gouverner. Les mobilisations continuèrent après le 11 février pour le démantèlement de la sécurité d'État (reconstituée sous une autre appellation), la dissolution du parti dirigeant, le départ d'un gouvernement après l'autre pour cause de continuité trop flagrante avec l'ancien régime, et enfin l'élection d'une Assemblée à mission constituante.

Les Frères musulmans, principale force politique organisée de l'opposition égyptienne depuis les années 1970, perpétuèrent envers les successeurs de Moubarak le rapport ambivalent qu'ils avaient longtemps entretenu avec Moubarak lui-même. Tendant la main en tant que parti de l'ordre à des militaires conscients de la limite de leur autorité, ils n'en contribuèrent pas moins aux mobilisations qui correspondaient à leurs propres intérêts politiques, notamment la dissolution de la sécurité d'État et de l'ex-parti dirigeant. Leur collaboration avec les militaires se manifesta dans leur appui à la proclamation constitutionnelle soumise à référendum le 19 mars 2011, qui vit les forces islamiques – Frères musulmans et salafistes – ainsi que les partisans des militaires s'opposer à la grande majorité des forces laïques, libérales et de gauche. Le « oui » emporta 77 % des voix exprimés, avec une participation électorale de 41 % des électeurs potentiels, nettement supérieure aux taux des élections sous l'ancien régime.

Les élections parlementaires organisées entre novembre 2011 et janvier 2012 en vertu de cette proclamation virent une participation électorale plus importante encore, qui atteignit 54 % des électeurs potentiels. Elles furent remportées haut la main par les deux principales formations islamiques du pays : les Frères musulmans obtinrent 213 des 508 sièges du Parlement, suivis à la surprise générale par les salafistes du parti Nour (Lumière) avec 107 sièges, soit au total près des deux tiers des sièges (63 %) pour ces deux formations. Comme en Tunisie, les monarchies du Golfe jouèrent un rôle éminent dans la bataille électorale, le Qatar appuyant les Frères musulmans tandis que le royaume saoudien soutenait les salafistes.

▰▰▰ Recomposition du paysage politique, recomposition des luttes

Bien que le poids relatif des formations islamiques ait été nettement plus grand en Égypte qu'en Tunisie, la même frustration est à l'œuvre dans les deux pays. Les réseaux de jeunes, de même que le mouvement ouvrier n'ont pas été véritablement représentés dans les élections parlementaires égyptiennes. Peu avant ces élections en novembre, les réseaux de jeunes organisèrent une grande mobilisation contre le CSFA, qui fut boycottée par les forces islamiques. Quant au mouvement ouvrier, qui joua un rôle décisif dans la chute de Moubarak par la vague de grèves qui déferla sur l'Égypte à partir du 8 février 2011, il s'est doté depuis lors de sa première centrale syndicale autonome, la Fédération égyptienne des syndicats indépendants : celle-ci revendique plus d'un million et demi de membres. Les grèves se succèdent à un rythme impressionnant depuis février 2011, dénoncées par les formations islamiques qui les qualifient de « catégo-rielles » et d'« irresponsables ».

À l'approche de l'élection présidentielle prévue en mai 2012, les relations entre les Frères musulmans et le CSFA se sont tendues, ce dernier ayant refusé de révoquer le gouvernement en place et d'en désigner un nouveau approuvé par la nouvelle majorité parlementaire. Ce désaccord fut l'explication donnée par la confrérie pour renier son engagement antérieur à ne pas parti-ciper à la course pour la présidence. Elle présenta son propre candidat, Khairat al-Chater, richissime homme d'affaires et adjoint au guide suprême de la confrérie. Cette décision survenait dans un contexte d'exacerbation des tensions entre forces islamiques et laïques au sujet du processus d'élabora-tion de la Constitution, qui aboutit le 15 juin 2012 à la dissolution de l'Assemblée constituante dominée par les Frères musulmans sur ordre du CSFA, en application d'un arrêt de la Haute Cour constitutionnelle. Tandis que le CSFA trahissait sa réticence à passer le pouvoir, l'Égypte connaissait au printemps 2012 un début de désaffection à l'égard des formations isla-miques qui ne pouvait qu'alimenter la contestation sociale déjà florissante dans le pays. D'autant que leur favori Khairat al-Chater, comme plusieurs autres (dont l'ancien chef des services secrets de Moubarak, le général Omar Souleimane), fut éliminé de la compétition. Ce fut tout de même le candidat des Frères musulmans, Mohamed Morsi, qui remporta l'élection et fut investi Président le 30 juin 2012, engageant immédiatement un bras de fer avec le CSFA.

Alors que se prolongent ces luttes au sommet, une seule chose est sûre : le « printemps arabe » n'est pas près de se terminer.

Pour en savoir plus

J.-P. FILIU, *La Révolution arabe. Dix leçons sur le soulèvement démocratique*, Fayard, Paris, 2011.

Y. A. DE LA MESSUZIÈRE, *Mes années Ben Ali. Un ambassadeur de France en Tunisie*, Cérès Éditions, Tunis, 2011.

P. PUCHOT, *La Révolution confisquée. Enquête sur la transition démocratique en Tunisie*, Sindbad, Arles, 2012.

J. SALINGUE (sous la dir. de), *Retour sur les « révolutions arabes »*, Les Cahiers du CCMO, n° 2, Syllepses, Paris, 2011.

À la recherche de Barack Obama

Robert Malley
Directeur du programme Moyen-Orient et Afrique du Nord
de l'International Crisis Group

Qu'il est dur de gouverner après avoir tant fait rêver !
L'Amérique, pétrie de pragmatisme, n'a guère pour habitude de déifier ses hommes politiques ; ceux dont l'âge le permet gardent peut-être en mémoire la vénération et l'enthousiasme quasi religieux dont fut l'objet dans les années 1960 Robert Kennedy, frère du président assassiné. Barack Obama est de cette trempe-là, et davantage encore, ne serait-ce qu'au regard de la vitesse hallucinante avec laquelle il a acquis sa notoriété. Largement inconnu avant 2004, il devenait deux ans plus tard le personnage politique le plus captivant du pays.

Le prix Nobel des promesses

De par son parcours et ses origines, bien sûr, mais aussi de par sa conception du monde et ses instincts, Obama incarnait la possibilité d'un changement aussi impressionnant qu'abstrait. Après un règne de huit ans, George W. Bush laissait derrière lui un pays rejeté par une grande partie de l'opinion publique mondiale, profondément divisé, embourbé dans deux guerres, et las de l'état de tension quasi permanente qu'éprouvaient les Américains depuis le 11 septembre 2001.

Les transformations considérables qu'il promettait en politique intérieure, le Président fraîchement élu les annonçait également sur la scène diplomatique. Noir, fils d'un père kényan, doté d'un nom (Barack Hussein Obama) qui à lui seul représente tout un programme, et ayant passé une partie de son enfance en Indonésie, Obama offrait un autre visage de l'Amérique, moins arrogant et impérial, plus ouvert et collégial, en mesure de comprendre les aspirations et les perspectives d'autrui.

Convaincu que son prédécesseur avait dilapidé ressources morales et matérielles dans une guerre inconsidérée en Irak, son objectif était de transformer l'image des États-Unis, en particulier dans le monde musulman ; de rompre avec l'unilatéralisme et le mépris du droit international dont s'était rendu coupable son prédécesseur ; d'assainir les liens avec la Russie ; de se concentrer sur l'Asie ; et de bâtir des relations nouvelles – y compris avec les régimes les plus vilipendés, l'Iran, la Syrie, la Corée du Nord ou encore Cuba. D'où sa capacité à séduire bien au-delà des frontières de son pays.

Dès son entrée en fonctions, Obama cherche à montrer sa différence. Il nomme immédiatement deux envoyés spéciaux, l'un pour l'Afghanistan et le Pakistan (façon de montrer qu'il privilégiera la guerre « intelligente » en Asie du Sud-Est aux dépens de celle, irréfléchie, en Irak) et l'autre pour la paix au Moyen-Orient – tout un symbole, après huit années arides en la matière.

En juin 2009, il prononce au Caire un discours mémorable, qui promet une politique nouvelle envers le monde arabe et évoque comme rarement auparavant les causes profondes d'une méfiance réciproque. De l'islamophobie à la cause palestinienne, des colonies de peuplement en Cisjordanie au calvaire des réfugiés, il n'esquive aucun sujet sensible. Ce jour-là, le Président atteint sans doute le zénith de sa popularité dans la région. Dans la foulée, il tend la main à l'Iran et son administration reprend langue avec Damas. La même année, à Prague, il offre sa vision d'un monde à jamais débarrassé de son arsenal nucléaire. Guère étonnant – bien qu'assez illogique – qu'il ait reçu le prix Nobel de la paix moins d'un an après sa prise de fonctions, cas exceptionnel d'un lauréat récompensé pour l'œuvre promise plutôt que pour l'ouvrage accompli.

Pourtant, au crépuscule de son premier mandat, un constat s'impose : celui d'un bilan profondément paradoxal. L'hôte de la Maison-Blanche aura réussi là où on l'attendait le moins, et déçu là où on en espérait le plus.

Une réorientation diplomatique et stratégique au goût d'inachevé

Obama était perçu comme un dirigeant transformateur, à la fois désireux et capable de bouleverser la donne et de faire passer dans la diplomatie américaine un souffle nouveau. Dans une certaine mesure, c'est ce qu'il a fait.

Objectif prioritaire, le rééquilibrage stratégique du Moyen-Orient vers l'Asie de l'Est a permis aux États Unis de contrer la puissance grandissante de Pékin, en jouant des peurs suscitées chez ses voisins par les velléités hégémoniques de la Chine. Convaincu que l'avenir économique du globe se joue dans cette région, Obama a également cherché à approfondir les liens de son pays avec l'Inde et le Japon et renforcé la présence militaire américaine en Australie.

Persuadé de l'obsolescence de l'arme atomique, il a signé un nouvel accord de réduction de l'arsenal nucléaire avec Moscou. Enfin, convaincu du rôle déterminant des puissances émergentes, il a choisi de privilégier les relations avec le Brésil et surtout avec la Turquie, dont le Premier ministre est devenu un interlocuteur indispensable ainsi qu'un pont vers le monde musulman.

Autant de rectificatifs importants et, à long terme, sans doute essentiels – mais sans doute décevants pour tous ceux à travers le monde qui espéraient un renouvellement radical.

■■■■■ Obama, successeur zélé de Bush au Moyen-Orient ?

Plus frappant encore, les succès les plus remarqués d'Obama s'inscrivent dans la continuité de la politique de son prédécesseur, ce qui explique qu'à l'heure de la campagne électorale ses adversaires républicains n'aient guère su trouver d'angle d'attaque efficace.

Sa victoire la plus notoire fut d'ailleurs celle qu'avait longtemps ambitionnée son prédécesseur : trouver et tuer Oussama Ben Laden, ce qu'il fit en mai 2011. Mais ce n'est là que l'exemple le plus éclatant d'une politique antiterroriste dont la principale différence avec la stratégie agressive de Bush aura été d'être plus agressive encore. En trois ans, Obama a approuvé près de 240 attaques par drones contre Al-Qaeda ou ses émules, soit cinq fois plus que les 44 ordonnées par Bush entre 2001 et 2008. Il a également créé un précédent dans la lutte contre le terrorisme en autorisant en septembre 2011 l'assassinat d'un citoyen américain résidant au Yémen, Anwar al-Awlaki.

Continuité aussi en ce qui concerne l'Iran, l'Afghanistan et l'Irak, là encore avec une exécution plus adroite et un effort plus soutenu. Barack Obama a insisté sur sa volonté de dialogue avec Téhéran et d'une résolution diplomatique du contentieux nucléaire, tout en renforçant de manière substantielle les sanctions et l'isolement international de l'Iran. L'un n'allait pas sans l'autre : à défaut de l'ouverture prônée – et sans la réponse décevante de la République islamique –, il est douteux que les États-Unis auraient pu obtenir pareil soutien international. Mais en optant pour cette approche duale, Obama ne faisait que poursuivre – la sincérité en plus, la réputation internationale sulfureuse de Bush en moins – celle inaugurée par son prédécesseur au cours de son second mandat. Au final, le Président qui éprouvait le plus vif désir de renouer avec la République islamique aura probablement été celui ayant fait le plus pour l'isoler et la confronter.

En Afghanistan, Obama a repris la politique dite de « *surge* » – augmentation substantielle des effectifs militaires pour une période déterminée – imaginée par l'administration Bush pour l'Irak, allant jusqu'à choisir le même général Petraeus pour l'exécuter. Enfin, en Irak, le retrait s'est fait en application du calendrier commun américano-irakien négocié sous la présidence républicaine – et non sans avoir d'abord cherché (en vain) à le rallonger.

Paradoxe également en ce qui concerne le mal nommé « printemps arabe » : à peine élu, rompant avec la rhétorique jugée trop téméraire de Bush, Obama avait pris soin de ne pas insister sur la promotion de la démocratie dans cette région du monde, mettant plutôt l'accent sur la stabilité et l'amélioration des relations bilatérales. Or, surprise, c'est lui qui hérite de ces soulèvements en Tunisie puis en Égypte, choisissant (après un bref délai dans le second cas) de se ranger du côté des populations révoltées et de faire sienne la campagne autrefois décriée de son prédécesseur.

S'il est trop tôt pour juger de l'efficacité de sa politique, elle a pour l'instant eu le mérite d'éviter les plus dangereux écueils : sobre, réaliste quant à l'obligation de nouer des liens avec les islamistes là où ils ont triomphé, et modeste quant au rôle des États-Unis, en Libye surtout (où il a soutenu l'intervention de l'OTAN contre le régime du colonel Kadhafi, sans néanmoins prendre les devants).

Cela étant, un président qui se voulait visionnaire en est réduit à faire preuve d'une inconstance qui est le propre des pragmatiques plus que des idéalistes, dénonçant chez certains (Égypte, Syrie) ce qu'il ne peut, par peur de contrarier l'allié saoudien, critiquer chez d'autres (Bahreïn).

Un pragmatisme inattendu et parfois risqué pour l'avenir

Manque à l'appel une grande initiative novatrice marquant ce mandat d'Obama. Les envolées lyriques ont cédé la place à une approche sage, à des compromis intelligents parsemés de touches belliqueuses que n'aurait guère désavouées Bush, et ponctués également de quelques renoncements : quatre ans après son investiture, la prison de Guantanamo restait ouverte malgré ses engagements électoraux ; du dialogue promis avec les régimes parias (Vénézuela, Cuba, Syrie, Iran ou Corée du Nord), autant dire qu'il ne restait (presque) rien.

À ce bilan, plusieurs explications possibles. D'abord, un monde peu coopératif qui, bien avant l'arrivée d'Obama, était devenu rétif à l'idée de l'hégémonie ou même de la domination américaine, et davantage capable de résister à sa pression. Ensuite, l'inertie du système américain qui se méfie d'ordinaire des changements trop brutaux – le cas du premier mandat de George W. Bush en étant le parfait contre-exemple.

Autre raison : les contraintes et pressions politiques qu'aucun président, surtout lors de son premier mandat, ne peut ignorer – et ce d'autant plus dans le cas d'un jeune président démocrate sans grande expérience diplomatique tel qu'Obama.

Mais ce bilan en demi-teinte résulte sans doute principalement de l'incompréhension profonde du personnage par un public américain et surtout international victime des espoirs démesurés que son verbe a suscités. Car Obama, pour progressiste qu'il soit, est un adepte de la prudence et de la politique des petits pas. Ce n'est pas par hasard que, interrogé au cours de la campagne sur le président dont il aimerait s'inspirer en politique étrangère, il a cité George H. W. Bush, père de l'homme auquel il cherchait à succéder et disciple d'un pragmatisme à toute épreuve. Ni qu'il ait choisi de conserver le ministre de la Défense de son prédécesseur, Robert Gates, ou de nommer secrétaire d'État Hillary Clinton, qui avait dénoncé lors des primaires démocrates sa naïveté et son manque de réalisme en politique extérieure.

Malgré un bilan globalement positif, il est plusieurs domaines où Barack Obama aurait probablement mieux fait de s'en tenir à sa vision transformatrice et volontariste, et où l'approche qu'il a choisie présente d'importants risques pour l'avenir.

Premier sujet, déjà évoqué, la lutte contre le terrorisme. De l'usage abusif des drones à la promotion des attaques ciblées, il n'a offert ni substitut à l'approche de Bush, ni cadre légal pour expliquer sa politique, ni réponse adéquate à ceux qui affirment qu'à la longue de telles pratiques – de par les nombreuses morts « collatérales » auxquelles elles donnent lieu – ne feront qu'accroître le ressentiment antiaméricain et donc élargir le champ des recrues djihadistes potentielles. En validant ces pratiques, il a également créé des précédents et un vide juridiques qui, à l'avenir et en d'autres mains, pourraient s'avérer autrement plus dangereux.

Deuxième sujet, l'Iran. Peut-on sérieusement envisager qu'un régime suspicieux, convaincu que l'Occident et ses partenaires arabes cherchent à le renverser, persuadé que le moindre compromis sera perçu comme un signe de faiblesse, puisse offrir des concessions significatives ou changer de cap un pistolet sur la tempe ?

Obama, on le conçoit, craignait sans doute qu'en faisant preuve de plus de hardiesse (en offrant un dialogue bilatéral immédiat et sans conditions ; en cherchant à rassurer les dirigeants iraniens sur ses intentions et sur les possibilités de relations nouvelles ; en acceptant dès l'abord le droit de l'Iran à enrichir son propre uranium sur son sol ; et en mettant entre parenthèses la question de nouvelles sanctions et du renforcement du potentiel militaire des monarchies du Golfe), il s'attirerait les foudres des ses rivaux républicains, sans parler de nombreux démocrates.

Mais le résultat est là, prévisible. Les sanctions parviennent à fracturer l'économie iranienne mais pas à stopper ni même ralentir son programme d'enrichissement d'uranium. Les relations bilatérales sont au plus mal, les tensions montent, une guerre de l'ombre s'intensifie. Israël somme le président américain d'aller au bout de sa logique : soit frapper l'Iran, soit accepter qu'il le fasse lui-même. Si, d'ici la fin 2012, les pourparlers nucléaires n'aboutissent qu'à peu de chose – comme on peut hélas le craindre –, Obama, pris à son propre piège et à supposer qu'il soit réélu, risque fort de se voir contraint à commencer une autre guerre périlleuse au Moyen-Orient – lui qui aura tant fait pour mettre fins aux deux dont il avait hérité.

███████ **Espoirs trompés sur le dossier israélo-palestinien**

Un troisième sujet constitue sans nul doute la déception principale de ce mandat : la gestion du dossier israélo-palestinien.

Les efforts déployés par Barack Obama dans l'arène israélo-palestinienne, aussi intenses qu'ils aient été, n'ont guère été récompensés. Les objectifs avoués étaient de geler les colonies de peuplement, d'enclencher un processus de normalisation israélo-arabe, de renouer les pourparlers de paix, de renforcer les soi-disant modérés, ainsi que de rétablir la crédibilité américaine. C'est tout le contraire qui s'est produit. Effets désolants mais inévitables : les Palestiniens ont perdu confiance dans l'administration Obama, les Arabes doutent et les Israéliens voient en Obama un néophyte qui ne leur inspire ni respect ni même estime.

Trois déficits expliquent ce bilan. Déficit tactique tout d'abord, avec un choix initial d'objectifs douteux et irréalistes (tel le gel complet des colonies de peuplement) ensuite brutalement reniés (qualification fin 2009 du gel très partiel d'initiative « sans précédent »). Les pressions à répétition exercées sur Mahmoud Abbas, président de l'Autorité palestinienne, afin qu'il accepte de rencontrer Benyamin Netanyahou et qu'il reporte le débat sur le rapport Goldstone, en ont fait la victime principale de cette valse diplomatique alors que l'administration Obama s'était juré de le renforcer. Depuis, Washington semble obnubilé par le seul souci de renouer les négociations alors que leur échec coûterait à tous bien plus que leur ajournement. Entre-temps, il n'a rien fait ou presque pour rassurer l'opinion publique israélienne. De tels errements tactiques dénotent une méconnaissance plus profonde – et inquiétante – des ressorts politiques aussi bien palestiniens qu'israéliens.

Déficit de vision stratégique ensuite : le candidat visionnaire a laissé place à un gestionnaire médiocre, les rares initiatives ambitieuses (tel le discours du printemps 2011 appelant à une division territoriale sur la base des lignes de partage de 1967) n'étant guère suivies d'effet. Au total, hormis la proclamation de quelques principes, Obama n'a nullement donné l'impression de savoir précisément où il voulait aller et au prix de quels risques politiques.

Enfin, l'administration Obama n'a pas su s'ajuster à la nouvelle donne régionale. Les traditionnels relais de l'influence américaine – Égypte, Jordanie ou Arabie saoudite – se montraient essoufflés dès avant le « printemps arabe », tandis que le prestige et l'autorité des États-Unis dans la région se sont dissipés depuis 2001, au fil des guerres lancées par G. W. Bush. Quant à l'outil favori des États-Unis dans ce conflit, les négociations bilatérales entre Israël et l'Organisation de libération de la Palestine (OLP) sur un statut final, il apparaît désuet et discrédité.

Les déboires d'Obama sur le dossier israélo-palestinien sont en quelque sorte une reproduction en miniature des défauts les plus marquants de sa politique étrangère : vaste gouffre entre le verbe et l'acte, entre discours transformateur et pratique pragmatique ; croyance démesurée en l'influence américaine ; poids du passé et, en ce domaine plus qu'en nul autre, des contraintes politiques. De là cette impression de surplace, contrecoup d'une diplomatie américaine qui s'agite dans le vide.

Une gestion pragmatique, quelques objectifs à long terme, des ajustements relativement agiles – surtout dans un monde arabe mouvant – et une diplomatie généralement modeste auront permis à Obama d'éviter de se fourvoyer et de terminer son mandat en position relativement forte. Ce ne sont pas là résultats négligeables. Il en faudra davantage pourtant pour qu'il laisse une véritable empreinte sur la politique étrangère de son pays. Pendant quatre ans, il aura réussi à esquiver les décisions les plus difficiles, jouant au funambule sur nombre de dossiers : pression accrue sur l'Iran et menaces militaires, mais aussi main tendue ; gestion du *statu quo* israélo-palestinien, mais également promesse d'une solution historique ; soutien aux efforts diplomatiques en Syrie, mais encore appui à l'opposition armée ; défense de la démocratie et des droits de l'homme dans le monde arabe, mais couplé d'un silence assourdissant sur leur violations à Bahreïn, en Arabie saoudite et ailleurs.

Avec un second mandat – à supposer qu'il soit réélu – viendra l'heure des choix. Une chose est sûre : d'un « printemps arabe » flirtant avec l'hiver au défi iranien, en passant par la puissance grandissante de la Chine, le sanglant conflit syrien ou encore l'interminable dossier palestinien, les occasions ne lui manqueront pas.

L'intériorisation de l'idée du déclin aux États-Unis

Sylvain Cypel
Correspondant du *Monde* aux États-Unis

D ans son étude annuelle sur la perception de leur économie par les Américains, entre autres questions, l'important centre de recherches Pew demandait en 2011, pour la seconde année successive : « Quelle est la première puissance économique au monde ? » Sur les

4 000 personnes de son échantillon, 47 % désignaient la Chine ; seuls 31 %
leur propre pays. En un an, l'écart entre les deux avait crû de 6 points. Or,
avant l'effondrement de la finance américaine fin 2008, l'opinion plaçait les
États-Unis loin devant.

Qu'en est-il, en réalité ? Même si, en volume du PIB, la Chine devrait
rattraper les États-Unis avant la fin de la décennie, la taille de l'économie
américaine reste encore très supérieure – 15 600 milliards de dollars de PIB
contre 7 000 à 10 000 milliards, selon les calculs. Si l'on compare la richesse
par habitant, le différentiel passe de 1 à 8. Divers autres critères – innovation,
productivité… – sont encore plus favorables aux États-Unis.

Dès lors, pourquoi les Américains, en proportion croissante, placent-ils la
Chine devant leur pays ? Cette vision inversée de la réalité reflète un constat :
quoi qu'achète le consommateur américain – sous-vêtements ou chaussures,
mobilier de maison, électroménager, informatique, téléphonie –, à peu près
tout, hors voitures, se décline désormais « *Made in China* ». Et sous le règne du
« principe Wal-Mart » (le plus bas prix), moins un produit est cher et plus la
probabilité qu'il soit chinois augmente. Peu importe que cette signature
puisse se révéler trompeuse : ainsi les Chinois ne font souvent qu'assembler
les nouveaux produits phares du high-tech grand public, ils ne les fabri-
quent pas. Mais l'acquéreur n'en sait rien et ne retient qu'un message obsé-
dant : « *Made in China* ».

▦ « Déclinistes » et « antidéclinistes »

La réponse des Américains à l'étude Pew dépasse cependant la
simple ignorance. En fantasmant par anticipation une superpuissance
économique chinoise, ils accréditent aussi l'idée de leur propre déclin – une
idée qui, assumée ou niée, les hante. Dans son histoire, l'Amérique s'est
périodiquement inventé des ennemis ou a beaucoup enflé la réalité des
menaces de ses adversaires, réels ou désignés tels. En ces temps d'immenses
rééquilibrages géopolitiques et économiques, ces deux dernières années, le
débat entre « déclinistes » et « antidéclinistes » a été intense aux États-Unis,
nourri par une vague peu commune d'ouvrages, d'études, de commentaires
quasi quotidiens. Cela va du numéro spécial de *Foreign Affairs* (novembre-
décembre 2011) intitulé « *Is America Over ?* » (« L'Amérique est-elle finie ? »)
à l'ouvrage *Strategic Vision. America and the Crisis of Global Power* [1] (« Vision
stratégique. L'Amérique et la crise du pouvoir mondial ») de Zbigniew Brzezinski, l'ex-« Monsieur sécurité nationale » du président Jimmy Carter, en
passant par la « une » de *Newsweek* (7 mai 2012) titrée « L'Amérique
l'emporte, et voici pourquoi » ou, à l'inverse, le blog de ce collaborateur de la

---

1   Zbigniew Brzezinski, *Strategic Vision. America and the Crisis of Global Power*, Basic Books,
New York, 2012.

revue *Foreign Policy* intitulé « *Decline Watch* » (« Observatoire du déclin »). Bref, l'Amérique se projette dans ce que serait, comme l'a défini le chroniqueur médiatique Fareed Zakaria, un « monde postaméricain », où les États-Unis auraient cessé d'être la « nation indispensable ».

Ce débat se répercute sur tous les terrains. Ses contours sont souvent flous, selon les critères de définition du déclin. Mais lesdits « déclinistes » commencent par rappeler qu'en termes relatifs, vu la montée des pays émergents, la place de l'Amérique dans la production de richesses et, à échéance rapprochée, dans les rapports de forces internationaux ne peut que reculer. Ils pointent généralement aussi une série de faiblesses cumulées au fil des ans : le plus fort taux de pauvreté parmi les vingt pays les plus riches, le score le plus bas à l'indice onusien du « bien-être des enfants » et le plus élevé pour leur mortalité, le coût exorbitant du système privé de santé, l'affaiblissement chronique de l'éducation publique (Bill Gates supplie chaque année le Congrès de promouvoir l'éducation générale et l'accueil de diplômés étrangers, faute de quoi, plaide-t-il, « l'Amérique perdra son primat technologique »), etc. Les États-Unis, estiment-ils encore, accumulent les retards dans des domaines d'avenir comme les énergies renouvelables, là où leur dynamisme traditionnel devrait précisément les voir prendre le leadership.

Les « antidéclinistes » rappellent que le thème du déclin n'est pas nouveau. Lorsque la montée en puissance de l'économie japonaise apparut irrésistible, dans les années 1980-1990, une peur panique de l'Asie émergea puissamment pour disparaître aussi vite, comme la nippophobie qui l'accompagna. « Les États-Unis, proclame le chroniqueur économique Daniel Gross, restent plus forts et plus rapides que n'importe qui d'autre au monde. » Certes, leur primat s'érode, « mais ils demeurent la nation économique indispensable ». Et de lister ce qui, à ses yeux, fondera plus encore demain leur puissance : « C'est sur Facebook que les activistes pro-démocratie se sont organisés en Égypte. C'est grâce à l'iPhone que les dissidents syriens ont pris les images qu'ils ont fournies au monde *via* YouTube. » L'université américaine en crise ? Jamais, poursuit-il, on n'a autant cherché à y obtenir un diplôme (700 000 étudiants étrangers en 2010). Plus généralement, nombre de commentateurs développent l'idée qu'« Apfago » – le trio Apple-Facebook-Google – symbolise une domination future plus assurée que jamais.

Le débat traverse presque autant la gauche (plus critique du « système » mais moins apeurée par les lendemains) que la droite (plus confiante dans la puissance du même système mais plus effrayée par son affaiblissement). D'aucuns suivent l'analyse d'un Gideon Rachman dans *Foreign Policy* : certes, « le déclin américain, on connaît la rengaine. Sauf que cette fois c'est différent ». Le mal serait plus ample et plus profond. Les autres partagent l'idée d'un Daniel Gross. En substrat : « lorsque sera venu le temps d'écrire l'Histoire », la crise actuelle de l'Amérique sera perçue comme lui ayant permis de se « régénérer », de rationaliser son appareil productif en le rentabilisant. Ces joutes génèrent des débats fondamentaux. En voici quelques exemples marquants.

▅▅▅▅ Un modèle capitaliste en question

La crise a mis en lumière combien les États-Unis avaient changé, en une génération, dans leur structure économique et sociale, au profit des services et au détriment de l'industrie, avec une répartition beaucoup plus inégale de sa richesse. Une fois la récession enrayée, en s'installant dans une économie à croissance molle, le débat a pris une tournure très idéologique. C'est sur ce terreau qu'a émergé une forte tendance au repli sur les « valeurs » libérales – grossièrement : à bas l'État et la dépense publique, et Dieu reconnaîtra les siens – puis celle du mouvement Occupy Wall Street ranimant la flamme éteinte du *New Deal*.

Au-delà, une question, rarement explicite, s'instille : le capitalisme américain reste-t-il « le meilleur », le plus générateur de richesse ? La réponse est connue et toute la pensée libérale américaine s'en trouve ébranlée. Liberté et initiative individuelles sont les mamelles de la prospérité économique, proclame sa doxa. Or cette affirmation contestable se trouve vivement contestée. Le capitalisme rouge chinois, dominé par un État planificateur et antidémocratique, se révèle plus capable de produire de la richesse que le plus « libre » des capitalismes : en 2011, 3 % de croissance aux États-Unis, 9,2 % en Chine. Quand l'Amérique ralentit, sa croissance tombe à 1,9 % (premier trimestre 2012), celle de la Chine, elle, à 7,2 %… Plus généralement, comment expliquer que les États-Unis ne puissent soutenir la comparaison avec des pays qui, à des degrés divers, développent tous des politiques publiques de contrôle des grands équilibres ? Et comment comprendre qu'en plus illettrisme et misère y augmentent ?

▅▅▅▅ Faut-il « réindustrialiser » ?

C'est « la » question qui monte. La production industrielle américaine de biens de consommation est tombée de 34 % du PIB en 1950 à 11 % en 2010. Le pays consomme toujours plus et produit toujours moins. Résultat : les principales pièces d'un iPad sont désormais produites non pas au Vietnam ou au Mexique, mais au Japon et en Allemagne, donc par des ouvriers « cher payés » – mais pas aux États-Unis.

Apparue à l'été 2010 dans un article retentissant d'Andy Grove, cofondateur d'Intel (« Comment refaire de l'emploi américain avant qu'il ne soit trop tard »), l'idée d'une nécessaire « réindustrialisation » du pays est portée par des mouvances hétérogènes. On y trouve des proches de Barack Obama adeptes d'un rééquilibrage de l'appareil de production par la reconstitution d'une classe ouvrière mieux rémunérée et protégée tirant toute la société vers le haut. On y voit aussi des ultralibéraux convaincus que le pouvoir appartiendra à l'avenir à qui créera des biens plutôt que des produits financiers, mais prévenant que, pour survivre dans un monde plus concurrentiel, les salariés américains de l'industrie devront faire des « choix difficiles ». S'y ajoutent des syndicalistes défenseurs du « produire et consommer américain » qui masquent parfois mal leur hostilité à la « concurrence indue » des pays émergents et aux ouvriers mexicains. On y trouve enfin des conservateurs protectionnistes ou isolationnistes, parfois xénophobes. Sous-produit du sentiment du déclin et de la volonté d'inverser la tendance, la « réindustrialisation » américaine charrie le meilleur comme le pire.

▬▬▬ Les nouvelles technologies sont-elles un leurre économique ?

Ce débat a été initié par Tyler Cowen, professeur d'économie à l'université George Mason (Virginie). Sa thèse, développée dans *The Great Stagnation* [1] (« La grande stagnation »), est la suivante : pour la première fois dans l'histoire du capitalisme, une révolution technologique n'entraîne pas un accroissement de la richesse prise au sens large (pouvoir d'achat, santé, éducation...) dans la population où elle a émergé. Pour tout ce qui concourt au renforcement du lien social (emploi, sécurité, avenir des enfants, etc.), comparé à ce qu'ont permis les grandes inventions à l'origine du train, de l'automobile, du téléphone, de la machine à écrire et à calculer, les conséquences de la révolution numérique, plaide T. Cowen, vont à l'opposé. Cette révolution est un « mythe », conclut-il. « Prenez l'omniprésent iPod, il a engendré moins de 14 000 emplois aux États-Unis. Tout Google, c'est 20 000 emplois ; Twitter, 300 au plus. » Bref, des vétilles au regard de l'impact social qu'engendrèrent Ford, Bell, General Electric...

Sa thèse s'est heurtée à une déferlante de critiques. Mais là n'est pas le sujet, car l'auteur lui-même est « antidécliniste », convaincu que son pays, si ses élites ne se trompent pas sur les remèdes, sortira renforcé du mal qui l'affecte. Toutefois, pour y parvenir, prône-t-il, il faut d'abord faire le bon diagnostic.

▬▬▬ Quelle place dans le monde ?

Le déclin géopolitique est évidemment un thème des plus débattus. « Que signifie la "puissance" américaine au XXIᵉ siècle ? », s'interroge l'analyste stratégique David Ignatius dans le *Washington Post* (26 janvier

---

1   Tyler COWEN, *The Great Stagnation. How America Ate All The Low-Hanging Fruit of Modern History, Got Sick, and Will (Eventually) Feel Better*, Dutton/Penguin eSpecial, New York, 2011.

2012). S'agit-il de restaurer la supériorité massive des États-Unis telle qu'elle apparaissait au sortir des années Reagan ? Certes, ils restent de très loin la puissance militaire dominante, mais les récentes guerres asymétriques ont montré combien leur armée devait muer. Ou s'agit-il au contraire, suggère Ignatius, de positionner l'Amérique comme pivot et moteur d'un monde rééquilibré et mutant ?

Partisan évident de cette seconde option, Barack Obama a clairement cherché à cultiver de nouveaux partenariats (le « reset » avec Moscou, l'appui sur la force montante turque au Proche-Orient…). Mais les républicains l'accusent déjà d'avoir « affaibli » son pays sur le plan international. Le problème est qu'avec la déconfiture de son initiative au Proche-Orient, l'incapacité des États-Unis de peser sur les « printemps arabes », l'embourbement en Afghanistan-Pakistan, un dossier iranien où les inconnues prédominent malgré l'impact réel des sanctions, et la montée en puissance des BRICS, une Amérique divisée apparaît souvent lourdement entravée dans sa mue, comme le montrent les débats sur le budget de la défense.

▨▨▨▨ La future « identité de la nation »

Plus encore que l'incapacité à imposer un « ordre » extérieur, les changements intérieurs suscitent interrogations et même désarroi. L'Amérique bascule aussi dans sa composition ethnique, ajoutant parfois au débat sur le déclin une dimension « identitaire » au contenu très ambigu. Là se situent, dans la mouvance ultraconservatrice dont le Tea Party a été le fer de lance mais pas l'unique vecteur, les fondements résumés en un slogan mille fois entendu : « Rendez-nous "notre Amérique" ! » De quel pays s'agit-il ? Le 7 mai 2012, le New York Times titrait à la « une » : « Les Blancs comptent pour moins de la moitié des naissances aux États-Unis ». Premier sous-titre : « Les minorités forment une majorité ». Second sous-titre : « Les implications pour l'économie et pour l'identité de la Nation ».

Un rapport du Census Bureau (l'équivalent américain de l'INSEE) montre en effet que, d'août 2009 à juillet 2010, pour la première fois dans l'histoire des États-Unis, les naissances issues de groupes « minoritaires » – Noirs, Hispaniques, Asiatiques, etc. – ont dépassé la catégorie des « Blancs seulement », ceux qui, sur le plan « racial » ou « ethnique », ne s'identifient que comme « Blancs ». « La question, expliquait Marcelo Suarez-Orozco, codirecteur des études sur l'immigration à l'université de New York, est de savoir comment on va réinventer le contrat social dans les prochaines générations. »

On touche là du doigt ce qui constitue le noyau implicite des débats sur les mutations des États-Unis : l'idée d'un tel nouveau « contrat social » – dont, symboliquement, Barack Obama est l'incarnation – inquiète ou révulse nombre d'Américains. Dit plus crûment : que serait une société américaine où les Blancs ne seraient plus que la première des minorités ? Sur fond de crainte de dépossession, tel est le non-dit qu'ont véhiculé de récents prurits d'agressivité à l'égard des « minoritaires » : prurits plus anti-*latinos* ou antimusulmans qu'antichinois, d'ailleurs, mais réactionnaires dans le sens étymologique du terme, celui de restaurer un *statu quo ante* que l'on sent se déliter inexorablement.

▬▬▬ La fin de l'« unicité » américaine ?

Face à ces multiples mutations, aux inquiétudes que suscite l'installation dans une croissance molle et un chômage « structurel », le camp républicain va à l'élection présidentielle de novembre 2012 armé de la foi du croyant en l'immuabilité du destin de la nation. La « principale erreur de Barack Obama est de considérer que les États-Unis ne sont en rien uniques », a déclaré son candidat, Mitt Romney, devant un parterre de cadets de l'académie The Citadel, en Caroline du Sud. Non, a-t-il poursuivi, « Dieu n'a pas créé ce pays pour être une nation de suiveurs. [...] Nous sommes exceptionnels, notre destin et notre rôle dans le monde sont exceptionnels ».

Fin 2011, la revue *Foreign Policy* avait demandé à une série d'intellectuels étrangers de compléter la phrase commençant par : « Les États-Unis sont... » Susan Glasser, sa rédactrice en chef, avait indiqué que la plupart poursuivaient ainsi : « un superpouvoir malade », ou « engagés dans une longue période d'ajustements douloureux », ou encore « ne sont plus la Terre promise »...

Pour en savoir plus

A. BACEVICH (sous la dir. de), *The Short American Century. A Postmortem*, Harvard University Press, Cambridge, 2012.

D. GROSS, *Better, Stronger, Faster : The Myth of American Decline... And the Rise of a New Economy*, Simon & Schuster, New York, 2012.

Ch. HEDGES, *The Death of the Liberal Class*, Nation Books/Perseus, New York, 2011.

R. KAGAN, *The World America Made*, Knopf, New York, 2012.

Résignation devant le chômage ?

Marion Cochard
Économiste, OFCE

Après un choc récessif d'une ampleur inédite dans l'après-guerre, la plupart des pays développés n'avaient toujours pas retrouvé, à la fin de l'année 2011, leur niveau d'activité d'avant la crise. Cet effondrement de l'activité a, dès 2009, conduit à un retournement de la situation de l'emploi, renvoyant ces États au cauchemar du chômage de masse. Paradoxalement, les autorités politiques et économiques ont pourtant souvent relégué cette question au second plan de leurs préoccupations.

Le retour du chômage de masse

La crise a surgi dans une période d'optimisme économique. Les États-Unis affichaient avant 2008 une situation de plein emploi et des taux de croissance exemplaires ; les pays émergents portaient la promesse d'un relais de la croissance mondiale ; et l'Europe voyait s'approcher la perspective d'un plein emploi avec lequel elle n'avait pas renoué depuis la fin des années 1970. La crise est venue doucher ces espoirs et l'année 2009 a vu, dans la plupart des pays développés, une dégradation du marché du travail inégalée depuis la grande dépression des années 1930.

La hausse du chômage s'est toutefois révélée contrastée d'une économie à l'autre, en fonction de l'ampleur de la chute de l'activité, de l'ajustement de l'emploi et du contexte démographique. Au sein de la Zone euro, d'importantes divergences se sont fait jour. Fin 2011, quelques pays avaient réussi à tirer leur épingle du jeu : l'Allemagne, dont le taux de chômage avait même baissé depuis 2007 ; l'Autriche et la Belgique, qui avaient quasiment retrouvé leur niveau de chômage d'avant crise. À l'inverse, les taux de chômage des États enlisés dans la crise de la dette avaient bondi, dépassant 14 % au Portugal et en Irlande, et 20 % en Espagne et en Grèce.

Par ailleurs, la dégradation de l'emploi a touché massivement des pays aux modèles économiques et aux marchés du travail très différents, y compris ceux qui semblaient avoir trouvé la recette du plein emploi. L'explosion du chômage au Danemark a conduit à une remise en cause de la « flexisécurité ». Les économies anglo-saxonnes ont retrouvé des niveaux oubliés depuis les années 1980, dépassant les 10 % aux États-Unis. En définitive, le taux de chômage atteignait, fin 2011, 8,2 % en moyenne dans les pays de l'Organisation de coopération et de développement économiques (OCDE) – soit une hausse de 2,5 points par rapport à 2007 – et 10,5 % dans la Zone euro.

La crise a également mis en lumière la forte dualité des marchés du travail européens. Les emplois stables y ont relativement bien résisté, tandis que les emplois précaires absorbaient la dégradation de l'offre et des conditions d'embauche pour les nouveaux entrants. La quasi-totalité des emplois détruits en Europe au cours de ces quatre années concernaient ainsi des contrats d'intérim ou à durée déterminée.

La montée des risques sociaux

Les économies développées ont vu monter les risques sociaux inhérents à l'installation durable du chômage à un niveau élevé. La dégradation du marché du travail a accru la fragilité des populations les plus vulnérables – les précaires, les jeunes, les femmes, les peu qualifiés –, et la persistance de ces situations d'exclusion, source de pauvreté, menaçait de peser durablement sur l'activité économique.

La situation des jeunes s'est particulièrement détériorée. Le taux de chômage des 16-24 ans dépassait 21 % dans l'Union européenne (UE) fin 2011, culminant à plus de 45 % en Grèce et en Espagne. En bout de file, les jeunes peinaient donc plus que jamais à s'insérer sur le marché du travail, dans un système dual favorisant les *insiders*. La durée de recherche du premier emploi s'est allongée, cependant que l'embauche en contrat temporaire est devenue la norme dans la plupart des pays, faisant des nouveaux venus les premières victimes en cas de dégradation de la conjoncture.

Les jeunes non diplômés se sont retrouvés en première ligne, les débouchés ayant quasiment disparu depuis le début de la crise. Mais, dans nombre de pays, c'est également toute une génération de jeunes diplômés qui s'est trouvée confrontée au chômage de longue durée et à la contrainte d'accepter des emplois sous-qualifiés, au risque de marquer les trajectoires professionnelles. La Grèce et l'Espagne ont enregistré en 2011 un début d'exode vers des régions du monde professionnellement plus prometteuses, signe que la déqualification et la désinsertion de la jeune génération pourraient peser durablement sur les perspectives de ces pays.

Le chômage de longue durée a lui aussi bondi dans la plupart des pays développés, jusqu'aux États-Unis où ce phénomène avait disparu depuis les années 1980. Outre le développement d'une grande précarité et de la pauvreté d'une partie de la population, on sait l'impact du chômage de longue durée sur le niveau de qualification et sur l'employabilité des personnes concernées, dont résulte souvent un éloignement définitif du marché du travail.

███████ **Politiques macroéconomiques :
des priorités différentes**

Face à une crise d'une telle ampleur, seules les politiques conjoncturelles offrent la réactivité nécessaire pour endiguer la hausse du chômage.
C'est donc essentiellement par le retour de politiques macroéconomiques
keynésiennes que la plupart des pays ont tenté d'enrayer l'effondrement
économique et l'explosion du chômage.

La spirale dépressive a été interrompue par la conjonction de mesures
monétaires extrêmement accommodantes, d'un soutien massif au secteur
financier en faillite et de plans de relance coordonnés par le G-20 dès la
fin 2008. Ces derniers ont été particulièrement volontaristes dans les pays
anglo-saxons. Les économies développées ont ainsi pu renouer avec une
croissance positive début 2010, et le marché du travail a presque partout
connu une légère amélioration.

Mais la mobilisation de l'ensemble des moyens de la politique économique a conduit à une dégradation spectaculaire des finances publiques de
tous les pays développés en 2010. En moyenne, les déficits publics des
membres de l'OCDE sont passés de 1,3 % à 8,3 % du PIB entre 2007 et 2009,
et la dette publique de la zone OCDE a atteint 100 % du PIB en 2009. Les pays
développés se sont alors trouvés confrontés au dilemme chômage *versus*
dette : fallait-il continuer à soutenir l'activité au risque de dégrader encore les
finances publiques, ou s'attaquer aux déficits publics au risque de tuer dans
l'œuf la reprise naissante ?

À partir de 2010, on a observé une divergence dans la gouvernance macroéconomique des différents pays de l'OCDE, qui reflétait des perceptions radicalement différentes du chômage et de son degré d'acceptabilité dans la société.
Les États-Unis ont clairement mis la politique économique au service de la lutte
pour l'emploi, en favorisant le retour de la croissance par des mesures expan-
sionnistes. Au contraire de la Banque centrale européenne (BCE), la Réserve
fédérale américaine (Fed) a cherché à conjuguer les deux objectifs de stabilité
des prix et de plein emploi. Faisant preuve de pragmatisme, les États-Unis ont
toutefois amorcé un resserrement budgétaire en 2011, avant d'y mettre fin
devant la rechute de l'économie. Priorité a donc été donnée au rétablissement
des bilans des ménages et des entreprises, la réduction des déficits publics (10 %
en 2011) s'inscrivant dans le plus long terme. Endigué par la reprise de la croissance, le taux de chômage était retombé à 8,2 % en mars 2012.

À l'inverse, les États européens se sont focalisés sur la réduction rapide des
déficits publics plutôt que sur celle du chômage. Agitant la menace du défaut
souverain, ils ont justifié le resserrement budgétaire par le risque de contagion de la crise grecque, la montée des taux d'intérêt souverains, et les dégra-
dations en chaîne (Espagne, Portugal…). Le quasi-défaut de la Grèce organisé
par les institutions internationales a montré la faiblesse des institutions

européennes, rendant plausible l'apparition des mêmes difficultés dans d'autres pays de la zone.

L'obsession de la discipline budgétaire, mise en place de façon synchrone dans toute l'UE, a plongé celle-ci dans le piège de la récession, où chaque État membre subit à la fois les effets de son austérité et de celle de ses voisins. Les objectifs drastiques assignés aux gouvernements ont ainsi condamné la reprise économique à moyen terme, et le chômage a repris sa progression dès 2011, quand s'est amorcée une nouvelle phase récessive. En définitive, l'accalmie sur le front de l'emploi n'aura duré qu'un an. Fin 2011, les pays de la Zone euro comptaient plus de 5 millions de chômeurs de plus que fin 2007 (+ 3,1 points), et le ralentissement durable de l'activité a mis fin à l'illusion d'un redressement dans ce domaine.

Cette austérité, souvent présentée comme une nécessité mais qui relève avant tout de la responsabilité des États et des institutions, a révélé la paralysie de la gouvernance européenne. Car, dans l'ensemble, les pays de la Zone euro présentent des finances publiques plutôt moins dégradées que les autres pays développés – avec un déficit public moyen de 6,4 % du PIB en 2011, contre 11,6 % du PIB aux États-Unis –, et c'est bien le manque de solidarité affiché qui a alimenté la défiance des marchés. Au contraire de la Fed, la BCE a les mains liées par le traité de Maastricht, qui lui interdit d'agir comme prêteur en dernier ressort. Les garanties apportées ont alors été jugées insuffisantes, semblant ouvrir la porte au défaut grec. Dès lors, la réduction rapide des déséquilibres, imposée comme ultime recours, a signé la résignation européenne à un chômage durablement élevé.

▰▰▰ Europe : la politique de l'emploi en retrait

Si les États ont réagi à la crise en recourant avant tout aux instruments de politique macroéconomique, la politique de l'emploi à proprement parler a été particulièrement timorée. Elle a porté sur quatre axes : le soutien aux revenus, les mesures visant à maintenir l'employabilité des demandeurs d'emploi, les exonérations de charges ciblées et le redéploiement de mesures « conjoncturelles ».

Les trois premiers types de mesures visent à amortir l'impact de la hausse du chômage sur la pauvreté et l'exclusion sociale. La plupart des pays ont ainsi élargi les conditions d'indemnisation du chômage dans la première phase de la crise. Dès 2009, la politique de l'emploi s'est également inscrite dans une optique d'employabilité et de sécurisation des parcours professionnels, *via* la formation et l'augmentation des moyens alloués aux organismes de placement – sans commune mesure toutefois avec la hausse spectaculaire du chômage. Toujours dans le but de lutter contre l'exclusion sociale des catégories les plus fragilisées, la plupart des gouvernements ont créé des subventions à l'emploi à travers notamment des allègements de charges ciblées sur certaines catégories de population (jeunes, chômeurs de longue durée…). Pour autant, si de telles mesures peuvent être efficaces pour orienter les embauches vers des populations choisies, on sait qu'elles se traduisent essentiellement par des effets d'aubaine et de substitution en situation de pénurie d'emploi.

En revanche, certains pays ont mobilisé des mesures conjoncturelles, avec un effet réel sur le chômage. La France par exemple a renforcé les dispositifs d'emplois aidés non marchands. Mais, surtout, on a vu le développement de diverses formes de partage du travail au creux de la crise : en Allemagne, où le chômage partiel a ainsi concerné jusqu'à 1,5 million de personnes, et dans une moindre mesure en Italie, en Belgique, en France…

Pour autant, ces politiques ont été de courte durée. Dès 2010, malgré des taux de chômage records, les pays de l'UE ont délaissé les outils conjoncturels, plus coûteux. Les regards se sont alors tournés vers les (rares) modèles de réussite en matière de lutte contre le chômage, à commencer par l'Allemagne.

▆▆▆▆ Le « miracle allemand » : la tentation du contournement

L'Allemagne s'est en effet imposée comme l'un des rares pays à avoir connu une baisse sensible du chômage entre 2007 et 2011 (– 2,1 points) malgré une récession d'une ampleur comparable à celle des autres pays européens.

Ce résultat s'inscrit dans un mouvement long, initié par les réformes du marché du travail – dites lois Hartz – mises en œuvre de 2003 à 2005. Répondant aux préconisations des institutions internationales, ces dernières comportent de nombreux volets. La première mesure majeure (Hartz II) a élargi en 2003 le secteur des emplois à temps très partiel, avec la création des « mini-jobs » et « midi-jobs ». Il s'agit d'emplois à la fois peu rémunérés – moins de 400 euros mensuels pour les « mini-jobs », entre 400 et 800 euros pour les « midi-jobs » – et exonérés d'une partie des cotisations sociales. Ils ouvrent par conséquent des droits très restreints en matière de santé et de retraite. Mais c'est la loi Hartz IV, en 2005, qui a reconfiguré en profondeur le marché du travail allemand. Le système d'indemnisation est devenu beaucoup plus restrictif, aux dépens surtout des chômeurs de longue durée qui se voyaient privés d'une partie de leurs allocations en cas de refus d'une offre d'emploi. De plus, ils pouvaient désormais être embauchés à des salaires inférieurs aux seuils fixés par les conventions collectives. Cette logique, dite d'activation, visait à ramener sur le marché du travail des chômeurs qui avaient par ailleurs la possibilité de cumuler indemnisation et très faibles revenus.

La baisse du chômage en Allemagne a donc abouti au développement d'emplois précaires et mal rémunérés, ne constituant finalement que l'autre face de la segmentation d'un marché du travail européen très protecteur pour les salariés couverts par des accords de branche. La flexibilité interne a profité aux mieux insérés, qui ont bénéficié d'un financement collectif tandis que les exclus étaient soumis à l'« activation ».

En définitive, on peut voir dans les réformes Hartz un contournement du problème du chômage, exclusivement partagé entre les exclus du marché du travail, dont les chances d'accéder à un emploi de qualité apparaissent tout aussi faibles que dans les autres pays européens. Sans véritable stratégie de croissance, la généralisation de la stratégie allemande reviendrait à céder à cette tentation du contournement au travers d'un nouvel arbitrage entre quantité et qualité de l'emploi au détriment de cette dernière – ce qui signifierait un renoncement à l'ambition affichée jusqu'alors dans la stratégie européenne de l'emploi.

Pour en savoir plus

M. Cochard, G. Cornilleau, E. Heyer, « Les marchés du travail dans la crise », *Économie et Statistique*, n° 438-440, juin 2011.

C. Erhel, « Les politiques de l'emploi en Europe : le modèle de l'activation et de la flexicurité face à la crise », *Économies et sociétés*, n° 8/2011.

OCDE, « Off to a Good Start ? Jobs for Youth », 2010.

La privatisation des fonctions économiques régaliennes en Europe

Gilles Raveaud
Maître de conférences en économie, Institut d'études européennes,
Université Saint-Denis-Paris-8

La crise déclenchée en 2008 par la faillite de la banque d'affaires Lehman Brothers aux États-Unis a conduit à un double paradoxe. D'une part, née aux États-Unis, c'est en Europe qu'elle se fait sentir le plus fortement en 2012. D'autre part, après avoir semblé disqualifier le capitalisme actionnarial, elle s'est « retournée » contre les États.

Comprendre l'enchaînement qui a conduit à cette situation implique d'abord de connaître les fondements institutionnels de l'euro, qui expliquent l'importance prise par les agences de notation dans la gestion des dettes publiques. D'autant que l'Union européenne (UE) a confié l'établissement des normes comptables à un organisme privé, et a cédé aux banques centrales un rôle prépondérant dans la réglementation des banques. Si l'UE a tenté, à partir de 2009, de réagir de manière à réguler les comportements de ces acteurs privés, les nouvelles autorités mises en place restent très éloignées du gouvernement économique qui permettrait aux dirigeants européens de se saisir de réels pouvoirs de régulation et de décision.

Des États-« Ulysse »

Initiée en 1957 avec la signature du traité de Rome, la construction économique européenne a connu deux tournants décisifs : le marché unique, mis en place en 1993, et l'euro, instauré en 1999. Sur le plan des idées, ces évolutions consacrent la fermeture de la « parenthèse keynésienne » : il convient de bâtir une économie de « libre concurrence », dans laquelle les acteurs privés pourront prendre les meilleures décisions possibles.

La mise en place de l'euro, en particulier, procède d'un mouvement sans précédent, dans lequel les États abandonnent leur monnaie antérieure et, de surcroît, renoncent à donner des « instructions » à la Banque centrale européenne (BCE), déclarée indépendante, de même que les banques centrales nationales (art. 107 du traité de Maastricht, signé en 1992).

Cette attitude des États peut se comprendre en référence à la fable d'Ulysse : tout comme le marin, les dirigeants politiques aiment le chant des sirènes (électorales). Mais, comme lui, ils savent que ces sirènes peuvent les amener à prendre des décisions néfastes, comme laisser filer les dépenses publiques ou accroître l'inflation, qui permet d'alléger le poids de leur dette. Les traités européens, ratifiés à l'unanimité des États membres, permettent donc aux chefs d'État et de gouvernement de se lier les mains pour s'obliger à mener les politiques jugées efficaces à « long terme ». Ce point a concerné en particulier la gestion des dettes publiques.

L'impératif de financement par les marchés

Lorsqu'un État est en déficit, il émet des obligations, achetées par les investisseurs (assurances, fonds de pension…) en contrepartie du versement ultérieur d'intérêts auquel il s'engage ainsi. Il peut cependant demander à la banque centrale de son pays d'acheter ces obligations. Ce mécanisme de la « planche à billets » a été interdit par le traité de Maastricht :

selon la clause dite de « non-renflouement » (*no bailout*), la BCE n'a pas la possibilité de financer un État déficitaire.

Cette règle a pour effet de contraindre les États membres de la Zone euro à placer leur dette auprès des épargnants. Sans cette clause, la crise de l'euro n'aurait pas eu lieu – tout comme il n'y a pas eu de crise du dollar ou de la livre sterling parce que les investisseurs savent que les banques centrales du Royaume-Uni et des États-Unis ont le droit d'acheter les obligations émises par leur État.

Certes, la BCE a procédé à des achats d'obligations d'État sur le marché dit « secondaire », c'est-à-dire auprès d'investisseurs qui en possédaient déjà. Ce faisant, elle a contourné l'esprit du traité de Maastricht, en soutenant par ses rachats la valeur des obligations souveraines grecques, italiennes ou portugaises. Cette action s'est toutefois révélée insuffisante : engagée en mai 2010, elle n'a pas mis fin à la crise de l'euro, tandis que les agences de notation pèsent de plus en plus sur la capacité des États de la Zone euro à emprunter.

Des États mal notés

Car les notes attribuées par les agences (privées) de notation aux investisseurs ont pour effet de résumer la qualité de l'emprunteur. Meilleure sera la note, plus nombreux seront les investisseurs à vouloir prêter, et plus l'emprunteur bénéficiera d'un bas taux d'intérêt.

Au début de l'année 2012, les agences Standard and Poor's et Moody's ont dégradé la note de plusieurs pays de l'UE. Selon la première, la réduction des dépenses publiques décidée dans le cadre de programmes d'austérité « risque de devenir contre-productive » puisqu'elle réduira les dépenses privées et donc les revenus fiscaux des États. La seconde a pointé l'« incertitude » pesant sur « les réformes institutionnelles du cadre fiscal et économique de la Zone euro ». Concernant la France, Moody's a par ailleurs estimé que les difficultés budgétaires du pays s'expliquaient notamment par sa « réticence passée à [se] réformer ».

D'aucuns critiquent les agences de notation, relevant qu'elles ont accordé la note « AAA » aux produits financiers *subprimes* à l'origine de la crise. De plus, les agences jouent un rôle actif de « faiseurs de marché », ce qui, selon l'économiste André Orléan, « reflète l'impuissance des autorités politiques à faire valoir une autre vision du monde ».

C'est pourquoi le commissaire européen au Marché intérieur, Michel Barnier, ainsi que le ministre des Affaires étrangères allemand, Guido Westerwelle, se sont prononcés au début de l'année 2010 en faveur de la création d'une agence européenne alternative aux trois grandes agences américaines (Fitch, Moody's et Standard and Poor's). Le Parlement européen, dans une résolution du 8 juin 2011, avait également appelé la Commission à évaluer la possibilité de créer une Fondation européenne de notation du crédit.

Mais ces initiatives ont été rejetées par le président de la Commission européenne José Manuel Barroso, qui a affirmé le 6 septembre 2011 qu'il n'y avait « pas d'intention de créer une quelconque agence ». Cette position est cohérente avec les politiques de désengagement menées jusque-là par l'Union, qui a, par exemple, adopté des normes comptables définies par un organisme privé.

Une évaluation privée des entreprises

Le 1er janvier 2005, les entreprises européennes ont dû adopter les normes comptables émises par l'International Accounting Standards Board (IASB, « Bureau international des normes comptables »), un organisme international privé. Ces normes comptables dites « IFRS » (International Financial Reporting Standards, « Normes internationales d'information financière ») sont conçues pour informer les actionnaires de la valeur des entreprises. Elles reposent sur l'idée de « juste valeur », selon laquelle le montant des richesses possédées par l'entreprise doit être calculé à partir de leur valeur de marché, qui varie constamment. Une méthode de calcul qui s'oppose à celle utilisée en France, selon laquelle la valeur de l'actif est égale à son prix d'achat (et est donc fixe). De plus, ces normes ne partagent pas l'objectif plus large, habituel en Europe occidentale, d'information de l'ensemble des parties prenantes : dirigeants, salariés, actionnaires, mais aussi État et collectivités publiques.

Pour les sociologues Ève Chiapello et Karim Medjad, cette situation est tout à fait singulière, l'IASB devenant « le premier organisme indépendant de l'histoire à produire des normes universelles et impératives ». Pour ces auteurs, cette situation s'explique d'abord par le refus des États d'abandonner leurs pratiques nationales. Les éléments déclencheurs auront ensuite été l'internationalisation des entreprises et le marché unique européen des services financiers, qui ont rendu nécessaire l'adoption d'un cadre comptable unique.

Les États européens ont alors préféré adopter des normes produites par un organisme privé international, jugé plus « neutre », plutôt que d'adopter celles des États-Unis. Et la Commission européenne a agi « en urgence », promulguant en 2002 un « règlement sur l'application des normes comptables internationales » (n° 1606/2002). Or un règlement, d'application directe et identique dans les États membres, permet d'agir vite, au contraire d'une directive dont la transposition dans le droit national est lente et différenciée selon les pays.

Dans le secteur bancaire en revanche, les normes de régulation sont produites par des acteurs publics, les superviseurs des banques centrales.

Les banques : les limites de l'autorégulation

En 1975, les gouverneurs des banques centrales des dix pays les plus industrialisés se sont réunis afin de créer le Comité de Bâle sur le contrôle bancaire. Regroupant vingt-sept pays en 2011, ce comité a établi des normes de régulation bancaire adoptées depuis par une centaine d'États.

Les deux premiers « accords de Bâle », signés en 1988 et en 2004, ont eu pour effet principal d'imposer aux banques de détenir un minimum de ressources (« fonds propres ») pour faire face au non-remboursement des crédits qu'elles accordent, ainsi qu'aux pertes qu'elles pourraient subir dans leurs activités de marché, comme la détention d'actions.

Cependant, John Eatwell, président du Queen's College (Cambridge, Royaume-Uni), mettait en garde dès 2002 contre l'accord « Bâle II » qui, en recourant à l'autocontrôle, allait selon lui « aggraver les choses lorsqu'une crise se produirait ». Les banques ont en effet été autorisées à développer leurs propres modèles de calculs, ce qui a accru leurs prises de risques et limité les possibilités de contrôle externe. De plus, elles ont évalué la valeur des titres qu'elles détenaient « au prix du marché » – suivant la même logique que les normes comptables IASB. De ce fait, au moment de la crise boursière de 2007-2008, lorsque la valeur des titres a chuté sur les marchés, la rentabilité des banques s'est elle aussi effondrée, ce qui a déclenché une crise bancaire.

Pour faire face à ces difficultés, un accord « Bâle III » a été publié le 16 décembre 2010. Appliqué progressivement dans l'UE à partir du 1er janvier 2013, l'accord impose aux banques de détenir suffisamment de ressources dites « liquides » – disponibles immédiatement – et d'accroître leurs fonds propres (ratio de solvabilité à 7 %). Si ces mesures semblent constituer un progrès, elles sont en réalité très en deçà des propositions initiales, avec des exigences réduites et un calendrier étalé jusqu'en 2019, en raison du lobbying efficace des banques, opposées à toute réglementation au nom de la préservation de leur capacité à prêter à l'économie.

De fait, ces mesures ont été jugées insuffisantes par les autorités européennes, qui ont décidé d'aller plus loin.

Vers de nouvelles régulations ?

Dans la perspective de regagner du terrain, l'action de l'UE s'est d'abord portée dans le domaine comptable, où elle a obtenu, le 1er janvier 2009, la création d'un « Conseil de surveillance » de l'IASB, dans lequel la Commission siège de plein droit. Mais, comme le relèvent È. Chiapello et K. Medjad, cette avancée ne modifie pas le fonctionnement de cet organisme principalement financé par les grands cabinets de conseil américains, et qui échappe à toute obligation de rendre des comptes.

L'Union a surtout agi dans les domaines bancaire et financier, avec l'établissement de trois nouvelles institutions le 1er janvier 2011. Tout d'abord, l'UE a créé l'Autorité bancaire européenne (EBA selon le sigle anglais), composée des régulateurs nationaux. L'Autorité est allée plus loin que l'accord « Bâle III » en demandant aux banques européennes de porter le niveau minimum de fonds propres à 9 % de l'ensemble de leurs activités. Selon l'EBA, la majorité des établissements ont répondu à cette exigence sans pour autant réduire leurs prêts à l'économie. De plus, l'adoption d'une directive sur les exigences de fonds propres (dite « Capital Requirements Directive IV ») devait être débattue en 2012, afin d'inscrire dans la loi européenne les recommandations du Comité de Bâle.

Ensuite, la nouvelle Autorité européenne des marchés financiers a été instaurée afin, selon Michel Barnier, d'« établir des règles européennes en matière financière » et de « faire toute la transparence sur les marchés ». Enfin et surtout, un Conseil européen du risque systémique (CERS), composé des gouverneurs des banques centrales et dirigé par le président de la BCE, a été établi pour prévenir les dérives spéculatives. Ces institutions sont complétées par l'Autorité européenne des assurances et des pensions professionnelles, instaurée en novembre 2010, qui vise à renforcer la surveillance des groupes transfrontaliers, à protéger les consommateurs et à harmoniser l'application des règles européennes.

Selon Christian Chavagneux, rédacteur en chef de la revue *L'Économie politique*, ces autorités « disposent sur le papier de quoi jeter les bases d'une véritable gouvernance financière européenne ». Et, en effet, le Parlement européen a adopté le 15 novembre 2011 une directive interdisant les « CDS à nu » (*credit default swaps*), ces produits financiers permettant de spéculer sur la dette d'un État sans posséder de titres de cette dette. De plus, des discussions étaient en cours en février 2012 afin de mieux encadrer certains marchés, comme les produits « dérivés », qui échappent fréquemment au contrôle des autorités financières.

Un gouvernement économique hors de portée ?

Au final, au sein de l'UE, les régulations économiques échappent largement aux acteurs étatiques et communautaires. Certaines normes comme les procédures comptables des entreprises ou les notes attribuées aux dettes publiques sont le fait d'institutions privées telles que l'IASB et les agences de notation.

Dans le domaine bancaire et financier, ce sont les banques centrales qui, indépendamment des gouvernements, définissent les normes et établissent des procédures de surveillance afin de garantir la stabilité des marchés financiers. Du fait de la crise, le pouvoir et les responsabilités des banques centrales se sont notablement accrus. L'avenir dira si elles seront capables d'éviter de nouvelles crises financières.

Cependant, même si elles devaient être efficaces dans leurs domaines respectifs, les autorités créées en 2011 ne constituent pas une amorce de gouvernement économique européen. De plus, lorsque les États définissent une politique budgétaire commune, c'est dans le sens d'une limitation de leurs capacités d'action, abandonnant ainsi le contrôle de leur ultime levier de régulation économique : c'est ce que prévoit le Traité sur la stabilité, la coordination et la gouvernance signé début mars 2012 par vingt-cinq des vingt-sept États membres.

Focalisée sur le bon fonctionnement des marchés, la gouvernance économique européenne, même réformée, ne répond pas aux exigences sociales et environnementales actuelles. Ce vide, joint aux difficultés présentes et à venir, est susceptible de conduire à un rejet croissant du processus de construction européenne – à moins que des décisions à la hauteur des attentes ne soient prises.

Pour en savoir plus

BANQUE DES RÈGLEMENTS INTERNATIONAUX, page consacrée à l'accord Bâle III, <http://www.bis.org/bcbs/basel3/compilation.htm> [consulté le 20 mars 2012].

CH. CHAVAGNEUX, *Une brève histoire des crises financières*, La Découverte, Paris, 2011.

È. CHIAPELLO, K. MEDJAD, « La privatisation des normes comptables européennes, entre succès et remords », *in* CH. BESSY, TH. DELPEUCH, J. PÉLISSE (sous la dir. de), *Droit et régulations des activités économiques : perspectives sociologiques et institutionnalistes*, LGDJ, Paris, 2011, p. 239-252.

J. EATWELL, « Basel II : The regulators strike back », *The Observer*, 9 juin 2002.

MOODY'S INVESTOR SERVICE, *Rating Action : Moody's adjusts ratings of 9 European sovereigns to capture downside risks*, <www.moodys.com>, 13 février 2012 [consulté le 2 mars 2012].

J. MORANGE, « À Bâle, les banquiers préparent... leurs futurs banquets », <http://dessousdebruxelles.ellynn.fr>, octobre 2010 [consulté le 19 mars 2012].

A. ORLÉAN, « Dans la zone euro, c'est le marché qui gouverne », entretien avec Frédéric Joignot, *Le Monde*, supplément *Culture et Idées*, 22 janvier 2012.

L. SCIALOM, *Économie bancaire*, La Découverte, Paris, 2007.

STANDARD AND POOR'S, *Credit FAQ : Factors Behind our Rating Actions on Eurozone Sovereign Governments*, <www.standardandpoors.com>, 13 janvier 2012 [consulté le 2 mars 2012].

Le rôle central des MBA et des transformations de l'enseignement de l'économie dans la mondialisation néolibérale

Georges Corm
Économiste, professeur à l'Université Saint-Joseph de Beyrouth

L'évolution imprimée aux systèmes académiques dans le monde au cours des trente dernières années est capitale pour comprendre comment la globalisation économique sur le mode néolibéral a connu une telle vigueur et une telle extension dans le monde.

La généralisation de l'ouverture des marchés et de leur dérégulation, mais aussi la glorification concomitante du profit comme clé du bonheur de l'humanité ont été soutenues par l'armée de cadres d'entreprises multinationales, eux-mêmes de toutes les nationalités. Ceux-ci ont, en effet, été formés en vue de répandre l'idéologie néolibérale et ses principaux axiomes : la liberté des marchés comme seul régulateur de l'activité économique, la recherche de la maximisation du profit comme principe rationnel de base de toutes les activités humaines, le retrait de l'État de ses fonctions économiques principales qui introduiraient des distorsions nocives dans le fonctionnement des marchés. Dans cette idéologie, les marchés sont censés s'autocorriger par eux-mêmes, grâce à l'activité des spéculateurs professionnels qui exploitent les écarts pouvant exister entre les cours dans le temps ou dans l'espace.

La formation des bataillons de partisans de la globalisation néolibérale

En fait, nous avons assisté à une augmentation spectaculaire des formations dites de « gestion des affaires », dispensées à grands frais dans des institutions universitaires prestigieuses, autrefois célèbres par leurs activités dans le domaine des sciences exactes ou des sciences humaines.

Le Master of Business Administration (MBA) est ainsi devenu un diplôme d'une importance capitale pour accéder aux salaires substantiels des sociétés multinationales, lesquelles ont elles-mêmes participé au financement de ces nouvelles formations. C'est pourquoi même des professionnels déjà formés dans d'autres disciplines – ingénieurs, avocats, économistes ou informaticiens – ont senti la nécessité d'acquérir un MBA de l'une des grandes universités anglo-saxonnes prestigieuses (Oxford, Cambridge, Princeton, Chicago…), afin de valoriser encore plus leur carrière sur le marché international des compétences.

En France, les grandes écoles de commerce se sont considérablement développées, de même que l'École des hautes études commerciales (HEC). Même les pays émergents ont ouvert de grandes écoles de commerce ou des affaires (Inde, Chine, Brésil, etc.). Le nombre de ces écoles dans le monde a ainsi atteint le chiffre de 3 685 en 2009, cependant qu'au cours des trente dernières années quatre millions de personnes ont obtenu des diplômes en gestion des affaires rien qu'aux États-Unis. Il s'agit bien d'une véritable armée de partisans convaincus de la supériorité des croyances qui leur ont été inculquées.

▄▄▄▄▄ La mise en équation mathématique du monde économique

Cette armée n'est d'ailleurs pas la seule. En effet, l'enseignement de l'économie a connu un changement drastique des programmes et de leur contenu. Ce changement s'est réalisé à la faveur du choix des économistes à qui a été attribué le « prix Nobel » d'économie [1], créé en 1968.

Le choix s'est massivement porté sur des économistes néolibéraux purs et durs tels que Friedrich Hayek et Milton Friedman, fondateur de l'école de Chicago, ainsi que sur des économistes quantitativistes et économétriciens, tels Jan Tinbergen ou Paul Samuelson, John Hicks, Lawrence Klein, Gérard Debreu, Franco Modigliani et tant d'autres. Ces derniers ont travaillé sur la mise en équation mathématique du monde économique et notamment des comportements des agents économiques, supposés rationnels par définition.

Les risques de développement d'une pensée économique uniforme et abstraite ont pourtant été très vite repérés : « […] La majorité des Nobel sont des élèves fidèles à la tradition, peu enclins à l'originalité théorique, à l'imagination vagabonde, à l'irrespect. L'usage des mathématiques apparaît au public comme un heureux garde-fou et comme une garantie de scientificité et de sérieux. Mais non comme le souci de prendre en compte la réalité. La plupart des Nobel se sont rencontrés au sein de la Cowles Commission for Research in Economics, sise à l'université de Chicago, où dominent les statistiques, les modèles mathématiques et l'économétrie. Là, ils ont appris à se

---

1   En fait le « prix de la Banque de Suède en sciences économiques ».

connaître, à s'apprécier et éventuellement à débattre des résultats de leurs diverses investigations, et même à travailler ensemble [1]. »

Désormais, l'économie cesse d'être « économie politique » pour devenir une « science » mathématique abstraite qui prétend pouvoir saisir le comportement individuel des agents économiques, un *homo œconomicus* décontextualisé socialement et historiquement.

L'enseignement de la macroéconomie tend à s'effacer au profit de la microéconomie – l'hypothèse néolibérale de base qui anime toutes les nouvelles techniques de modélisation des comportements étant qu'il est possible de réaliser l'équilibre pur et parfait des marchés dont avaient rêvé les économistes néoclassiques à la fin du XIXe siècle et au début du XXe siècle. Le keynésianisme est banni des enseignements d'économie et condamné comme hérétique, car appelant à des interventions néfastes de l'État dans l'économie et dans le fonctionnement des marchés.

Désormais, l'économiste est d'abord un mathématicien qui met le monde en équations plus ou moins sophistiquées. Le règne de l'abstraction et de la rationalité mathématicienne domine. C'est une économie-fiction qui est maintenant enseignée, se targuant du titre pompeux de « science économique », en lieu et place des riches enseignements de l'économie politique.

Cette évolution dans l'enseignement de l'économie vient légitimer celle qui affecte l'enseignement en pleine extension de la « gestion des affaires », qui fait elle-même abstraction de tout contexte humain, social et politique, pour n'avoir qu'un seul but : maximiser les profits des firmes et des produits financiers que développe la financiarisation de plus en plus poussée de l'économie.

Pour être un bon gestionnaire d'affaires, il faut aujourd'hui savoir promptement délocaliser les unités de production vers les centres urbains à bas coût de main-d'œuvre ; mais aussi dégraisser les effectifs d'ouvriers et d'employés, même si les bénéfices de l'entreprise sont en expansion. Il faut aussi savoir rapidement racheter une entreprise en difficulté dans la course au gigantisme des firmes multinationales et dans leur jeu de puissance ; et « placer » habilement la trésorerie de l'entreprise ou celle des fonds de pension du personnel en profitant de toutes les occasions de gain par spéculation boursière.

L'entreprise n'a plus désormais de responsabilité sociale dans la vie des sociétés humaines : sa responsabilité exclusive est la maximisation du profit et l'évolution positive des cours de Bourse de ses actions.

---

1   *Les Nobel de l'économie*, livre cadeau, La Découverte, Paris, 1985.

■■■■ Globalisation et marketing appliqués au monde académique

Par ailleurs, la mondialisation ayant favorisé la mobilité étudiante, il est intéressant de constater aussi que près d'un étudiant expatrié sur quatre était inscrit en 2007 en gestion des affaires, soit 700 000 futurs diplômés au service de la globalisation économique et de l'idéologie qui l'anime ; 21 % d'entre eux l'étaient dans des universités aux États-Unis. Les programmes de l'enseignement en gestion des affaires sont partout similaires, car il s'agit de gestion normalisée et standardisée aux besoins de la globalisation économique pour laquelle le monde entier est un seul et unique marché mondial dérégulé. La régulation, le protectionnisme d'industries naissantes, les protections sociales du monde du travail sont vus comme des hérésies d'un âge passé.

Il faut remarquer ici un fait inhabituel et nouveau dans le monde académique : l'usage de la publicité pour vanter les avantages que les diplômes de « *business administration* » peuvent procurer à ceux qui les obtiennent.

Ces diplômes sont ainsi vantés à coups de placards publicitaires dans les grands organes de la presse économique et financière, tels que l'hebdomadaire britannique *The Economist* ou le quotidien *The Financial Times*. Ce dernier procède de plus à un classement annuel de l'excellence de ces MBA que délivrent universités prestigieuses ou instituts spécialisés.

Un tel système de classement influe considérablement sur la notoriété des institutions « académiques » qui délivrent ces MBA. Il pousse évidemment à la hausse le montant faramineux des droits d'inscription annuels qui, désormais, dépassent facilement 100 000 dollars. Il y a donc là une source d'enrichissement pour les institutions qui délivrent ces diplômes donnant accès aux plus hauts salaires payés sur le marché international des cols blancs.

Les banques américaines ont d'ailleurs depuis longtemps mis en place des prêts pour ce genre d'études, sachant que les diplômés auront la capacité financière requise pour rembourser sans difficultés, leur salaire initial variant entre 100 000 et 500 000 dollars annuels, sans compter les bonus qui viennent s'y ajouter, notamment lorsqu'on est recruté dans le secteur bancaire ou dans celui des fonds de placement.

Comme le soulignait un article paru dans *Le Temps* le 24 février 2012, « quand on se décide à interrompre son activité et à dépenser près de 70 000 francs [environ 60 000 euros] pour un diplôme de management, on espère forcément en avoir pour son argent. Les employés qui se lancent dans un Master of Business Administration (MBA) le reconnaissent : ils veulent donner un coup de fouet à leur salaire. [...] Deux années sont-elles suffisantes pour rentrer dans ses frais ? Tout dépend de l'école qui délivre le titre. Les étudiants, qui payent souvent eux-mêmes leur formation, se ruinent parfois pour des diplômes d'écoles inconnues qui ne seront pas reconnus sur le marché du travail ».

Ces mêmes universités ou instituts délivrent aussi des diplômes dits « exécutifs » pour les cadres du monde de la finance ou de l'industrie internationale. Ils sont de durée courte, variant de deux jours à quelques semaines et ont pour objectif de mettre à jour les cadres déjà en activité sur les dernières techniques et gadgets de la gestion des affaires pour leur éviter de devenir obsolescents dans leur connaissance et leur modes de gestion des affaires par rapport aux jeunes diplômés qui entrent sur le marché du travail.

▨▨▨ L'économie réelle en souffrance

En fait, les MBA et formations complémentaires sont essentiellement axés sur l'enseignement des modèles quantitatifs de prévisions de vente, d'évolution des cours de Bourse et de ceux des innombrables produits financiers dérivés créés pour se protéger des risques permanents de fluctuations des valeurs, dans un monde économique devenu le monde de l'incertain (fluctuations du cours des devises, des cours de change, de ceux des matières premières, des cours de Bourse, des niveaux de taux d'intérêt, des prix d'assurance contre le risque de défaut des débiteurs étatiques ou privés, etc.).

Il faut donc être mathématicien pour bien réussir dans de telles études, d'où sont évacuées les matières traditionnelles de culture générale (lettres, histoire, sociologie, philosophie). En effet, les plus gros salaires payés sont désormais – et ce malgré la crise bancaire de 2008-2009 – ceux des mathématiciens des affaires qui élaborent des programmes sophistiqués d'ordinateur qui se substituent à la décision individuelle pour décider des achats et ventes d'actions, d'obligations, d'options d'achat ou de vente, au comptant ou à terme, d'actifs financiers ou de matières premières, mais aussi d'instruments financiers et boursiers ou d'index boursiers. Ce sont ces programmes qui ont d'ailleurs été en partie à l'origine de la crise de 2008-2009 qui n'en finit plus de rebondir.

La financiarisation massive des économies et le développement des rentes de spéculation qu'elle a créées ne sont pas prêts de disparaître, en dépit des malheurs dont ils sont responsables. En dehors de quelques réformes de façade aux États-Unis et en Europe, le monde de la spéculation et du profit rentier reste maître et toute faiblesse économique d'un État est exploitée sans vergogne par tous ces piliers de la globalisation économique. Ceux-ci continuent de jouir de l'estime et de la faveur des médias et des décideurs politiques, à l'abri de la légitimité que leur donnent le credo néolibéral et les grandes institutions financières internationales, telles que le FMI, la Banque mondiale ou l'Union européenne.

En réalité, cela s'explique par les contingents de gardiens de cette ortho-doxie néolibérale que les universités produisent depuis des années aux quatre coins du monde. Tous les diplômés d'économie et de gestion des affaires sont prisonniers des croyances axiomatiques qui leur ont été incul-quées. Pour eux, un monde différent de celui dans lequel ils vivent depuis des décennies n'est pas concevable. On ne peut donc leur demander de changer leur structure de pensée et leur mode de perception de la réalité totalement déformés par le credo néolibéral.

C'est à une réforme du contenu de l'enseignement académique en économie et en gestion des affaires qu'il faudrait pouvoir s'attaquer afin qu'une nouvelle génération de diplômés puisse émerger, dont les horizons intellectuels ne soient pas aussi bornés et abstraits, totalement étrangers aux maux dont souffre l'économie réelle et aux déstructurations spatiales et socioéconomiques d'un monde qui ne s'occupe plus que du « climat des affaires », de la liberté des marchés et des profits boursiers.

À n'en pas douter, une telle réforme n'est pas encore à l'ordre du jour. Combien d'autres crises économiques douloureuses faudra-t-il pour que les responsables des enseignements académiques d'économie et de gestion des affaires prennent conscience de la nécessité d'une telle réforme ?

Pour en savoir plus

A. D'AUTUME, J. CARTELIER (sous la dir. de), *L'économie devient-elle une science dure ?*, Economica, Paris, 1995.

G. CORM, *Le Nouveau Gouvernement du monde. Idéologies, structures et contrepouvoirs*, La Découverte, Paris, 2010.

F. NOIVILLE, *J'ai fait HEC et je m'en excuse*, Stock, Paris, 2009.

Le système agricole et alimentaire accaparé au détriment de l'intérêt général

Stéphane Parmentier
Chargé de recherche et plaidoyer « souveraineté alimentaire »
pour Oxfam-Solidarité, chercheur associé à Etopia, consultant indépendant [1]

« Je travaille depuis vingt ans dans une organisation multilatérale qui tente de [favoriser] de bonnes pratiques agricoles, mais les véritables questions ne sont pas abordées par le processus politique à cause de l'influence des lobbyistes, des entités qui détiennent le vrai pouvoir. » Ces propos ont été énoncés à Londres le 20 septembre 2010 par Samuel Jutzi, alors directeur de la Division de production et de santé animales à l'Organisation des Nations unies pour l'alimentation et l'agriculture (FAO). Il intervenait dans le cadre du forum annuel de l'ONG Compassion in World Farming, organisé sur le thème du « vrai coût du bœuf issu de l'élevage industriel ». S. Jutzi entendait dénoncer le rôle majeur de lobbies agroalimentaires dans le blocage de réformes destinées à rendre l'industrie de l'élevage plus respectueuse de la santé et de l'environnement.

Le problème de fond soulevé par S. Jutzi ne vaut pas juste pour le secteur de l'élevage et ne concerne pas uniquement la FAO. Partout dans le monde, diversement au sein des instances nationales, régionales et internationales compétentes dans tous les domaines participant à la dynamique du système agricole et alimentaire, une minorité d'acteurs privés exercent le plus souvent une influence considérable sur les décisions susceptibles de remettre en cause leurs intérêts. Il ne s'agit pas seulement d'entreprises agroalimentaires, mais aussi de compagnies financières, pétrolières ou automobiles par exemple.

Leur influence sur les processus décisionnels nuit gravement à la durabilité du système agricole et alimentaire : sa capacité à nourrir le monde, préserver la biodiversité, lutter contre le changement climatique, fournir des emplois décents… La réforme du système financier aux États-Unis illustre bien cette réalité.

---

1   <www.agriculture-viable.net>.

Réguler la spéculation financière pour lutter contre la faim ?

La flambée des prix agricoles de 2007-2008 a aggravé la crise alimentaire en plongeant plus de cent millions de personnes supplémentaires dans la sous-alimentation – sur plus d'un milliard d'affamés au total en 2009, selon la FAO.

La spéculation sur les produits dérivés agricoles a joué un important rôle dans cette flambée. La réguler est donc essentiel pour lutter contre la faim. Des initiatives lancées aux États-Unis et en Europe en réponse à la crise financière de 2008 doivent y contribuer. Après une dérégulation des marchés financiers initiée dès les années 1980, les États-Unis sont les premiers à avoir réagi.

Le 21 juillet 2010, le président Barack Obama signait le *Dodd-Frank Wall Street Reform and Consumer Protection Act*. Très controversée, cette loi charge l'agence responsable de la régulation des marchés de produits dérivés de matières premières, la Commodity Futures Trading Commission (CFTC), d'établir des règlements visant à empêcher la spéculation excessive. Appelés « limites de position », ces derniers ont pour but de plafonner le nombre de contrats à terme qu'un même participant peut détenir sur ces marchés [1]. Une autre mesure importante est la « règle Volcker », qui interdit aux banques de faire du négoce pour compte propre et de posséder des participations dans des fonds spéculatifs ou de capital-investissement.

Sans nécessairement suffire, ces mesures font sens pour réguler la spéculation financière. Pas étonnant dès lors que les plus grandes banques d'investissement, sociétés de négoce des denrées alimentaires et autres entreprises privées spéculant sur les marchés de produits dérivés s'y soient vigoureusement opposées, déployant à cet effet des moyens impressionnants. Pour la seule période précédant l'adoption de la loi en juillet 2010, Wall Street a employé deux mille lobbyistes à Washington dans le cadre d'une campagne de 600 millions de dollars.

Si ces efforts n'ont pas empêché l'adoption de la loi, ils ont réussi à en affaiblir la portée. La règle Volcker, par exemple, autorise finalement les banques à investir jusqu'à 3 % de leurs capitaux propres dans des fonds spéculatifs ou de capital-investissement. Mais les débats sur sa mise en œuvre après le vote témoignent encore bien plus du poids des lobbies de la finance ou de l'agroalimentaire dans les prises de décision. L'enjeu est de taille. Au total, trois cent quatre-vingt-sept règles doivent être transcrites dans des

---

1   Les contrats à terme sont des engagements à acheter ou à vendre un actif donné dans des conditions (quantité, qualité, lieu et date de livraison) standardisées. Seul le prix est négocié. Échangés sur les marchés à terme, ils débouchent rarement sur une livraison physique de la marchandise.

modalités concrètes d'application et ce sont elles qui feront ou non du *Dodd-Frank Act* un moyen de lutte efficace contre la spéculation excessive. Travail titanesque pour la CFTC, surtout au vu de délais assez courts.

C'est pourquoi le président Obama proposait début 2011 de porter le budget de l'agence à 308 millions de dollars, soit une hausse de 82 %. Sans surprise, Wall Street a fait pression pour que les ressources de la CFTC restent au contraire insuffisantes.

Les élections législatives de mi-mandat en novembre 2010 lui ont facilité la tâche. Selon ABC News et le Center for Responsive Politics [1], au cours du premier semestre 2010, Wall Street a sponsorisé deux fois plus les candidats républicains, opposés au *Dodd-Frank Act*, que leurs homologues démocrates. Forts de ce soutien, les républicains ont repris en novembre 2010 le contrôle de la Chambre des représentants qui, à peine trois mois plus tard, a proposé de réduire d'un tiers le budget de la CFTC. Le Congrès a finalement décidé de l'augmenter de 20 % pour l'année fiscale 2011, mais cela reste très insuffisant.

Manquant cruellement de moyens, la CFTC a pris beaucoup de retard dans l'application de la réforme. Ce retard s'explique aussi par le lobbying direct des acteurs du marché. « Les parties prenantes, notamment les grandes banques, poussées par la peur de perdre des profits, ont envoyé plus de vingt et un mille commentaires à la CFTC », observait en juillet 2011 Michael Greenberger, ancien directeur de la division du négoce et des marchés à la CFTC. Goldman Sachs, Chicago Mercantile Exchange et BlackRock figurent parmi les sociétés les plus actives.

Wall Street a également eu recours aux menaces de poursuites légales pour saboter la réforme. Plusieurs groupes commerciaux et financiers ont utilisé cette stratégie pour remettre en cause le principe des limites de position. En décembre 2011, la Securities Industry and Financial Markets Association (Sifma) et l'International Swaps and Derivatives Association (ISDA), deux associations de professionnels de produits dérivés, sont passées à l'acte : elles ont attaqué en justice la CFTC pour l'établissement d'une règle, votée deux mois plus tôt, établissant des limites de position sur vingt-huit matières premières dont neuf produits agricoles. Selon elles, l'agence n'aurait pas démontré la réelle nécessité de la règle, ni procédé à une analyse coûts-avantages de son application comme l'y oblige le *Dodd-Frank Act*. La seule peur de poursuites légales a incité plus d'une fois la CFTC à reporter le vote de limites de position. Plus grave, elle a abouti à l'adoption de limites bien trop élevées pour prétendre dissuader la spéculation excessive.

---

1   Organisme à but non lucratif qui se fixe pour objectif d'établir une « traçabilité » de l'argent en politique.

Les modalités d'application de la règle Volcker ont elles aussi fait l'objet d'un intense lobbying du secteur financier. JPMorgan Chase, Morgan Stanley et d'autres banques états-uniennes ont privilégié une double stratégie à ce niveau. Au motif de préserver la compétitivité de l'économie des États-Unis, elles ont d'abord fait pression sur la Réserve fédérale et d'autres agences régulatrices pour que la règle soit étendue à certaines banques ou sociétés non bancaires étrangères. Le projet de mise en œuvre publié le 11 octobre 2011 étend ainsi la règle à des banques étrangères possédant une succursale, une agence ou une filiale aux États-Unis, ainsi qu'à toute société dont au moins 25 % du capital sont détenus par une banque étrangère remplissant l'une de ces conditions.

Dans un second temps, les mêmes banques ont alerté les ambassades des gouvernements étrangers à Washington des impacts négatifs que la règle Volcker aurait pour leurs pays. Le risque majeur ? Une moindre attractivité des obligations d'État induisant une baisse de leurs cours, la hausse de leurs taux d'intérêt et donc des dettes souveraines des États, avec tous les impacts socioéconomiques susceptibles d'en découler.

Les réactions en provenance de l'étranger ne se sont pas fait attendre. Début 2012, de nombreux officiels incluant les ministres canadien, britannique et japonais des Finances, ou encore Michel Barnier, le commissaire européen au Marché intérieur et aux Services, ainsi que des douzaines de prêteurs étrangers, ont exigé des régulateurs qu'ils revoient leur copie. Ces derniers, s'ils estiment ne pas disposer d'une marge de manœuvre suffisante pour répondre aux demandes étrangères, pourraient mettre la question à l'agenda du Congrès, risquant une totale révision de la règle Volcker.

Enfin, depuis 2011, Goldman Sachs, Morgan Stanley, JPMorgan Chase, Citigroup et Bank of America ont fait pression auprès des régulateurs pour que leurs opérations outre-mer de négoce de produits dérivés soient exemptes du *Dodd-Frank Act*. Le 30 janvier 2012, le groupe d'information économique Bloomberg annonçait que si ces banques, qui bénéficient d'un nombre croissant d'alliés au sein du Congrès et auprès des régulateurs, devaient parvenir à leurs fins, c'est plus de la moitié de leurs opérations de négoce de produits dérivés qui échapperaient au *Dodd-Frank Act*...

La règle générale plus que l'exception

La régulation du système financier aux États-Unis n'est pas un fait isolé. De nombreux autres exemples témoignent de l'influence majeure d'une poignée d'acteurs privés sur le système agricole et alimentaire, dans des domaines aussi variés que les politiques agricoles, commerciales, énergétiques, foncières, climatiques, de concurrence ou d'investissement.

Sur le plan énergétique, l'industrie des agrocarburants a obtenu une victoire majeure avec l'adoption en 2009 de la directive européenne sur les énergies renouvelables. Celle-ci inclut un objectif d'incorporation de 10 % d'énergies renouvelables dans les transports d'ici 2020, dans la pratique composées essentiellement d'agrocarburants. Cette politique incitative offre de belles perspectives de croissance pour les entreprises concernées, notamment actives dans les secteurs agroalimentaire, biochimique, pétrolier et automobile qui nourrissent tous des intérêts divers dans le développement des agrocarburants.

Pour les populations vulnérables et marginalisées du Sud, les perspectives sont moins heureuses. En dopant la demande et les importations européennes d'agrocarburants, la directive européenne contribue à leur extrême pauvreté et à leur insécurité alimentaire, à la fois en favorisant des hausses soudaines de prix alimentaires prohibitives pour les consommateurs les plus pauvres et en exerçant une pression accrue sur des millions d'hectares de terre en Afrique, en Asie ou en Amérique latine aux dépens des moyens de subsistance des communautés locales.

Et cela sans que la lutte contre le changement climatique s'en trouve renforcée. De nombreuses études mettent en effet en doute l'intérêt des agrocarburants pour atténuer le changement climatique, soulignant que leur développement pourrait même conduire à accroître les émissions nettes de gaz à effet de serre (GES).

Les sociétés civiles africaines et européennes plaident donc pour l'abandon de l'objectif des 10 %. Une demande d'autant plus légitime qu'en son article 17 la directive engage la Commission européenne à présenter en 2012 un premier rapport sur les impacts sociaux de la politique communautaire en matière d'agrocarburants, notamment en termes de prix alimentaires et de droits fonciers, et à formuler des mesures correctives si nécessaire.

Pas sûr, toutefois, que la Commission soit prête à envisager la chose. Interpellée à ce sujet le 29 février 2012 à Bruxelles lors d'un débat organisé par la société civile, Ruta Baltause, fonctionnaire au sein de la Direction générale de l'énergie à la Commission européenne, a quelque peu refroidi l'assemblée : « Abandonner la cible des 10 % n'est pas possible. Vous ne vous rendez pas compte. Les implications économiques pour l'industrie des énergies renouvelables seraient trop importantes. »

▰▰▰▰ D'où vient l'influence du secteur privé ?

Divers facteurs conditionnent la capacité d'un acteur ou d'un secteur à influencer les décisions. Deux d'entre eux méritent une attention particulière. Le premier est le capital financier dont il dispose. Plus celui-ci est grand, plus il autorise la mobilisation de moyens importants pour faire pression sur les décideurs : engager une armée de lobbyistes, faire appel aux meilleurs cabinets d'avocats en vue d'envisager tous recours légaux éventuels, financer les partis politiques... Les pressions exercées par Wall Street autour du *Dodd-Frank Act* illustrent bien le rôle du capital financier dans le « formatage » des décisions.

Autre facteur majeur : l'existence de liens sociaux étroits avec le politique. L'appartenance au même milieu social, idéologique ou culturel que les décideurs rend ceux-ci plus naturellement réceptifs aux messages qui leur sont adressés. Au point, parfois, de ne pas avoir besoin de « faire pression », mais plutôt de faire connaître aux décideurs des aspects qui auraient malencontreusement échappé à leur attention bienveillante.

Le nombre phénoménal de transfuges passant du monde politique à celui des affaires ou inversement est l'un des indicateurs les plus flagrants d'une telle promiscuité. En octobre 2011, le site d'information Truthout révélait qu'aux États-Unis 74 % des lobbyistes déclarés dans le secteur financier et des assurances, soit des centaines, étaient d'anciens employés du gouvernement. Nombre d'entre eux avaient travaillé pour des membres du Congrès siégeant au sein de comités chargés d'établir des régulations bancaires, ou pour les agences responsables de les faire appliquer.

Démocratiser la gouvernance

Les modes de gouvernance présidant au système agricole et alimentaire souffrent d'un profond déficit démocratique, privilégiant avant tout les intérêts d'une minorité d'acteurs au détriment de l'intérêt général.

La relégation au second plan des préoccupations fondamentales de groupes vulnérables et marginalisés (paysans, pasteurs nomades, peuples autochtones, associations environnementales, consommateurs...) explique largement les impasses économiques, sociales et écologiques du système agricole et alimentaire actuel. La faim persistante de près d'un milliard de personnes, la surexploitation des ressources naturelles, la dégradation de la biodiversité ou une contribution majeure au changement climatique [1] sont en grande partie les conséquences de cette « privatisation » du système alimentaire.

Décidée par la FAO en octobre 2009, la réforme du Comité de la sécurité alimentaire mondiale (CSA) constitue une chance unique d'inverser la tendance en impliquant davantage la société civile internationale dans les débats agricoles et alimentaires. Forum de coordination des politiques agricoles et alimentaires à l'échelle mondiale, le CSA réformé associe activement les acteurs de la société civile aux prises de décision. En matière de volatilité des prix, de gouvernance foncière ou de questions de genre, par exemple,

---

1   Selon l'organisation GRAIN, le système agricole et alimentaire est responsable de 44 à 57 % des émissions totales de GES d'origine humaine (émissions directes et indirectes).

ceux-ci négocient sur un pied d'égalité avec les gouvernements. Les règles du CSA leur permettent en effet d'intervenir dans les débats au même titre que n'importe quel État ou autre participant du CSA (experts des Nations unies, secteur privé…) aussi longtemps que les gouvernements n'atteignent pas le consensus sur les décisions à prendre.

Aussi novatrice et porteuse soit-elle, cette dynamique doit encore faire ses preuves. Le CSA réformé est une jeune instance. Il est donc encore trop tôt pour savoir s'il portera réellement ses fruits sur le moyen ou long terme. À supposer que les décisions adoptées en son sein prennent suffisamment en compte les intérêts des groupes vulnérables et marginalisés, reste surtout à voir si les États agiront dans l'intérêt général, en dépit de toutes pressions, lorsqu'il s'agira de les mettre en œuvre.

Pour en savoir plus

GROUPE D'ACTION SUR L'ÉROSION, LA TECHNOLOGIE ET LA CONCENTRATION (ETC Group), *The Greed Revolution. Mega Foundations, Agribusiness Muscle In On Public Goods*, Ottawa, janvier-février 2012. Ce document détaille la manière dont des lobbies agroalimentaires ont influencé à leur avantage la réécriture, par la FAO, d'un important rapport devant alimenter les débats de la Conférence des Nations unies sur le développement durable (CNUDD) à Rio de Janeiro en juin 2012.

N. HOLLAND, C. ROBINSON, R. HARBINSON, *Conflits indigestes ! Une décennie d'influence industrielle à l'Autorité européenne de sécurité alimentaire (EFSA)*, Earth Open Source/CEO, Bruxelles, février 2012.

OBSERVATOIRE EUROPÉEN DES MULTINATIONALES (OEC), *Lobby Planet to Brussels' EU Quarter*, Bruxelles, septembre 2011.

H. SCHUMANN, *Les Spéculateurs de la faim. Comment la Deutsche Bank, Goldman Sachs & Co spéculent sur les denrées alimentaires au détriment des plus pauvres*, rapport Foodwatch, Berlin, octobre 2011.

OMS et laboratoires pharmaceutiques entre interdépendance et soupçons de collusion

Auriane Guilbaud
CERI-Sciences Po

Les répercussions de la pandémie de grippe H1N1 de l'année 2009 n'en finissent pas de se faire sentir sur l'Organisation mondiale de la santé (OMS). La gestion contestée de cette crise sanitaire internationale a fortement ébranlé cette institution onusienne en mettant en lumière les liens qu'elle entretient avec des entreprises pharmaceutiques et en questionnant l'indépendance de ses décisions. La qualification de « pandémie » décidée par l'OMS en juin 2009 a en effet provoqué l'achat par les États de millions de doses de vaccins finalement inutiles, le virus s'étant révélé peu virulent.

En mai 2011, lors de la 64e Assemblée mondiale de la santé – qui réunit chaque année les délégations des États membres de l'OMS –, Margaret Chan, la directrice générale de l'organisation, a présenté un rapport d'experts sur la « crise H1N1 ». Elle a également annoncé une grande réforme de l'OMS, qui prévoit de diversifier ses sources de financement.

À l'image de ce qui se passe plus généralement au sein du système des Nations unies, l'OMS fait davantage appel au secteur marchand depuis la fin des années 1990. Mais ce recours accru aux financements privés, conjugué à une forte relation d'interdépendance entre l'OMS et l'industrie pharmaceutique, expose l'organisation internationale à des soupçons de collusion, ce qui amoindrit sa légitimité pour accomplir son mandat d'autorité directrice dans le domaine de la santé.

Une interdépendance forte entre l'OMS et les laboratoires pharmaceutiques

L'OMS a une importante fonction normative : elle établit des standards internationaux, élabore des stratégies et des politiques sanitaires qu'elle conseille ensuite aux États membres d'appliquer. Afin de préserver son autorité, il est capital que la manière dont ces normes sont établies ne soit pas contestée, et donc qu'elles servent l'intérêt général.

La Constitution de l'OMS n'évoque pas les relations avec les entreprises (alors qu'elle mentionne les relations avec les ONG). Pourtant, l'OMS ne peut les ignorer, et en particulier celles du secteur pharmaceutique, dominé par un petit nombre de groupes multinationaux occidentaux (Pfizer, Merck & Co., Novartis, Sanofi-Aventis, GlaxoSmithKline, AstraZeneca, Roche, Johnson & Johnson, Eli Lilly, etc.). D'une part, leur capacité à développer des traitements et le prix auquel elles les vendent sont des éléments déterminants pour la possibilité d'une action sanitaire internationale. D'autre part, l'OMS établit des critères qui encadrent la sûreté et la qualité de leurs produits.

Des relations de collaboration ont donc existé dès la création de l'OMS en 1948, en particulier pour favoriser l'échange d'information et la recherche. L'organisation établit par exemple la *Pharmacopée internationale*, qui recueille les normes de qualité pour l'analyse des substances et des préparations pharmaceutiques. Ce travail de standardisation intéresse au plus haut point les entreprises pharmaceutiques et, inversement, l'OMS cherche à disposer de leur point de vue afin que ces normes soient utilisées.

On pourrait aussi multiplier les exemples de collaboration *ad hoc*, dans le cadre de programmes précis comme le Projet Vaccins Méningite pour lequel l'OMS a autorisé en 2010 l'utilisation d'un nouveau vaccin moins cher, produit par un laboratoire pharmaceutique indien.

Mais les liens avec les entreprises pharmaceutiques peuvent également se développer par l'intermédiaire de la Fédération internationale de l'industrie du médicament (FIIM), qui a obtenu en janvier 1971 le statut d'« ONG en relations officielles avec l'OMS ». Les associations d'entreprises sont en effet considérées comme des ONG par l'OMS et peuvent engager ces « relations officielles » qui leur permettent de nouer avec elle des relations de travail et de faire connaître leur opinion plus facilement.

Ces relations, qui paraissent guidées par une interdépendance étroite, ne sont pas exemptes de tensions. Les laboratoires pharmaceutiques se sont vigoureusement opposés à certaines régulations, par exemple au Code international de commercialisation des substituts du lait maternel (1981) et à la Liste modèle des médicaments essentiels (1977). Leurs efforts de lobbying se concentrent en particulier sur les États membres, décisionnaires ultimes lors des Assemblées mondiales de la santé.

L'industrie pharmaceutique représente en effet un nombre d'emplois significatifs dans les États du Nord, et en pleine croissance dans les pays émergents. Il s'agit en outre d'un secteur considéré comme stratégique, avec lequel les relations sont déjà étroites au niveau national. C'est désormais celui qui dépense le plus d'argent en actions de lobbying (conférences, réceptions, brochures, etc.) à Washington (168 milliards de dollars dépensés en 2007 d'après le Center for Public Integrity) : cela lui permet de faire connaître ses préférences de manière privilégiée.

Les rapports entre l'OMS et les laboratoires pharmaceutiques posent problème dès lors qu'il ne s'agit plus de collaboration technique en vue d'objectifs communs mais d'influence à motivation commerciale sur l'orientation même des politiques sanitaires. La frontière entre les deux étant poreuse, l'attention portée à prévenir et gérer les conflits d'intérêts est essentielle. Les manquements de l'OMS sur ce point, mis en évidence à l'occasion de la pandémie de H1N1, illustrent les difficultés de l'organisation sanitaire internationale à gérer sa relation avec les entreprises pharmaceutiques.

▓▓▓▓▓▓ Le scandale H1N1, révélateur de la mauvaise gestion par l'OMS des intérêts privés

Le rapport du panel d'experts indépendants mandatés pour enquêter sur la gestion de la crise H1N1 par l'OMS a été rendu public en mai 2011. En l'absence de preuve directe, il a écarté les soupçons de collusion mais a critiqué l'action de l'organisation, de manière toutefois moins virulente que ne l'avait fait un rapport de l'Assemblée parlementaire du Conseil de l'Europe de juin 2010. Ces deux études mettent en évidence le manque de transparence de l'OMS sur deux points essentiels : la définition d'une pandémie et les conflits d'intérêts.

Une certaine confusion sur la définition de la pandémie a en effet régné au printemps 2009. L'OMS avait d'abord laissé sur son site Internet des documents prenant en compte un critère de gravité (le nombre de décès et de malades) qu'elle a ensuite supprimés sans explication, alors que la définition officielle en vigueur pour déclencher une alerte pandémique repose uniquement sur un critère géographique d'extension de la maladie.

Concernant la gestion des conflits d'intérêts, les critiques se sont concentrées sur la décision de l'OMS de garder secrète l'identité des seize membres du comité d'urgence réuni pour conseiller le directeur général sur la pandémie afin de les « préserver d'influences extérieures ». Cette opacité a contribué à renforcer les soupçons de collusion. Au mieux, la position de l'OMS est apparue incohérente, puisqu'il lui arrive dans d'autres cas de rendre publique l'identité de ses experts. Le *British Medical Journal* a révélé qu'au moins un membre du comité d'urgence avait été employé par l'industrie pharmaceutique. Le rapport d'experts de l'OMS mentionne quant à lui cinq membres ayant déclaré des conflits d'intérêts « potentiels ».

Comme le montre une enquête de la même revue en juin 2010, ces soupçons d'influence indue de la part des producteurs de vaccins et d'antiviraux résultent d'un long processus d'opacité. La suspicion remonte en effet à 1999, lorsque, deux ans après l'apparition de la grippe aviaire à Hong Kong, l'OMS avait publié un premier rapport sur des directives à adopter en cas de pandémie grippale, réalisé en collaboration avec le Groupe de travail scientifique européen sur la grippe (ESWI selon le sigle anglais). Ce dernier est en fait un « groupement de leaders d'opinion sur la grippe » qui mène des actions de lobbying auprès des gouvernements et qui se trouve financé par des entreprises pharmaceutiques.

Puis, en 2004, l'OMS publie des directives concernant l'utilisation de vaccins et de traitements antiviraux en cas de pandémie, à la rédaction desquelles ont officiellement participé au moins trois experts employés ou ayant été employés par l'industrie pharmaceutique. L'OMS n'a pas rendu publiques leurs déclarations de conflits d'intérêts. Ces directives conseillent aux États de stocker des antiviraux et des vaccins. Certains d'entre eux signent alors des contrats « dormants » avec des laboratoires pharmaceutiques, contrats activés lors de la déclaration d'une pandémie.

Il est inévitable que des conflits d'intérêts existent dans la mesure où l'OMS et les entreprises pharmaceutiques font appel aux mêmes groupes d'experts scientifiques : mais c'est l'opacité de l'organisation qui lui est reprochée. La diversification des experts peut être envisagée, mais ne résoudra pas tout. Sur certaines questions précises en effet, il n'existe qu'un petit groupe d'individus compétents. L'OMS mobilise en outre de très nombreux experts dans le cadre de groupes de travail divers. Ceux-ci sont le plus souvent rattachés à des institutions académiques ou à des organismes gouvernementaux. Mais la recherche scientifique fonctionne de manière collaborative, les individus circulent entre plusieurs institutions, et les organismes cherchent à diversifier leurs financements. L'industrie pharmaceutique fournit ainsi des fonds pour la recherche, mais aussi des bourses ponctuelles pour la formation de chercheurs dans le cadre de programmes de coopération.

La première étape pour gérer de tels conflits consiste à les reconnaître. L'OMS fait certes remplir à tous ses experts une déclaration de conflits d'intérêts, mais elle tient la plupart du temps cette déclaration secrète et refuse de divulguer l'usage qu'elle en fait. Ainsi, il n'existait jusqu'en 2010 aucun critère public pour déterminer le degré d'implication à partir duquel un conflit d'intérêts doit empêcher un expert de participer à l'élaboration de directives. L'OMS a entrepris de remédier à cette situation : le questionnaire de déclaration des conflits d'intérêts a été reformulé afin d'être plus précis et une nouvelle procédure d'évaluation en quatre étapes a été instaurée. Le 2 septembre 2011, l'OMS a également annoncé la mise en place d'un comité d'éthique. Néanmoins, cela ne résout pas la question de la transparence.

La question contestée des droits de propriété intellectuelle

La question de l'influence des laboratoires pharmaceutiques se pose dans un autre domaine sensible car au cœur de leurs intérêts financiers :

celui des droits de propriété intellectuelle, régulés principalement par l'accord sur les ADPIC (Aspects des droits de propriété intellectuelle qui touchent au commerce), placés sous l'égide de l'Organisation mondiale du commerce (OMC). Signés en 1994, ils ont renforcé la protection des droits de propriété intellectuelle sur les médicaments.

La Déclaration de Doha sur la santé publique, adoptée en novembre 2001, a néanmoins réaffirmé et clarifié certaines mesures prévues pour que les ADPIC restent compatibles avec la santé publique, comme les licences obligatoires et les importations parallèles. Dans les cas d'épidémies ou d'urgence, ces dispositions permettent par exemple aux pays pauvres d'obtenir des traitements contre le VIH/Sida auprès de producteurs de médicaments génériques indiens, chinois ou brésiliens.

Mais les laboratoires pharmaceutiques des pays émergents ont aussi commencé à investir le champ des médicaments contre le cancer, le diabète ou les maladies cardiovasculaires, qui figurent parmi les plus profitables. Les pays pauvres pourraient demander un accord pour contourner les droits de propriété intellectuelle et importer ces médicaments. Ce point a été soulevé en septembre 2011 lors de la conférence sur les maladies non transmissibles convoquée par l'Assemblée générale des Nations unies, sans qu'une réponse ne soit apportée.

L'OMS se trouve largement dépassée par l'OMC dans le domaine des droits de propriété intellectuelle. Néanmoins, elle n'en est pas complètement absente et là aussi se pose la question de ses relations avec les laboratoires. En décembre 2009, des documents publiés par WikiLeaks ont révélé que la FIIM avait obtenu et commenté un rapport confidentiel du comité d'experts de l'OMS sur le financement de la recherche et du développement, chargé d'effectuer des propositions pour relancer la recherche sur les maladies négligées et améliorer l'accès aux médicaments dans les pays en développement. Le rapport de synthèse adopté par le Conseil exécutif en janvier 2010 sur le sujet a effectivement été épuré des propositions emblématiques de modification des droits de propriété intellectuelle ou d'une taxe sur les bénéfices de l'industrie pharmaceutique qu'avait critiquées la FIIM. Le journal médical *The Lancet* a accusé cette dernière de saboter le travail du groupe d'experts de l'OMS.

L'OMS ne reste toutefois pas impuissante sur ces questions. Elle a ainsi résolu en 2011 un conflit qui l'opposait à l'Indonésie et à d'autres pays en développement sur le partage des virus grippaux, en proposant un léger assouplissement des droits de propriété intellectuelle sur cette question spécifique. En janvier 2007, le gouvernement indonésien avait en effet décidé de ne pas partager ses échantillons de virus H5N1, brisant la coopération alors en vigueur au sein du Réseau mondial OMS de surveillance de la grippe (GISN). Un laboratoire pharmaceutique australien, CSL Limited, s'apprêtait en effet à produire un vaccin à partir de souches de virus venant d'Indonésie mais obtenues sans son accord.

Cet épisode a relancé les débats sur l'iniquité d'une situation où, alors que les pays en développement fournissent la majorité des virus, ils ne peuvent pas payer les vaccins aux prix fixés par les compagnies pharmaceutiques. En mai 2011, les États membres de l'OMS ont adopté le « Cadre de préparation en cas de grippe pandémique pour l'échange des virus grippaux et l'accès aux vaccins et autres avantages », qui prévoit des transferts de technologie, une assistance technique et des prix dégressifs sur les traitements pour les pays en développement. Il stipule également que les entreprises pharmaceutiques qui tirent parti du réseau de l'OMS contre la grippe versent à l'organisation une « contribution annuelle de partenariat ».

Le recours accru aux entreprises dans le cadre des réformes de l'OMS

La révélation de ces liens parfois opaques avec l'industrie pharmaceutique s'inscrit dans un mouvement plus général d'ouverture au secteur privé de la part de l'OMS. En effet, le recours aux entreprises apparaît pour l'organisation sanitaire internationale à la fois comme une conséquence de la crise fonctionnelle et financière qui la touche et comme une stratégie pour regagner un statut de « leader » dans le champ sanitaire international.

Les années 1990 ont en effet été marquées par une crise de l'OMS : la gestion du directeur général Hiroshi Nakajima (1988-1998) est alors contestée ; l'organisation perd la gestion de la pandémie du VIH/Sida au profit de l'Onusida ; et l'OMS est confrontée à des difficultés financières. Les États membres, qui accumulent 243 millions de dollars d'arriérés dans le versement de leurs contributions en 1996, encouragent l'ouverture au secteur privé par l'intermédiaire de contributions volontaires et la création de partenariats public-privé.

Lorsque Gro Harlem Brundtland est élue directrice générale de l'organisation en mai 1998, elle annonce immédiatement l'élargissement des relations avec le secteur privé. Afin de répondre aux inquiétudes des ONG, le secrétariat de l'OMS élabore en 2000 des « Principes directeurs concernant les relations avec les entreprises commerciales en vue d'atteindre des objectifs sanitaires ». Ils représentent une première tentative pour encadrer le développement des liens avec les entreprises.

Néanmoins, les partenariats public-privé, qui deviennent au même moment une forme d'interaction majeure entre l'OMS et les entreprises, n'entrent pas dans le champ de ces « Principes directeurs ». À partir de 2010, l'organisation essaie de regagner du contrôle sur ces processus qui lui échappent, en déterminant sous quelles conditions elle peut s'engager dans un partenariat.

La politique d'ouverture vers le secteur privé se poursuit toutefois dans le cadre de la réforme annoncée en mai 2011 (la « Réforme de l'OMS pour un avenir sain »). Tirant les conséquences de la crise financière et des difficultés budgétaires des États, l'OMS souhaite diversifier son financement. En 2010, les laboratoires pharmaceutiques ont effectué des contributions volontaires à hauteur d'un peu plus de 8 millions de dollars et des contributions en nature à hauteur de près de 30 millions, soit un total d'environ 38 millions : 1,6 % du budget de l'OMS pour l'année.

L'OMS souhaite augmenter encore leurs contributions, ce qui suscite des inquiétudes de la part des ONG. En parallèle, elle s'est engagée dans une phase de réexamen des « Principes directeurs » et de renforcement de sa politique de gestion des conflits d'intérêts. Il s'agit pour l'organisation sanitaire internationale d'encadrer sa relation avec les entreprises, mais la participation accrue du secteur privé est amenée à se poursuivre d'autant plus qu'elle est soutenue et encouragée par la majorité des États membres.

Pour en savoir plus

ASSEMBLÉE PARLEMENTAIRE DU CONSEIL DE L'EUROPE, « La gestion de la pandémie H1N1 : nécessité de plus de transparence », rapport provisoire, mars 2010, <http://assembly.coe.int/CommitteeDocs/2010/20100329_MemorandumPandemie_F.pdf>.

D. COHEN, Ph. CARTER, « WHO and the pandemic flu "conspiracies" », *British Medical Journal*, 12 juin 2010, vol. 340, p. 1274-1279.

K. LEE, *The World Health Organization (WHO)*, Routledge, New York, 2008.

OMS, « Rapport du Comité d'examen sur le fonctionnement du Règlement sanitaire international (2005) eu égard à la grippe pandémique A (H1N1) 2009 », 5 mai 2011, Document A64/10.

« Réforme de l'OMS pour un avenir sain », <http://www.who.int/dg/reform/fr/index.html>.

Les sociétés au défi de l'allongement de la durée de vie

Renaud Orain
Sociologue, Centre de recherche de l'Institut de démographie,
Université Paris-1

D ans toutes les régions du monde, la durée de vie a connu un prolongement inouï entre la fin du XIXᵉ siècle et le début du XXIᵉ, en particulier entre les années 1950 et 2010. En France, la longévité est ainsi passée de 48 ans en 1911 à 82 ans en 2011, alors qu'elle n'atteignait encore que 66 ans en 1950. Largement dû aux succès remportés dans la lutte contre la mortalité infantile, divisée par dix et ramenée de 44 ‰ à 4 ‰ en France (de 133 ‰ à 46 ‰ dans le monde), cet allongement de la vie s'est ensuite poursuivi grâce à un recul des taux de mortalité à tous les âges, dont les effets sont observables dans tous les pays développés. En France, le taux de survie à 65 ans dépassait à nouveau 50 % en 1945, plus de deux Français sur trois dépassant cet âge dès 1950, et près de neuf sur dix vers 2010-2015.

Les gains significatifs en termes d'espérance de vie se reportent donc au-delà de l'âge de la retraite dans la plupart des pays développés. Ils restent toutefois limités : en France, le nombre d'années restant à vivre est ainsi passé de quatorze après 65 ans et six après 80 ans en 1950 à respectivement vingt et neuf dans les années 2005-2010. Mais, même modestes, ces progrès n'ont cessé de surprendre jusqu'à la fin du XXᵉ siècle les prévisionnistes, qui avaient tablé sur un plafonnement de l'espérance de vie aux âges avancés.

Un milliard de plus de 65 ans à l'horizon 2025

Ces années de vie en plus se traduisent en premier lieu par des taux de survie plus élevés jusqu'à l'âge de la retraite, et par des années de jeunesse et de vie active supplémentaires. Entre les années 1950-1955 et 2005-2010, l'espérance de vie à la naissance de la population mondiale serait ainsi passée de 48 à 68 ans environ, soit un gain de vingt ans.

Révolution ou transition démographique, l'effondrement de la mortalité et l'allongement de la durée de vie ont marqué le XXᵉ siècle. L'universalité de ce changement radical est d'autant plus remarquable que des inégalités considérables face à la mort se maintiennent, voire s'amplifient, entre pays et au sein de chaque population nationale – que ce soit en matière d'accès aux soins médicaux ou aux biens et services nécessaires à la survie (eau potable, alimentation suffisante ou suffisamment variée, protection contre les conflits, les discriminations, les mauvais traitements, l'insécurité économique, les risques sanitaires). À cet égard, il est très significatif que l'espérance de vie soit intégrée dans la construction d'un indicateur global du développement humain, à l'égal de la richesse produite par habitant et des taux d'alphabétisation et de scolarisation.

Alors que la fin du xxe siècle avait été marquée, au niveau international, par la volonté de contrôler les naissances pour éviter un déséquilibre démographique, les inquiétudes se reportent à présent dans un grand nombre de pays sur le « déséquilibre » présent ou à venir entre générations jeunes et âgées, sur fond de stabilisation, voire de recul, démographique.

Le cas de la Chine, pays le plus peuplé du monde au xxe siècle, est emblématique à cet égard : l'espérance de vie y est passée de 41 ans en 1950 à 73 ans vers 2010, et on devrait y observer une hausse de la population âgée de 80 ans et plus de 11,5 millions en 2000 à 100 millions en 2050, cependant que la part des plus de 65 ans devrait passer de 11 % à 31 % en 2050. Pour autant, ce vieillissement découle d'abord de la diminution des naissances depuis la mise en place de la politique de l'enfant unique, même si l'accroissement des années vécues bénéficiera bien aux générations nombreuses nées jusque dans les années 1990. Le Japon présentait, quant à lui, l'espérance de vie la plus élevée au monde en 2010 (83 ans). La part des 65 ans et plus y dépassait alors 27 % de la population totale, et pourrait culminer à 45 % vers 2060.

En bref, le nombre de personnes de plus de 65 ans dans le monde devrait dépasser le milliard vers 2025, avec des conséquences différentes selon l'importance relative des générations dans chaque pays et selon les formes de prises en charge des retraités et des personnes âgées dépendantes.

Réajuster les systèmes de prise en charge

L'effet le plus immédiat du vieillissement de la population est d'accroître le poids relatif de la prise en charge des personnes âgées. Les solidarités familiales ne suffisent plus. C'est notamment le cas en Chine, dans un contexte où les générations actives sont moins nombreuses et où la cohabitation entre générations est remise en cause par l'exode rural et par l'évolution des relations familiales.

Les régimes de protection sociale d'Europe continentale connaissent un besoin de financement important du fait de l'allongement de la durée de vie, mais aussi de l'évolution de la conjoncture économique. En France, le régime vieillesse enregistrait en 2011 un déficit de 8,1 milliards d'euros pour l'ensemble des régimes de base et de 3,8 milliards pour le Fonds social vieillesse (FSV), soit un besoin total de financement de 11,9 milliards. La réforme de l'âge légal de départ à la retraite et des durées de cotisation conduite en 2010 n'a pas compensé le ralentissement économique, et le FSV a dû se substituer aux cotisations sociales des chômeurs tout en assurant le versement du minimum contributif et du minimum vieillesse, ce qui rend ses charges très sensibles à la conjoncture économique.

En fait, aucun système de protection sociale ou de prévoyance individuelle ne semble pouvoir résoudre la question de la prise en charge du grand âge par le recours à un modèle unique, qu'il soit libéral, égalitaire ou multisolidaire, en particulier si l'on souhaite à la fois assurer une viabilité financière, maintenir ou renforcer les solidarités intergénérationnelles, lutter contre les inégalités au sein des générations et pérenniser la progression des durées de vie, mais aussi des capacités à âge donné et des taux d'activité en fin de vie active.

Une question de société globale

Pour appréhender les défis associés à l'allongement de la durée de vie, il faut donc se pencher sur des questions plus larges : partage de la valeur ajoutée, modèle de financement de la sécurité sociale et des minima sociaux, redistribution, maintien de l'emploi tout au long de la vie active, formes diverses de solidarités intergénérationnelles et de mobilisations familiales autour de la dépendance.

Ainsi, en France, la dégradation des comptes des régimes vieillesse à la fin de la décennie 2000 peut inquiéter à juste titre, puisqu'elle est contemporaine de l'arrivée à l'âge de la retraite des générations les plus nombreuses, mouvement appelé à se poursuivre jusqu'en 2030. Cette évolution résulte en partie d'une dégradation de la part des salaires dans la valeur ajoutée dans les années 1980 (de 70 % à 65 % environ) et de diverses mesures d'exonération de cotisations sociales destinées à favoriser l'emploi peu qualifié développées dans les années 1990 (de l'ordre de 30 milliards d'euros en 2010). Ces tendances pourraient induire une remise à plat du principe même de cotisations sur les salaires. La création dès 1990 d'une contribution sociale généralisée (CSG) assise sur tous les revenus allait déjà dans ce sens. Le modèle français a ainsi progressivement intégré des dimensions moins assurantielles, tout en réaffirmant l'importance du financement public de la Sécurité sociale, désormais inclus dans les projets de loi de finance.

Une des clés du problème pourrait bien tenir à la qualité de l'information du public (employeurs compris) sur les causes et les conséquences réelles de l'allongement de la durée de vie et sur les autres phénomènes démographiques qui l'accompagnent, pour inciter à l'adoption de réformes éclairées autant qu'à une évolution des comportements.

Améliorer la durée de vie sans incapacité

L'évolution des espérances d'activité et des espérances de vie en bonne santé des seniors en Europe entre le xxᵉ et le xxiᵉ siècle permet pourtant de remettre en cause un schéma de dépendance fixe selon l'âge, et de montrer que cet allongement s'accompagne parfois d'un accroissement des capacités à âge donné.

C'est ainsi que les taux d'activité et les taux d'emploi en fin de vie active en Europe ont progressé entre les années 1990 et 2010. En France, le nombre d'années passées en activité après 50 ans se rapprochait de neuf vers 2010, et le taux d'activité avait dépassé 60 %, contre respectivement huit ans et 56 % en 2003. Le taux d'emploi des plus de 50 ans est passé en France de 29 % en 1999 à 39 % en 2009, et de 36 % à 46 % dans l'Union européenne à vingt-sept. De même, dans tous les pays européens, le nombre d'années sans incapacité s'est accru (en France de 61 ans à près de 63 ans entre les années 1995-2000 et 2005-2010). Les tendances récentes tendent ainsi plutôt à indiquer une diminution de la proportion du nombre d'années vécues avec incapacité au sein d'une vie plus longue. En Suède, hommes et femmes ont même gagné près de huit ans sans incapacité entre 2000 et 2009, pour un taux d'emploi des plus de 50 ans passé de 65 % à 70 % dans la même période.

Ces résultats suggèrent qu'il est possible de renforcer les capacités et l'autonomie des salariés les plus âgés et des retraités, mais l'intérêt de ce constat ne se limite pas au maintien des seniors sur le marché de l'emploi : il invite aussi à regarder de près les contributions qu'ils fournissent à leurs descendants (par exemple pour la garde d'enfant), mais aussi à leur conjoint au moment de la dépendance.

Ainsi, loin qu'il faille considérer l'allongement de la durée de vie comme problématique en soi, le défi à relever pourrait être d'en étendre les progrès aux catégories qui en bénéficient le moins, dans le sens d'une extension des capacités à tous les âges, objectif pour lequel le niveau des pensions de retraite et des revenus minimum peuvent jouer un rôle considérable.

Deux situations sont particulièrement éclairantes. D'une part, celle des ouvriers, qui ne bénéficiaient que de vingt-quatre ans sans incapacité à l'âge de 35 ans, contre trente-quatre ans pour les cadres, avec une espérance de vie de cinq ans plus faible au début des années 2000. D'autre part, celle des femmes, dont la longévité supplémentaire à 60 ans (les amenant à 85 ans contre 81 ans en moyenne pour les hommes) ne correspondait à aucun gain en terme d'années sans incapacité.

Cet enjeu rend également souhaitable de développer et de reconnaître l'apport des solidarités familiales diverses accompagnant la dépendance au grand âge. Un meilleur accompagnement social et médical des nombreuses femmes jouant le rôle d'aidant principal de leur conjoint ou de leurs parents pourrait ainsi avoir des effets significatifs sur les années de vie sans incapacité leur restant à vivre. Des politiques résolues de maintien en activité des salariés, en particulier dans les emplois les moins qualifiés, pourraient également améliorer la situation française à cet égard, en renforçant l'utilité sociale des seniors et leur autonomie, pour prévenir et limiter leur dépendance.

Pour en savoir plus

A. Masson, « Trois paradigmes pour penser les rapports entre générations », *Regards croisés sur l'économie*, n° 7, La Découverte, Paris, mai 2010.

Organisation des Nations unies, *World Population Prospects. The 2010 Revision* [CD-rom], Département des affaires économiques et sociales, division « Population », 2011.

III. Conflits et enjeux régionaux

Sorties de guerre en Irak et en Afghanistan

Michel Goya
Institut de recherche stratégique de l'École militaire

La présence militaire américaine en Irak s'est achevée à la fin du mois de décembre 2011. Quelques mois plus tôt, la coalition dirigée par les États-Unis avait entamé un processus similaire de retrait des unités de combat de l'Afghanistan, processus destiné à se terminer en 2014. Dans les deux cas, on n'a assisté à aucune cérémonie ni déclaration triomphante sur fond de bannière « mission accomplie », comme lors du discours du président Bush annonçant le 1er mai 2003 la fin des combats.

Il est vrai que, pour l'instant, le bilan de cette double campagne militaire américaine est pour le moins mitigé. On est loin de l'obtention d'une « meilleure paix », objectif de toute guerre selon B. H. Liddell Hart. Dans le cas de l'Afghanistan, la paix tout court semble même hors de portée. Les offensives éclairs de quelques semaines contre les régimes taliban et baasiste ont fait place à de longues années de lutte difficile contre une multitude d'organisations non étatiques, pour déboucher maintenant sur une phase d'instabilité dont les effets se font sentir dans l'ensemble du « Grand Moyen-Orient ».

Des pays fissurés

Si la conjonction du renforcement américain de 2007 et du retournement d'alliance des organisations rebelles sunnites nationalistes a permis de mettre fin à la guerre en Irak, la situation sécuritaire reste difficile et tend même largement à se dégrader avec le repli américain.

Plus de 2 700 civils irakiens ont ainsi été – officiellement – victimes de violences sectaires en 2011, et les attentats se sont multipliés en 2012, en particulier dans la capitale. Les djihadistes, et Al-Qaeda en premier lieu, sont toujours présents. Le mouvement sunnite du « Réveil », dont les milices ont été licenciées en 2008 par le gouvernement de Nouri al-Maliki, est toujours là et conserve la possibilité de renouer avec l'affrontement armé. Il en est de même de l'Armée du Mahdi du leader populiste chiite Moqtada al-Sadr. La ligne verte qui sépare le Kurdistan, indépendant de fait, et l'Irak arabe est surarmée, en particulier dans la région pétrolifère de Kirkouk, où, après le nettoyage ethnique opéré par le régime de Saddam Hussein, les Kurdes se sont réimplantés, attendant avec impatience le référendum prévu par la Constitution et qui leur permettra d'annexer la ville à leur zone autonome.

L'application en Afghanistan, à partir de 2010, des méthodes qui ont permis la stabilisation de la situation sécuritaire en Irak n'a pas porté les mêmes fruits. Le renforcement de 30 000 hommes opéré du printemps 2010 à l'été 2011, les grandes opérations pour la reprise de contrôle des provinces de Kandahar et du Helmand, puis la multiplication des raids ciblés par drones ou forces spéciales, y compris sur le sol pakistanais, n'ont permis ni de reprendre véritablement le contrôle du territoire, ni de provoquer un choc psychologique et des défections dans les camps rebelles. Ils ont permis cependant de porter des coups sévères à Al-Qaeda et de contenir la progression des talibans.

La coupure ethnique, géographique et même sociale est désormais établie entre, d'une part, les zones rurales des provinces pachtounes du Sud et de l'Est du pays tenues fermement par les mouvements rebelles, et d'autre part les provinces non pachtounes et les grandes villes qui bénéficient de l'aide étrangère. La situation est ainsi l'inverse de celle du début du conflit en 2001, lorsque la capitale était aux mains des talibans et que les provinces du Nord leur résistaient.

Des systèmes politiques paralysés et peu légitimes

Alors que le retrait militaire des coalitions est en cours, les régimes locaux qu'elles ont mis en place manquent singulièrement de solidité et de légitimité auprès de leur propre population.

Cette fragilité est d'abord le résultat de l'inadéquation des institutions mises en place avec les pratiques des acteurs sur le terrain. Dans le régime présidentiel afghan établi en 2002, le président Hamid Karzaï est obligé de négocier en permanence avec les « seigneurs de guerre » qui dominent l'Assemblée. Dans le régime parlementaire irakien, les grands partis chiites ont non seulement tendance à exclure du pouvoir la communauté sunnite mais peinent eux-mêmes à s'entendre. Il a fallu plus de six mois de tractations après les élections législatives, en 2005 comme en 2010, pour former un gouvernement, et aucune des lois fondamentales pour l'évolution du pays, sur les hydrocarbures ou sur le pouvoir des provinces, n'a encore été votée.

Avant d'avoir créé des démocraties stables, les Américains ont d'abord involontairement mis en place des « kleptocraties » profitant à plein de l'aide au développement et des dépenses militaires. En 2011, un rapport du Congrès des États-Unis estimait ainsi à 60 milliards de dollars les détournements effectués sur les contrats du département de la Défense auprès de sous-traitants locaux en Irak et Afghanistan depuis 2001. Ces flux financiers – auxquels il faut ajouter les ressources internes illégales issues des détournements des revenus du pétrole irakien et surtout de la production d'opium afghan (soit un chiffre d'affaires d'environ 4 milliards de dollars chaque année) – ont eu pour effet premier de stimuler la corruption et donc de délégitimer les classes politiques et administratives locales, désormais classées parmi les pires au monde en matière de probité.

Cette situation profite à leurs adversaires qui bénéficient ainsi de leur image d'honnêteté, comme l'Armée du Mahdi ou les talibans, qui ont pu mettre en place une administration parallèle dans les provinces du Sud afghan. Mais parallèlement, par le biais de multiples rackets et arrangements, une partie de ces flux sert à financer le budget de fonctionnement des organisations rebelles au gouvernement en place et à la coalition.

Si l'État irakien peut bénéficier de la manne pétrolière (60 milliards de dollars de revenus budgétaires) et assurer ainsi son autonomie vis-à-vis des Américains, il n'en va pas de même en Afghanistan, où les ressources de l'État ne représentent que 10 % du PIB, soit moins de 3 milliards de dollars. Pour des nations de démographies assez semblables, les marges de Kaboul sont bien plus faibles et sa dépendance à l'égard de l'étranger bien plus grande que pour Bagdad.

▓▓▓▓ La relève sécuritaire

N'ayant pas réussi à assurer elles-mêmes la stabilisation de l'Irak et de l'Afghanistan, les coalitions se sont engagées dans la formation de puissants outils de sécurité locaux.

Le premier effort a porté sur la création d'armées nationales à la fois professionnelles et multiethniques, conseillées, soutenues et appuyées par les forces de la coalition. L'armée nationale irakienne a atteint sa maturité en 2008, date à partir de laquelle elle a été capable de mener des opérations de grande envergure sans la présence d'unités de combat alliées à ses côtés. Désormais forte de 220 000 hommes, elle tente de se transformer d'armée de sécurité intérieure – c'est-à-dire à base de bataillons d'infanterie – en véritable armée nationale capable d'assurer également la défense du pays face à des puissances extérieures.

Le second problème est politique. L'armée irakienne, qui a résisté à l'éclatement lors de la guerre civile, constitue désormais un acteur respecté de la sécurité de la population. C'est cette popularité croissante qui la rend à nouveau politiquement dangereuse pour un gouvernement qui démontre chaque jour son impuissance. Or la courte histoire de l'Irak moderne a connu sept coups d'État. C'est la raison pour laquelle le Premier ministre Nouri al-Maliki n'a de cesse de s'assurer, à l'instar de la Garde républicaine de Saddam Hussein, une armée personnelle faite des unités d'élite stationnées dans la capitale dont il exerce directement le commandement, puis, en deuxième cercle, des deux divisions kurdes qui échappent au commandement de l'armée nationale.

Les différents gouvernements irakiens ont utilisé le ministère de l'Intérieur pour constituer une force indépendante des Américains jusqu'à la transformer en premier employeur du pays, avec plus de 500 000 hommes. Cette force est elle-même partagée entre différentes « forces spéciales » fidèles au ministre, et donc potentiellement dangereuse pour le Premier ministre, et une police des rues sans grands moyens, corrompue et souvent infiltrée par l'Armée du Mahdi.

Selon un processus et des méthodes similaires au cas irakien, l'armée nationale afghane a connu un développement considérable depuis 2009 et atteint désormais les 170 000 hommes. Elle assure seule la sécurité de la capitale et de plusieurs provinces. Au grand dam de la plupart de ses généraux, qui souhaiteraient disposer de moyens plus puissants pour faire face au Pakistan, l'armée nationale afghane reste une collection de bataillons d'infanterie au rendement très inégal en fonction de la qualité de ses chefs et qui ont du mal à être efficaces hors de leur région d'origine. Elle bénéficie cependant d'une bonne image auprès de la population.

Comme en Irak, elle se double d'une police qui, malgré tous les efforts consentis, persiste encore largement dans la médiocrité et la corruption. Lorsque cela est possible, la coalition pallie la faiblesse de la police par des milices locales, parfois tribales. L'ensemble reste fragile et dépendant de l'aide américaine. Le gouvernement afghan est incapable de fournir les 6 à 7 milliards de dollars nécessaires au paiement et au fonctionnement des 380 000 soldats et policiers prévus pour 2014.

Le nouveau dispositif américain

Les forces étrangères en Afghanistan sont en cours de réduction d'un tiers chaque année jusqu'à, normalement, la disparition de toutes les unités de combat prévue pour 2014, laissant néanmoins sur place le dispositif d'aide à la formation des forces locales et une capacité d'intervention à distance à base de moyens aériens et de forces spéciales, soit environ 15 000 soldats américains et quelques alliés.

Seule force américaine en Asie centrale, leur mission sera d'empêcher que le territoire afghan puisse servir à nouveau de base à un mouvement terroriste international et de permettre au gouvernement local de se maintenir, tout en étant capables d'intervenir dans la région, en Iran ou au Pakistan en particulier. Au moins 20 milliards de dollars seront nécessaires chaque année pour cette politique de *containment*. En Irak, outre l'influence qu'ils conservent auprès de l'armée nationale, les Américains bénéficient de l'alliance avec le Kurdistan et son armée de Peshmergas, presque aussi nombreux que l'armée nationale irakienne. Ils se méfient en revanche des partis chiites au pouvoir qui ont conservé des liens étroits avec l'Iran.

Les Américains se replient donc sur les monarchies arabes. En premier lieu, ils s'appuient sur un chapelet de bases le long du golfe Arabique, depuis le camp Arifjan, au Koweït, qui accueille plus de 15 000 hommes, jusqu'aux petites bases aériennes dans le sultanat d'Oman, en passant par les deux bases géantes à Bahreïn et surtout au Qatar. En deuxième cercle de ce dispositif, ils bénéficient des bases de Diego Suarez, au cœur de l'océan Indien, de Djibouti et d'Incirlik en Turquie, ainsi que du groupe aéronaval et du groupe amphibie toujours maintenus dans la région par la Ve flotte. Avec la défaillance de l'Irak, le grand allié local et nouveau rempart contre l'Iran est désormais l'Arabie saoudite, qui va bénéficier pour les vingt ans à venir de livraisons d'équipements américains pour 63 milliards de dollars, soit autant que pour les cinquante années précédentes.

Le dispositif est complété par l'intégration des forces locales dans le projet de défense antimissile qui repose pour l'instant sur le seul radar à bande X installé dans le désert du Néguev, en Israël. L'administration Obama fait pression pour installer un deuxième radar dans un État du Golfe. Associés aux missiles antimissiles livrés aux monarchies du Golfe et aux radars AEGIS des navires de la Ve flotte, ces deux radars à bande X permettraient de disposer d'un réseau antimissile très performant face à une éventuelle menace balistique et nucléaire iranienne. Ce réseau serait à court terme intégré au réseau antimissile en cours de mise en place en Europe.

La menace iranienne est ainsi instrumentalisée pour associer et forcer à une coopération indirecte sous un même bouclier américain les monarchies du Golfe, Israël et l'Organisation du traité de l'Atlantique nord (OTAN). D'un autre côté, ce bouclier peut apparaître comme une acceptation de la nucléarisation de l'Iran et comme une alternative à la fois à une action coercitive contre Téhéran et à la nucléarisation, en réaction, de l'Arabie saoudite.

▰▰▰ Le renouveau de l'asymétrie

De prime abord, le retrait des forces américaines d'Irak et bientôt d'Afghanistan ne semble pas avoir diminué les capacités d'action militaires des États-Unis dans la région. On pourrait même considérer que celles-ci ont augmenté avec la réduction considérable des dépenses budgétaires, la récupération de brigades de combat de l'US Army ou du corps des *marines* et les investissements massifs dans les infrastructures militaires du Golfe.

En réalité, ces capacités se sont amoindries. Les efforts consentis pour les guerres contre les différentes organisations non étatiques en Irak et en Afghanistan (46 000 soldats américains tués et blessés, 1 400 milliards de dollars dépensés de 2001 à 2012) ont considérablement réduit les capacités physiques et morales à mener, à moyen terme, une nouvelle campagne terrestre prolongée. Les moyens dont disposent les États-Unis au Moyen-Orient se réduisent donc presque exclusivement à des capacités de frappes ou de soutien à des alliés. Or, comme l'a prouvé la campagne d'Israël contre le Hezbollah en 2006, ces moyens sont peu adaptés à des adversaires non étatiques incrustés dans une population. Si la menace d'Al-Qaeda est désormais réduite et maintenue dans la périphérie du monde arabe, elle subsiste cependant toujours et peut reprendre de l'ampleur à tout moment, comme en témoigne le retour des attentats massifs en Irak.

La deuxième menace vient de l'Iran et de ses organisations alliées comme le Hezbollah, le Hamas et, dans une moindre mesure, l'Armée du Mahdi. Téhéran développe un système opérationnel proche de celui du Hezbollah, à bien plus grande échelle et doté de systèmes antiaériens performants. D'un point de vue militaire, l'ensemble représente un système défensif extrêmement efficace mais aux capacités offensives réduites, surtout après la mise en place d'un système régional antimissile et antiroquette en Israël. On se trouve donc en présence de deux outils militaires, celui de l'Iran et de ses alliés d'une part, celui des États-Unis et de leurs alliés d'autre part, se neutralisant mutuellement mais incapables de vaincre l'autre.

Avec le retour de la Russie comme acteur régional et l'apparition de la Chine dont les intérêts sont grandissants dans la région, sur fond de multiples sources de tension, tout indique la mise en place d'une nouvelle guerre froide au Moyen-Orient pour les années à venir.

Pour en savoir plus

M. GOYA, *Irak. Les armées du chaos*, 2ᵉ éd., Economica, Paris, 2009.

B. WOODWARD, *Les Guerres d'Obama*, Denoël, Paris, 2011.

Moyen-Orient : l'enjeu nucléaire

François Nicoullaud
Analyste, ancien ambassadeur de France en Iran

Depuis le milieu du XXe siècle, la dissuasion nucléaire a fonctionné par couples : Union soviétique contre États-Unis flanqués de deux forces subsidiaires, française et britannique ; Union soviétique, puis Russie, face cette fois-ci à la Chine, d'abord émule avant de se transformer en compétiteur ; puis Inde contre Chine ; enfin Pakistan face à l'Inde. La Corée du Nord qui a procédé à deux explosions, en 2006 et en 2009, n'en est pas encore à disposer d'un arsenal dissuasif. Mais si elle y parvient jamais, la question se posera de l'identité de son partenaire-compétiteur : Corée du Sud, Japon ou, plus vraisemblablement, États-Unis au nom de tous les autres.

Israël-Iran : un « couple nucléaire » complexe

Et au Moyen-Orient ? L'on a d'un côté Israël, qui fait à peine mystère de détenir un arsenal nucléaire. De l'autre, on voit la montée en puissance du programme nucléaire de Téhéran. Les Iraniens niant de façon répétée vouloir se doter de l'arme atomique, on serait donc en train d'assister à la formation d'un curieux couple, où chaque adversaire feindrait de ne pas vouloir l'arme, tout en cherchant à persuader l'autre de ne pas l'utiliser.

De fait, ce couple en gestation est encore fort inégal. Avant d'en arriver à un équilibre de la dissuasion selon la formule de la « destruction mutuelle assurée », forgée à l'époque de la guerre froide sous l'acronyme anglo-saxon « MAD », l'on est encore dans la période où la tentation est grande pour le plus avancé de se livrer à une frappe préventive, pas nécessairement nucléaire d'ailleurs, sur les moyens nucléaires et balistiques de l'adversaire. Cela afin d'empêcher qu'il ne se rapproche du niveau qui le rendrait, de fait, invulnérable, car capable de se venger de façon radicale. Dans cette hypothèse de frappe préventive contre l'Iran, le seul attaquant crédible serait Israël, éventuellement les États-Unis, ou les deux ensemble.

Certes, à Jérusalem comme à Washington, des voix autorisées se sont régulièrement élevées pour faire savoir que cette façon d'agir serait la pire de toutes. Le président Barack Obama, pour sa part, en a toujours été convaincu.

Le Premier ministre israélien, Benyamin Netanyahou, s'est en revanche clairement montré tenté par l'entreprise. Et Israël, si la menace iranienne prenait un tour pressant, pourrait espérer rallier finalement à sa cause son principal ami, lui-même capable de coaliser les vingt-sept autres membres de l'Alliance atlantique. C'est d'ailleurs en pensant à cette menace qu'a été lancée en novembre 2010 à Lisbonne la mise en place du bouclier antimissile de l'OTAN, expressément conçu pour arrêter un tir balistique intercontinental partant d'Iran.

Mais, de fait, l'Iran, en 2012 et pour longtemps encore, ne dispose pas des moyens d'infliger des dommages significatifs à son ou à ses adversaires. Son programme de missiles balistiques avance, certes, mais n'affiche pas encore des résultats très probants en termes de fiabilité et de précision. Aurait-il la bombe, et la détermination de s'en servir, qu'il risquerait en la jetant sur le petit territoire d'Israël de tuer presque autant de Palestiniens que d'Israéliens, sans compter la pollution à long terme d'un sol qu'il considère comme sacré. Viser l'Europe ou à plus forte raison les États-Unis est hors de sa portée. Il lui reste les ressources de la guerre de l'ombre, et celles de la stratégie indirecte qui pourrait, par exemple, prendre la forme d'une tentative de blocage du détroit d'Ormouz. Il en a agité la menace à plusieurs reprises, et notamment fin 2011, à l'approche d'une nouvelle vague de sanctions occidentales. Mais un tel blocage, une fois l'émotion initiale passée, n'irait pas très loin, tant le rapport des forces que chaque partie serait capable d'engager, sur mer et dans les airs, jouerait contre l'Iran.

L'Iran pourrait aussi mobiliser le Hezbollah libanais, qu'il a puissamment aidé à créer et à armer. Si le Hezbollah dispose bien de plusieurs centaines, voire de milliers de missiles de courte et de moyenne portée, quelles en sont la qualité et l'efficacité ? Israël a déjà commencé à organiser ses contre-mesures, avec le programme « Dôme de fer », destiné à intercepter au moins des missiles de courte portée. Ce programme lancé en 2007 a été une première fois déployé au printemps 2011. Il s'ajoute aux batteries de Patriot, destinées à arrêter les missiles de plus longue portée. Mais, surtout, comment convaincre le Hezbollah d'entrer dans ce qui serait à son échelle une guerre totale, où il risquerait l'anéantissement et mettrait à nouveau en péril le Liban tout entier ?

▨▨▨▨ L'effet domino potentiel d'un Iran nucléaire

À observer cet Orient compliqué, on en vient donc à regretter la simplicité des couples nucléaires formés dans les autres régions du monde. Pour l'avenir, en effet, si l'Iran devait avoir la bombe, d'autres pays voisins pourraient se sentir presque aussi menacés qu'Israël. Le monde arabe ne manquerait pas de voir l'arme iranienne comme un nouvel avatar d'une menace multiséculaire venant de Perse.

Les sunnites apprécieraient peu un monopole régional chiite sur l'arme nucléaire. L'Égypte, pôle structurant du monde arabe, pourrait donc être tentée d'acquérir l'arme. L'Arabie saoudite, principal pays faisant face à l'Iran sur l'autre rive du golfe Persique, pourrait aussi se sentir responsable d'assurer par l'acquisition de la bombe la sécurité de la péninsule Arabique. Les États-Unis parviendraient-ils alors à retenir l'un et l'autre ? Peut-être, et même sans doute, mais pas à coup sûr. Quant à la Turquie, son appartenance à l'OTAN, avec les garanties qui s'y attachent, suffirait-elle à la dissuader de se doter aussi de la bombe si l'Iran la détenait ?

À tout le moins, ces différents voisins, sans revenir sur leur adhésion au Traité de non-prolifération (TNP), pourraient chercher à réunir les connaissances et les matériaux utiles à la constitution d'un arsenal nucléaire, afin de gagner du temps en cas de nécessité.

L'impossible dénucléarisation du Moyen-Orient

Alors, bien sûr, est née l'idée de faire de cette région, par un pacte général, une zone dépourvue d'arme nucléaire, et même de toute autre arme de destruction massive, chimique ou biologique. Ce projet est d'ailleurs ancien, ayant été présenté en 1974 par l'Iran et l'Égypte à l'Assemblée générale des Nations unies. Il y a ensuite régulièrement fait l'objet de résolutions, et le Conseil de sécurité en a retenu le principe en 1991 au moment où il mettait fin à la première guerre du Golfe. Mais tout cela s'est peu à peu enlisé, en même temps que le processus de paix israélo-palestinien.

Les conférences d'examen du TNP, réunissant tous les cinq ans les pays ayant adhéré au traité, se sont aussi penchées sur le sujet, mais sans dépasser le stade des déclarations de principe. Cela jusqu'en mai 2010, où les 189 pays participant à la dernière réunion des membres du TNP sont convenus de la tenue en 2012 d'une conférence des Nations unies consacrée à la dénucléarisation du Moyen-Orient. C'était déjà une petite victoire, car les États-Unis, sans l'accord desquels rien n'était possible, y étaient au départ opposés.

Mais pour réellement progresser, tout tourne autour de la bonne volonté d'Israël, seul État de la région à ne pas avoir signé le TNP et donc à conserver, en strict droit international, la liberté de détenir un arsenal nucléaire. Or Israël, sans s'opposer au principe de son adhésion à une zone dénucléarisée, a constamment signifié qu'un tel sacrifice de sa part n'était envisageable qu'après l'instauration d'une paix durable dans la région, dans le cadre d'un règlement général de paix avec l'ensemble de ses voisins. On comprend qu'une telle perspective n'est pas immédiate.

Dans ce paysage exceptionnellement tourmenté, rien ne permet donc de discerner comment les nuages accumulés pourraient rapidement se dissiper. Mais au moins faut-il comprendre comment on en est arrivé là.

La nucléarisation précoce d'Israël

Israël, 1948. Dès sa naissance, les dirigeants du jeune État décident de se doter d'une capacité nucléaire militaire afin de garantir que leur peuple « ne sera plus jamais conduit comme des moutons à l'abattoir ». À l'automne 1956, en échange de l'intervention de l'armée israélienne ouvrant la voie à l'expédition franco-britannique de Suez, le gouvernement de Tel-Aviv obtient du gouvernement français la construction à Dimona, dans le désert du Néguev, d'un réacteur de format fortement plutonigène, capable de produire annuellement la matière première de plusieurs armes nucléaires.

Dans les années 1970, les chercheurs israéliens développent une deuxième voie d'accès à la bombe, par l'enrichissement de l'uranium. Parallèlement, l'État hébreu met au point les missiles Jericho dont le dernier modèle, testé en novembre 2011, d'une portée intercontinentale, peut emporter plusieurs têtes nucléaires. Il s'est enfin doté de missiles de croisière américains de la famille Harpoon, susceptibles d'être équipés d'une tête nucléaire, et pouvant être notamment tirés des sous-marins Dolphin fournis par l'Allemagne.

Au total, Israël disposerait en 2012 d'environ deux cents têtes nucléaires. Bien entendu, l'État hébreu s'est toujours refusé à adhérer au TNP. Les Américains, à l'époque du président Richard Nixon et de son secrétaire d'État Henry Kissinger, ont tenté de le convaincre, mais y ont renoncé contre l'assurance qu'Israël « ne serait jamais le premier à introduire des armes nucléaires au Moyen-Orient ».

L'Égypte aux aguets

Égypte, 1959. Gamal Abdel Nasser, qui vient d'avoir vent de la construction du réacteur de Dimona, s'inquiète et caresse l'idée de doter aussi son pays de la bombe. Il déclare en 1964 aux Américains que l'acquisition par Israël de l'arme nucléaire « serait une cause de guerre, même si celle-ci devait être suicidaire ». L'aviation égyptienne survole Dimona en mai 1967 et le sujet est au cœur des tensions conduisant à la guerre des Six Jours.

Puis l'Égypte, sous l'égide d'Anouar al-Sadate, s'oriente vers des ambitions résolument pacifiques. Elle élabore un programme de construction de centrales nucléaires productrices d'électricité et ratifie en 1981 le TNP pour répondre au préalable posé par ses futurs fournisseurs, au premier rang desquels les États-Unis. Mais ce programme, sporadiquement évoqué jusqu'en 2007, ne verra jamais le jour. Hosni Moubarak s'alarme néanmoins régulièrement des ambitions iraniennes et confie volontiers à ses interlocuteurs que si Téhéran se dote de la bombe, l'Égypte devra songer à faire de même. Mais, là encore, rien de concret n'est sorti de ces propos, et la mise en place difficile de nouvelles institutions dans la foulée de la révolution de 2011 a différé toute initiative en ce domaine.

Ankara sous l'aile de l'OTAN

Turquie, 1957. Avec l'Italie et la Grande-Bretagne, le gouvernement turc accepte le déploiement sur son sol de missiles nucléaires américains Thor et Jupiter dirigés contre l'URSS. Mais ils sont démontés en 1963, dans le cadre de l'accord entre Nikita Krouchtchev et J. F. Kennedy destiné à désamorcer la crise de Cuba. Plus tard, les États-Unis associeront l'aviation turque aux plans nucléaires de l'OTAN et entreposeront des stocks importants de bombes atomiques tactiques sur le sol turc, comme ils le feront en Belgique, en Allemagne, en Italie et aux Pays-Bas. Avec la fin de la guerre froide, ces armes ont été regroupées sur la base américaine d'Incirlik. L'inquiétude suscitée par le programme nucléaire iranien leur a récemment conféré une nouvelle raison d'être.

Dans le même esprit, Ankara, en dépit de sa volonté affichée d'entretenir avec son voisin des relations cordiales, s'est joint en 2011 au bouclier antimissile de l'OTAN destiné à contrer la menace iranienne. À noter que la Turquie a ratifié le TNP en 1980. Elle prévoit de se doter de plusieurs centrales nucléaires productrices d'électricité, et le premier contrat a été signé en 2010 avec la Russie.

L'Irak dissuadé par la force

Irak, 1975. Saddam Hussein, dont le pays possède déjà un programme nucléaire embryonnaire et a d'ailleurs adhéré dès l'origine au TNP, signe avec la France un accord pour la duplication près de Bagdad du réacteur de recherche Osiris récemment visité à Saclay. Même si ce modèle de réacteur n'est en rien profilé pour générer les importantes quantités de plutonium nécessaires à la production de bombes, le président irakien déclare y voir « le premier pas concret vers la production de l'arme atomique arabe ». Israël s'émeut, et le gouvernement de Menahem Begin, d'ailleurs à la veille d'élections difficiles, fait bombarder le réacteur en juin 1981, juste avant que l'on y introduise la première charge de combustible nucléaire qui l'aurait rendu dangereusement radioactif. On sait aujourd'hui que cette opération a plutôt décuplé chez Saddam Hussein la volonté d'acquérir la bombe.

Les inspections conduites après la première guerre du Golfe de 1991 par des équipes de l'Agence internationale de l'énergie atomique (AIEA), pour la partie proprement nucléaire du programme irakien d'armes de destruction massive, et des Nations unies pour ses autres aspects, mettent notamment au jour des installations clandestines d'enrichissement d'uranium à des fins clairement militaires. Tout cela sera rapidement démantelé mais les inspecteurs poursuivront leur travail jusqu'à leur retrait fin 1998, à la veille d'une opération américano-britannique de frappes aériennes sur l'Irak. Le soupçon s'installe alors d'une reprise de ces programmes. Ce sera l'un des principaux arguments utilisés pour justifier la seconde guerre du Golfe, en 2003. Mais, de fait, les minutieuses inspections relancées en novembre 2002 et poursuivies après la défaite de Saddam Hussein feront apparaître, à la déception de beaucoup, que rien de sérieux n'avait repris. L'Irak, après toutes les épreuves subies, paraît désormais éloigné pour longtemps de la tentation d'acquisition de l'arme nucléaire.

Le duo Arabie saoudite-Pakistan

Riyad, années 1960. Une proximité croissante s'installe à cette époque entre deux pays musulmans sunnites rigoristes, l'un avancé en beaucoup de domaines mais impécunieux, le Pakistan ; l'autre pauvre en cadres modernes mais doté de la manne pétrolière, l'Arabie saoudite. Des milliers de militaires, de scientifiques et d'ingénieurs pakistanais viennent servir dans ce dernier pays. L'une et l'autre capitales sont sensibles à la nécessité de contrer la menace nucléaire que font peser sur le monde arabo-musulman l'Inde d'un côté, Israël de l'autre.

Informé sans doute très tôt des ambitions pakistanaises en la matière, Riyad y apporte son concours financier, comme il l'apporte, selon certaines rumeurs, au programme nucléaire de Saddam Hussein jusqu'à l'invasion du Koweït. D'où la déduction de l'existence d'une contre-assurance garantissant qu'en cas de besoin l'Arabie saoudite bénéficierait des moyens mis au point par ses amis.

Dans les années 1980, l'Arabie saoudite s'équipe auprès de la Chine en missiles balistiques de moyenne portée, ne présentant d'intérêt stratégique qu'équipés de têtes nucléaires, chimiques ou biologiques. L'émotion suscitée la conduit à rejoindre en 1988 le TNP. En 1999, un an après les premiers tests pakistanais dans le domaine nucléaire et balistique, le prince Sultan, ministre de la Défense, visite au Pakistan une installation d'enrichissement d'uranium et un centre de fabrication de missiles.

Dès les années 1990, les dirigeants saoudiens, en public et de façon encore plus crue en privé, s'alarment de l'émergence d'une menace nucléaire iranienne. Fin 2011, le prince Turki, influent membre de la famille royale, évoque la possibilité pour l'Arabie saoudite d'activer, si nécessaire, l'option nucléaire militaire. Sur un plan plus pacifique, l'Arabie saoudite annonce au printemps 2011 son intention de se doter de seize réacteurs électronucléaires dans les vingt prochaines années.

La quête tous azimuts de la Syrie

Syrie, 1969. Damas, où Hafez el-Assad n'a pas encore pris le pouvoir, adhère au TNP, et figure donc parmi ses tout premiers membres. Ses investissements en termes humains et financiers dans le domaine nucléaire demeurent embryonnaires. En 1976, sans doute aiguillonnée par les ambitions affichées de Saddam Hussein, la Syrie se lance dans une longue quête tous azimuts pour acheter des réacteurs producteurs d'électricité ou dédiés à la recherche. Mais les États-Unis, inquiets de la position de la Syrie à l'égard d'Israël, veillent au grain, et le résultat, en définitive, sera maigre. Seule la Chine finit par vendre à Damas un tout petit réacteur de recherche, ne présentant aucun risque de prolifération.

Dans les années 1970, la Syrie achète d'autre part à l'URSS ses premiers missiles balistiques, qu'on la soupçonne d'équiper de têtes chimiques ou biologiques. Elle se tourne ensuite vers la Chine, puis vers la Corée du Nord. C'est alors sans doute que les Nord-Coréens offrent à la Syrie de lui construire un réacteur de recherche fortement plutonigène, donc donnant accès à la bombe. Le 6 septembre 2007, alors qu'il est encore inachevé, il est détruit par l'aviation israélienne. Malgré les efforts syriens pour faire disparaître du site toute trace d'activités répréhensibles, les inspecteurs de l'AIEA récoltent sur place des particules d'uranium qui paraissent bien signer les intentions de Damas.

Iran : la surenchère permanente

Iran, 1973. Le premier choc pétrolier offre au régime du Shah des ressources inespérées. Le Stanford Research Institute recommande alors à l'Iran de se doter dans les quinze années à venir d'au moins une vingtaine de réacteurs de puissance. Siemens démarre la construction des deux premiers à Bouchehr, aux bords du golfe Persique, tandis que la France s'engage à fournir à travers Eurodif l'uranium légèrement enrichi servant de combustible. La révolution de 1979 interrompt ces projets. Mais l'invasion en 1980 de l'Iran par Saddam Hussein, qui ne fait pas mystère de ses ambitions en matière nucléaire, encourage l'Iran à lancer lui aussi un programme d'acquisition de la bombe. Quant au programme nucléaire civil, il redémarre à petite vitesse vers la fin de la guerre avec l'Irak. La Russie s'engage en particulier à achever le premier réacteur construit à Bouchehr, abondamment bombardé par l'Irak, et abandonné par les Allemands.

Tout cela progresse de pair jusqu'en 2002, où le monde découvre effaré que l'Iran se prépare à se doter d'une technologie à cheval entre le civil et le militaire : l'enrichissement de l'uranium par centrifugation. L'Iran réaffirme alors son attachement au TNP, dont il est membre depuis 1970, et place ses activités d'enrichissement sous contrôle de l'AIEA. Mais cela ne suffit pas aux Américains et aux Européens, qui veulent imposer à l'Iran le « zéro centrifuge ». La République islamique se rebiffe, les Occidentaux traînent en 2006 l'Iran devant le Conseil de sécurité de l'ONU.

Depuis, la situation s'est enlisée. Une guerre de l'ombre tente de ralentir le programme iranien, par des assassinats de scientifiques, par l'injection dans ses installations de virus informatiques. Un embargo généralisé s'est mis en place pour bloquer les échanges de l'Iran avec le monde extérieur et l'amener ainsi à céder. Au printemps 2012, la tension a continué de monter avec la menace d'un bombardement des sites nucléaires iraniens agitée par Israël. On est entré dans la zone de tous les dangers.

Derrière le nucléaire : le pétrole, l'eau et l'électricité

À l'issue de ce tour d'horizon, le Moyen-Orient apparaît ainsi, plus qu'aucune autre région au monde, comme durement agité par tous les enjeux du nucléaire. Le fait générateur est sans conteste la décision prise par Israël, dès sa naissance, de se doter de l'arme atomique. L'Égypte, puis l'Irak et enfin l'Iran sont entrés tour à tour en lice pour s'élever contre ce monopole. Les États-Unis, non sans mal, sont parvenus à obtenir de tous les pays du Proche- et du Moyen-Orient – sauf Israël – leur adhésion au TNP. Mais cette adhésion s'est souvent faite de mauvaise grâce, et l'on a vu apparaître des pays tricheurs, cherchant à tromper les inspecteurs de l'AIEA. Après la découverte des installations clandestines de Saddam Hussein, cette agence a élaboré, sous le nom de « protocole additionnel », un dispositif plus intrusif de contrôle, autorisant des inspections surprises, même sur des sites non déclarés. Mais, début 2012, ni l'Iran, ni l'Égypte, ni l'Arabie saoudite, ni la Syrie ne se soumettaient à ces nouvelles règles.

L'autre enjeu du nucléaire dans la région est la question de la relève du pétrole, dont les réserves finiront bien un jour par se tarir. Les pays dotés de la précieuse ressource cherchent à économiser sur leur consommation pour mieux exporter, et pour mieux préparer l'avenir. Les pays de la péninsule Arabique, notamment, voient aussi dans le nucléaire une façon de corriger par désalinisation leur grave déficit en eau douce.

En 2011, l'Iran a été le premier pays de la région à mettre en activité un réacteur électronucléaire, d'une capacité d'environ 1 000 mégawatts. Il annonce régulièrement vouloir en construire une vingtaine d'autres. En 2009, les Émirats arabes unis ont signé avec un consortium conduit par les Sud-Coréens un contrat de fourniture de quatre réacteurs nucléaires, d'une puissance totale de 5 600 mégawatts, prévus pour commencer à fonctionner en 2017. Le premier réacteur nucléaire turc, construit par la Russie, pourrait être inauguré en 2018, et être suivi à un an d'intervalle par trois autres réacteurs. L'Égypte, l'Arabie saoudite, on l'a vu, ne sont pas en reste de projets, mais à échéances plus lointaines. La Jordanie semble décidée à se doter d'une centrale nucléaire en bordure du golfe d'Aqaba. Si les séquelles de Fukushima ne viennent pas mettre à mal ces projets, le Moyen-Orient pourrait devenir en une génération une zone fortement productrice d'électricité d'origine nucléaire.

Enfin, en matière de recherche scientifique, neuf pays de la région – Bahreïn, Chypre, Égypte, Iran, Israël, Jordanie, Pakistan, Palestine et Turquie – se sont mis d'accord en 2002 avec l'aide de l'Unesco pour fonder ensemble près d'Amman un centre de recherches nucléaires autour d'un accélérateur de particules offert par l'Allemagne. Le projet, baptisé SESAME, progresse avec difficulté mais devrait devenir opérationnel vers 2015. Il préfigure ce que pourrait être une coopération en matière nucléaire dans une région enfin réconciliée.

Le Qatar, nouveau « grand » ou bulle diplomatique ?

Claire Beaugrand
Chercheuse associée, Institut français du Proche-Orient (Beyrouth)

S i, au fil de la décennie 2000, le Qatar s'était déjà fait remarquer par sa politique étrangère originale, mélange du succès de la ligne audacieuse adoptée par la chaîne satellitaire Al-Jazeera dans les années de « guerre contre le terrorisme » et d'offres de médiation pour résoudre les conflits régionaux, les « printemps arabes », amorcés en 2011, ont achevé de placer ce petit émirat du Golfe sur le devant de la scène régionale et internationale, avec les risques que cela comporte.

Une projection diplomatique amplifiée

En pariant plus tôt que les autres sur la chute des « monarques républicains » arabes – en Tunisie, en Égypte, en Libye et au Yémen – ou en tâchant de la précipiter, comme en Syrie, le Qatar s'est propulsé au rang d'acteur incontournable de la nouvelle donne au Moyen-Orient. Protagoniste invisible mais omniprésent des « révolutions arabes », par la couverture exhaustive et laudatrice d'Al-Jazeera des mouvements de protestation populaire et des soulèvements rebelles, le Qatar a également pris la tête des initiatives régionales pour gérer les crises successives.

Faisant, pour la première fois, usage de sa force de frappe aérienne, il s'est constitué comme partenaire et caution arabes de l'intervention de l'OTAN en Libye pour imposer, en mars 2011, une zone d'exclusion aérienne, avant de fournir de son propre chef armes et instructeurs aux forces du Conseil national de transition (CNT), particulièrement dans leur composante islamiste.

Sur le dossier syrien, le Qatar a rompu avec l'immobilisme qui caractérisait d'ordinaire la Ligue des États arabes et, alors qu'il en exerçait la présidence du Conseil des ministres, il lui a fait jouer un rôle de premier plan : de la suspension de la Syrie jusqu'à l'envoi, conjointement avec l'ONU, de Kofi Annan comme émissaire international, en mars 2012, les actions de la Ligue arabe en vue d'engager le régime de Damas à faire cesser les violences ont porté la marque de la diplomatie des monarchies du Golfe, Qatar en tête.

Parallèlement, une attention sans précédent a été portée aux investissements massifs et tous azimuts réalisés par ce micro-État golfien dont le patrimoine international, difficile à estimer faute de données fiables et transparentes, pourrait s'élever à quelque 210 milliards de dollars. Des prises de participation au capital de fleurons industriels français et européens (Veolia, Suez Environnement, Porsche, Total, Vivendi...) jusqu'aux acquisitions de parcs immobiliers dans les capitales les plus chères, particulièrement Londres (quartier d'affaires Canary Wharf) et Paris (hôtel Royal Monceau) ; du rachat de grandes marques (Harrods) au sauvetage de deux banques grecques menacées de faillite, en passant par le lancement du très remarqué fonds d'investissement de 50 millions d'euros pour financer les projets d'entrepreneurs de quartiers populaires français en décembre 2011, les ressources financières qatariennes ont doté l'émirat d'un levier économique considérable qui ne saurait être complètement dissocié de la pression politique qu'il est susceptible d'exercer – quand elles ne subventionnent pas directement certains acteurs politiques comme en Libye ou en Tunisie.

La soudaine proéminence du rôle géopolitique qatarien n'a pas manqué d'étonner : fondée sur une capacité financière adossée presque exclusivement sur des revenus gaziers, sans commune mesure avec la puissance réelle, humaine et militaire, de ce minuscule État de 1,7 million d'habitants, dont seulement 250 000 nationaux, tributaire de la protection américaine pour sa sécurité dans un environnement régional marqué par la rivalité entre l'Arabie saoudite sunnite et l'Iran chiite entre lesquels il est coincé, l'ascension diplomatique du Qatar a paru au mieux paradoxale, au pire très fragile et intenable.

L'aubaine créée par la chute des dictatures arabes mais aussi la crise de légitimité de ceux qui, occidentaux ou non, les avaient soutenues ont pu expliquer la puissance démultipliée de ce confetti géopolitique. Le Qatar a, en effet, comblé le vide laissé par l'effondrement du traditionnel pilier géostratégique du Moyen-Orient que représentait l'Égypte, parfois accusé comme cette dernière de servir les intérêts occidentaux, alors que l'Arabie saoudite a conservé son influence sur les pays de la péninsule Arabique, Bahreïn et Yémen, considérés comme sa chasse gardée.

En outre, le caractère pragmatique et largement opportuniste de l'envolée diplomatique du Qatar n'a pas échappé à ceux qui ont noté les investissements réalisés par l'émirat en Afrique du Nord, dont le moindre n'était certainement pas, en mars 2011, le contrat de commercialisation du pétrole libyen alors contrôlé par les rebelles.

▰▰▰ Le *soft power* qatarien : une stratégie mûrement réfléchie…

Pourtant, les efforts du Qatar pour s'imposer sur la scène régionale et internationale s'inscrivaient aussi dans une stratégie de plus longue durée, qui s'est manifestée, dès avant 2011, par une politique étrangère aussi active qu'ostentatoire de diversification des soutiens diplomatiques. De fait, c'est justement pour pallier sa faiblesse en termes sécuritaires (*hard power*) que le Qatar a redoublé d'efforts en matière diplomatique (*soft power*).

Ainsi l'objectif des investissements qatariens est-il autant de s'attirer le soutien des pays où ils sont réalisés que de prendre le relais, à terme, des revenus de la rente gazière dont la dépendance constitue une source de vulnérabilité.

En outre, même si le Qatar bénéficie de la protection des États-Unis comme hôte de plusieurs bases militaires américaines – dont celle, aérienne, d'Al-Udeid, quartier général avancé des forces de l'US Central Command (Centcom) opérant en Irak et en Afghanistan –, des assurances sécuritaires complémentaires, de la France notamment, ne sont pas apparues superflues.

Par son zèle diplomatique, le Qatar a visé avant tout à « placer l'émirat sur la carte du monde » pour bénéficier d'un capital de bienveillance et d'intérêts communs qui lui soient utiles en cas de crise – à l'inverse du Koweït dont l'opinion publique internationale a appris l'existence au matin de son invasion par l'Irak en août 1990.

La visibilité et la publicité de ses actions deviennent des maîtres mots dans sa stratégie de projection diplomatique, qui prend parfois des allures de campagne de relations publiques. À cet égard, l'expérience de la chaîne satellitaire Al-Jazeera qui, depuis sa création à Doha en 1996, parvient à exercer une influence considérable, façonnant l'opinion publique en définissant les priorités de l'actualité autant que les termes de sa discussion, joue un rôle clé tant dans la promotion de la politique étrangère du Qatar que dans la façon dont elle a été définie.

■■■■■ ... et généreusement financée

Sans mystère, la puissance du Qatar provient des revenus de ses champs gaziers exploités depuis 1997. Premier exportateur de gaz naturel liquéfié au monde, il possédait en 2010 la troisième réserve prouvée derrière la Russie et l'Iran, soit environ 15 % du total mondial, et a doublé encore sa production en 2011.

Le Qatar n'a certainement pas inventé la pratique de « diplomatie du riyal », expression définissant la politique étrangère d'autres pétromonarchies du Golfe, à commencer par le prosélytisme salafiste de l'Arabie saoudite. Il n'a pas non plus innové en termes de fonds souverain d'investissement, puisque la Qatar Investment Authority (QIA), créée bien plus tardivement que ses homologues du Golfe, est dotée d'un portefeuille d'actifs estimé entre 75 et 135 milliards de dollars, nettement en deçà de celui du fonds souverain d'Abu Dhabi.

Pourtant, grâce à ses avoirs répartis à travers le monde, principalement en Europe de l'Ouest et, de plus en plus, vers l'Asie où il a ouvert un fonds d'investissement d'un milliard de dollars en Indonésie, le pays a su façonner une image de marque qui explique largement son succès : dans le sillage des stratégies extraverties de *branding* d'un Dubaï, le Qatar a ainsi accumulé les coups d'éclat.

Il l'a fait par ses investissements « *high profile* », particulièrement dans les domaines sportif et artistique, voire en matière d'éducation, domaines grâce auxquels il espère se forger une réputation internationale beaucoup plus consensuelle que si elle avait dû s'appuyer sur une idéologie ou des principes.

Ainsi le Qatar s'est-il positionné comme étape des grandes compétitions sportives mondiales (avec, outre les tournois annuels de tennis et de golfe, l'organisation du Mondial de handball en 2015 et la très en vue Coupe du monde de football en 2022), mais aussi comme acteur incontournable du football européen (avec le rachat des clubs de Malaga et du Paris-Saint-Germain, et des droits de diffusion par Al-Jazeera Sport de compétitions battant des records d'audience).

De même, les esthètes de la famille royale ont hissé le Qatar au rang de plus gros acquéreur d'œuvres d'art pour les années 2010 et 2011. Enfin, à sa politique d'ouverture de musées et d'universités occidentales au sein de la Qatar Foundation s'est ajoutée une tradition d'organisation de grands forums pour débattre des questions de l'agenda politique global.

■■■■■ La tentation du consensus

Le Qatar a aussi accumulé les coups d'éclat dans le rôle de médiateur qu'il arbore depuis le milieu des années 2000. Désireux d'entretenir de « bonnes relations avec tout le monde », aux dires de son ministre des Affaires étrangères Hamad ben Jassim, le Qatar s'est ainsi illustré comme le catalyseur de la réconciliation entre factions libanaises, en 2008, ou entre le Hamas et le Fatah début 2012 – même si le mérite ne saurait lui revenir exclusivement. Il fut l'artisan de la trêve entre le gouvernement yéménite et les rebelles houthistes du Nord comme de la résolution de conflits frontaliers érythréo-djiboutien ou tchado-soudanais.

Le Qatar a aussi collectionné les alliances improbables. Il se veut proche des grandes puissances occidentales, mais aussi d'Israël, auquel il avait permis d'ouvrir un bureau commercial à Doha, jusqu'à ce qu'il ne le fasse fermer après l'attaque israélienne de Gaza en décembre 2008. Mais il entretient également de bonnes relations avec leurs ennemis jurés : l'Iran, avec qui il partage ses champs gaziers, le Hamas, dont il a accueilli en février 2012 le bureau politique basé jusqu'alors à Damas, et l'adversaire taliban de la guerre d'Afghanistan, dont il a accepté l'ouverture en janvier 2012 d'un bureau de représentation à Doha afin de favoriser les pourparlers avec les États-Unis.

▰▰▰▰ Les velléités de modernité de dirigeants conservateurs

L'émergence de l'image attachée au Qatar – un émirat moderne, inscrit sur la carte de la mondialisation et donc à même de peser stratégiquement en s'affranchissant des contraintes territoriales et démographiques réalistes – a résulté des efforts conjugués et concertés des trois personnalités qui occupent le sommet de l'État qatarien. D'abord l'émir Hamad ben Khalifa Al-Thani, aux ambitions duquel le Qatar doit, depuis qu'il a déposé son père en 1995, son développement exponentiel, sa croissance de 18 % en 2011 et sa vision de long terme. Ensuite sa très active épouse Cheikha Muza, présidente de la Qatar Foundation. Enfin le Premier ministre et ministre des Affaires étrangères Hamad ben Jassim Al-Thani, fin diplomate et fin investisseur.

Le Qatar a pu asseoir ses ambitions de puissance extérieure sur une stabilité intérieure solide, garantie par un régime tribalo-monarchique : s'il a suivi une ligne conservatrice de soutien à la répression à Bahreïn, c'est certainement autant par peur du précédent que de la contagion. Et pourtant le système qatarien a plutôt satisfait sa population nationale, qui jouit d'un PIB par habitant de plus de 100 000 dollars, le plus élevé au monde.

Campé dans l'image d'un pays sachant prendre risques et initiatives en politique internationale, portant haut les couleurs de l'islam dans une version moins rigoriste, le Qatar a même paru rivaliser d'influence avec l'Arabie saoudite. Au fur et à mesure de l'émergence de nouvelles forces politiques à l'occasion des scrutins organisés après les « révolutions arabes », le Qatar, en phase avec le conservatisme qu'il affiche chez lui et qui a su exprimer les aspirations électorales des populations arabes, s'est clairement positionné comme soutien privilégié des mouvements islamistes de tendance « Frères musulmans », notamment des partis Ennahda en Tunisie ou Liberté et Justice en Égypte, concurrençant le soutien présumé de l'Arabie saoudite aux salafistes d'Al-Nour.

▆▆▆▆ Apories diplomatiques

Cependant, l'excès de zèle diplomatique du Qatar a aussi généré des tensions sur les scènes politiques intérieure comme internationale, montrant les limites des instruments financier et médiatique de la politique qatarienne.

En Afrique du Nord, l'influence du Qatar a été perçue comme une ingérence, voire comme une nouvelle inféodation à l'étranger, aux yeux des rivaux politiques de ses alliés. Ainsi le parti Ennahda s'est-il retrouvé sous le feu de la critique du fait du soutien financier qatarien, mais aussi de la nomination comme ministre des Affaires étrangères de l'ancien directeur du centre d'études d'Al-Jazeera.

En outre, la politique qatarienne a suscité des inquiétudes chez ses alliés occidentaux. Ceux-ci ont vu d'un œil suspicieux une reconfiguration régionale qui tournerait trop clairement à l'avantage de mouvances islamistes qu'ils ont combattues lors de la décennie précédente, particulièrement en Libye où le Qatar a apporté son aide à d'anciens groupes djihadistes.

Aussi puissant qu'il soit pour jouer dans la cour des grands, aussi populaire qu'il s'efforce d'être en jouant la fibre panarabe (comme lorsque l'émir demandait, en février 2012, l'établissement d'un comité pour enquêter sur les entreprises d'éradication de l'identité arabo-musulmane de Jérusalem), le Qatar n'apparaît toujours pas comme un acteur légitime aux yeux d'autres pays de la région, dans le contexte des révolutions arabes et des aspirations démocratiques qu'elles ont véhiculées. Son propre système politique étant imperméable à toute forme de contestation, sa diplomatie intrusive a valu à l'émir Hamad un accueil hostile aussi bien en Tunisie, lors de sa visite à l'occasion du premier anniversaire de la révolution, qu'en Mauritanie, où il aurait suggéré au gouvernement d'engager le dialogue avec l'opposition islamiste locale.

Si le Qatar s'est avéré un allié de poids dans la chute de l'ordre autocratique au Moyen-Orient, il passe aussi pour un acteur particulièrement inexpérimenté, voire maladroit, dans la phase de transition qui s'est ouverte : certains, par exemple, ont regretté l'asile doré offert à la fille et au gendre du président tunisien déchu ainsi qu'à Moussa Koussa, l'ancien chef des Renseignements et ministre des Affaires étrangères du colonel Kadhafi. De sorte que, au-delà des actions diplomatiques médiatisées, l'ambiguïté des principes de sa politique extérieure jamais clairement énoncés a aussi pu inspirer la méfiance.

Enfin, dans le contexte de tensions régionales très fortes, entre l'Iran d'une part, et d'autre part Israël dont la ligne dure est officieusement soutenue par l'Arabie saoudite et ses alliés du Conseil de coopération du Golfe (CCG), la politique qatarienne audacieuse d'aide à l'opposition syrienne a dangereusement inscrit l'émirat dans la logique de polarisation et de confrontation confessionnelles qui s'est emparée de la région et qui pourrait se révéler très périlleuse si elle devait prendre un tour violent.

Pour en savoir plus

A. J. Fromherz, *Qatar : A Modern History*, I.B. Tauris, Londres, 2012.

M. Kamrava, « Mediation and Qatari foreign policy », *The Middle East Journal*, vol. 65, n° 4, automne 2011.

C. G. Talon, *Al Jazeera. Liberté d'expression et pétromonarchie*, PUF, Paris, 2011.

S. Wright, « Qatar », *in* Ch. Davidson (sous la dir. de), *Power and Politics in the Persian Gulf Monarchies*, Hurst, Londres, 2011.

La nouvelle diplomatie turque ou les pièges de la puissance

Hamit Bozarslan
Historien et sociologue, Directeur d'études à l'EHESS

Au cours des dix dernières années, la Turquie a connu deux évolutions contradictoires mais convergentes, qui ensemble ont donné naissance à une nouvelle politique étrangère.

Le premier mouvement a pris son élan notamment après la guerre du Golfe de 2003 et s'est traduit par l'émergence d'un nouveau courant nationaliste, appelé *ulusalcılık* (du néologisme kémaliste *ulus*, « nation »), définissant les Turcs comme un groupe ethnique et une classe opprimés par les « impérialismes » occidentaux, ainsi que par les communautés non turques du pays. Selon les défenseurs de ce mouvement, dont certains viennent de l'ancienne gauche maoïste, les Turcs devraient mener une « seconde guerre d'indépendance » pour réaliser leur émancipation en tant que nation *et* en tant que classe subalternes.

Antiaméricain, antieuropéen et anti-israélien, pour ne pas dire antisémite, l'*ulusalcılık*, qui trouve sa figure historique tutélaire en la personne de Talat Pacha (1874-1921), principal architecte du génocide arménien de 1915, n'a enregistré que peu de succès électoraux. Il est cependant parvenu à imposer son idéologie, par défaut, à de nombreux intellectuels et officiers turcs, orphelins de la gauche et d'un kémalisme classique en perte de sens. Nombre d'*ulusalcı* ont été arrêtés entre 2008 et 2011, en même temps que des officiers de haut rang de l'armée, pour avoir organisé des tentatives de coups d'État. La large diffusion de leur discours n'en a pas moins radicalisé l'opinion publique turque, notamment à l'encontre des États-Unis et d'Israël.

Deuxième évolution : l'ascension du Parti de la justice et du développement (AKP – *Adalet ve Kalkınma Partisi*) du Premier ministre Recep Tayyip Erdoğan, dont le score électoral est passé de 34,6 % en 2002 à 49,9 % en 2011. Exerçant une position quasi hégémonique dans la société, tantôt combattue et tantôt soutenue par le parti de la droite radicale MHP (Parti de l'action nationaliste de Devlet Bahçeli), cette formation est loin de partager l'anti-américanisme des *ulusalcı*. Mais, issue d'une tradition autant islamiste que nationaliste, elle fait feu de tout bois, d'une opposition frontale contre Israël au rapprochement avec la Syrie et l'Iran, pour se tailler une politique étrangère autonome sur mesure la démarquant de ses alliés occidentaux.

Certes, le gouvernement Erdoğan prend garde à ne pas rompre les amarres avec les États-Unis et l'OTAN, alliance dont la Turquie est membre, mais sa politique étrangère occasionne de manière « systémique » des crises politiques avec l'un ou l'autre. En un sens, l'AKP est le principal bénéficiaire des campagnes ultranationalistes de ses adversaires *ulusalcı*, mais aussi, *mezzo voce*, leur continuateur.

▬▬▬▬ La politique étrangère de l'AKP : une généalogie complexe

À la base de la « pensée diplomatique » de l'AKP se trouve indéniablement le culte que ce parti voue à la turcité, terme qui déborde le simple cadre territorial de la Turquie pour être défini autant par le legs ottoman que par l'islam. À titre d'héritière de l'Empire et du dernier califat, la Turquie est supposée détenir une autorité morale dans et sur l'ex-espace ottoman ainsi que sur le monde musulman *lato sensu*.

Loin de particulariser le parti d'Erdoğan, qui lui donne pourtant son expression la plus pragmatique, cette pensée se nourrit d'une généalogie complexe remontant à Ziya Gökalp (1876-1924), principal idéologue du Comité Union et Progrès, qui dirigea l'Empire au cours de sa dernière décennie (1908-1918). Sacralisant l'État en tant qu'incarnation de la nation, ce sociologue avait élaboré une synthèse identitaire ente la turcité, l'islam et la contemporanéité, pour l'imposer comme la feuille de route de la future Turquie. La « synthèse turco-islamique » qu'adopta le régime militaire instauré le 12 septembre 1980 érigea le « gökalpisme » en une quasi-idéologie officielle du pays.

Mais, à des degrés divers, cette « synthèse » constitue aussi le socle idéologique et identitaire d'une deuxième tradition, celle de la « communauté » de Fethullah Gülen (né en 1941), exilé aux États-Unis, surtout connu pour ses activités missionnaires en Turquie et dans le monde. Détesté par une armée qu'il glorifie pourtant comme le « berceau du Prophète », profondément « étatiste », ce religieux considère la turcité comme pilier et protectrice de l'islam. Les disciples qu'il a recrutés depuis des décennies, surtout dans les classes moyennes, et qui ont été formés dans des écoles de sa communauté occupent aujourd'hui de nombreux postes importants au sein de la bureaucratie civile et exercent une influence considérable dans les ministères de l'Intérieur, de la Justice et sans doute aussi des Affaires étrangères.

La vision de la politique étrangère de l'AKP, qui doit grandement à cette double origine, est également marquée par deux personnalités : Recep Tayyip Erdoğan (né en 1954), Premier ministre, et Ahmet Davutoğlu (né en 1959), ministre des Affaires étrangères depuis 2009.

Le premier, ancien maire d'Istanbul, issu d'une tradition islamiste longtemps incarnée par le leader historique Necmettin Erbakan (1926-2011), fut initié dans sa jeunesse autant à la littérature islamiste qu'à une propagande anti-israélienne et « antisioniste ». Fort du soutien de l'électorat mais aussi de la croissance économique de son pays (plus de 8 % en 2011), il projette sur le plan régional la puissance personnelle qu'il a acquise en Turquie même au cours de la dernière décennie. Longtemps considéré comme ennemi de la République par l'armée, emprisonné pendant quatre mois en 1999, il est désormais le maître d'un État auquel il attribue une responsabilité historique dans l'ensemble de l'ex-espace ottoman.

Quant à Ahmet Davutoğlu, professeur de relations internationales avant de prendre les commandes de la politique étrangère turque, on le connaît pour ses publications en turc (notamment « La profondeur stratégique », paru en 2001) et en anglais (*Another Paradigm : The Impact of Islamic and Western Weltanschauungs on Political Theory*, qui date de 1994). Il considère l'ancien espace ottoman comme un « bassin civilisationnel », avec la Turquie comme acteur clé chargé d'y apporter la stabilité par sa puissance, sa politique dite de « zéro problème » avec les voisins et son rôle d'arbitre. Dans sa philosophie de l'histoire, que l'on peut qualifier d'« éclectique », le XXᵉ siècle fut marqué par la modernité, indissociable de la domination de l'Occident, alors que le XXIᵉ siècle se place sous l'étoile de la « globalisation » qui propulsera l'Asie au-devant de la scène mondiale.

Cette vision, peu compatible avec le projet d'un nouveau califat ou d'une union islamique que prônent certains penseurs islamistes, s'inscrit résolument dans une perspective combinant puissance, *soft power* et néolibéralisme planétaire comme pourvoyeurs de ressources pour les grands États non occidentaux.

▰▰▰ Problèmes internes et externes d'une politique étrangère

La politique de Recep Tayyip Erdoğan et d'Ahmet Davutoğlu, consistant à projeter la Turquie au premier plan sur la scène régionale et plus encore mondiale, s'est traduite au cours des dernières années par quelques gestes forts d'autonomisation, notamment lorsque Ankara s'opposa, avec Brasilia, à un train de sanctions onusiennes contre l'Iran en juin 2010.

Mais, depuis 2010, Ankara rencontre également plusieurs problèmes de taille, au premier rang desquels le conflit, sourd mais néanmoins réel, entre la communauté de Gülen et la politique de l'AKP. À titre d'exemple, Fethullah Gülen a émis, depuis son exil savamment orchestré dans le New Jersey, quelques réserves sur la politique israélienne d'Ankara, en condamnant aussi bien Tel-Aviv que l'équipée humanitaire du *Mavi Marmara* en mai 2010 (voir *infra*). Tout indique en effet que, connu pour sa prudence mais aussi pour sa fidélité à un point de dogme de la théorie classique de l'État de l'islam qui exige le respect de l'autorité établie, ce religieux ne souhaite ni une orientation aventuriste de la politique étrangère turque ni le recours à la violence dans l'espace israélo-palestinien.

En deuxième lieu, la volonté de l'AKP d'affirmer la puissance économique turque dans l'ensemble du Moyen-Orient, et de créer une alliance avec Damas et Téhéran pour contrer le poids de la région kurde autonome en Irak comme l'effervescence de l'espace kurde régional, l'avait poussé à privilégier des liens d'État à État, faisant peu de cas des demandes des sociétés. Or cette politique se trouve à l'origine des longues hésitations d'Ankara durant les premiers mois des crises libyenne et syrienne, hésitations qui lui ont valu un certain discrédit, notamment en Libye où les manifestants ont brûlé des drapeaux turcs.

Qu'en est-il du reste du monde arabe ? Il ne fait pas de doute que les acteurs issus de la mouvance islamiste (Ennahda tunisien, Parti de la justice et du développement marocain, Parti de la liberté et de la justice égyptien), qui ont triomphé à la faveur des élections de 2011-2012, partagent la même vision de l'islam, de la société et du monde que l'AKP, mais ils rappellent aussi à souhait qu'ils ne constituent « ni une colonie européenne, ni une *wilaya* ottomane ».

En Égypte notamment, l'AKP est considéré comme trop laïc par les islamistes, mais aussi comme trop aventuriste par les militaires, qui n'ont nul désir de s'engager dans un conflit avec Israël. Une différence s'opère ainsi entre d'une part les opinions publiques, qui voient en Erdoğan un Nasser que les Arabes perdirent sous leurs dictatures autoritaires inféodées aux États-Unis et à Israël, et d'autre part les politiciens et les *establishments*, soucieux surtout de leur autonomie, d'autant plus que l'« appel d'empire » (selon l'expression de Ghassan Salamé) [1] qui se faisait entendre dans le monde arabe des années 1990 ne s'exprime plus avec autant de force aujourd'hui. En un sens, la banalisation d'un « régime du type AKP » dans la région illustre aussi l'incapacité de la Turquie d'Erdoğan à se transformer en *primus inter pares* régional.

Plus grave encore, les années 2010 et 2011 ont clairement montré que la volonté de puissance de la Turquie était largement incompatible avec son principe de « zéro problème » avec ses voisins. Que faire, en effet, si la Turquie s'interdit elle-même de poursuivre une politique fondée sur l'absence de tout litige, voire se trouve impliquée, par ses choix « stratégiques » ou par ses inerties, dans un système à « trop-plein de problèmes » ?

À titre d'exemple, les accords de Zürich conclus avec l'Arménie, portant sur l'ouverture de la frontière entre les deux pays et signés sous la houlette d'Hillary Clinton le 10 octobre 2009, ne furent jamais ratifiés par l'Assemblée nationale turque. De même, à plusieurs reprises durant l'été 2011, Ankara a menacé de recourir à la force contre Chypre pour dissuader celle-ci de procéder à l'exploration des ressources naturelles dans ses zones maritimes avec l'appui de compagnies israéliennes. Force est en effet de constater que Tel-Aviv a noué des rapports étroits avec Nicosie, mais aussi Athènes, pour marginaliser la Turquie sur un vaste plan régional dépassant le simple cadre du Proche-Orient. Le blocage que l'on observe sur la question chypriote, qui s'explique en partie par le refus d'Ankara de reconnaître Nicosie conformément aux engagements pris en 2004 comme condition préalable de son intégration à l'Union européenne (UE), a également contribué à créer une ambiance quelque peu délétère dans les relations euro-turques, surtout dans le contexte de la présidence chypriote de l'UE au deuxième semestre 2012.

■■■■■ Crises avec Tel-Aviv, apaisement avec Washington

Mais la politique de « zéro problème » a montré ses limites avant tout dans les relations d'Ankara avec Israël. Après avoir réprimandé le président israélien Shimon Peres à Davos et accusé Israël de mener un « génocide à Gaza » en janvier 2009, la Turquie a connu une nouvelle crise avec Tel-Aviv lorsque, le 31 mai 2010, les forces aéronavales israéliennes ont fait neuf

---

1   Ghassan SALAMÉ, *Appels d'empire. Ingérences et résistances à l'âge de la mondialisation*, Fayard, Paris, 1996.

victimes dans l'attaque du *Mavi Marmara*, bateau humanitaire d'une ONG turque qui participait à la « flottille pour la paix » visant à rompre le blocus de Gaza.

La réaction turque à cette attaque a pris de l'ampleur tout au long de 2011 pour aboutir, à la veille de la publication du rapport de l'ONU déplorant un usage « excessif » de la force de la part d'Israël sans cependant le condamner, à une rupture quasi totale des relations diplomatiques entre les deux pays en septembre 2011, avec l'expulsion de l'ambassadeur de l'État hébreu. Erdoğan et Davutoğlu ont déclaré à cette occasion que les prochaines flottilles humanitaires seraient accompagnées par les forces navales turques. Et les 3 et 4 janvier 2012, Recep Tayyip Erdoğan a officiellement accueilli Ismaël Haniyeh, Premier ministre du Hamas.

La densité de ce conflit ne met pas seulement en échec les tentatives de la Turquie de servir d'arbitre à l'échelle régionale, en l'occurrence entre les Palestiniens et les Israéliens, comme elle le souhaitait dans les années 2004-2007 : elle montre également combien la projection du pays comme grande puissance régionale peut aboutir à une escalade interdisant tout « retour en arrière » susceptible d'éroder la crédibilité du Premier ministre turc sur le plan intérieur et au sein des opinions publiques arabes.

Voilà sans doute aussi l'une des raisons qui ont poussé Ankara à procéder épisodiquement à des rééquilibrages « pro-occidentaux » de sa politique étrangère, en décidant par exemple, après moult hésitations, d'abandonner le régime de Bachar el-Assad et, plus surprenant compte tenu de son alliance des années 1990 avec l'Iran, d'accepter l'installation d'un bouclier anti-missile sur son territoire, au prix d'une vive crise avec Téhéran déclenchée en septembre 2011. De même, malgré son opposition préventive à une éventuelle intervention militaire, américaine ou israélienne, contre l'Iran, Ankara a opté en 2011-2012 pour une politique ouvertement antisyrienne et « antichiite » dans la région, politique qui se traduit par le soutien qu'elle apporte à l'opposition syrienne ou à Tarek al-Hachemi, vice-président sunnite dissident et exilé. Le recentrage prosunnite de sa politique étrangère a amené le gouvernement d'Erdoğan à procéder également à une normalisation des rapports entre la Turquie et le Kurdistan irakien, région quasi indépendante de Bagdad. Ce « rapprochement » va cependant de pair avec une politique de fermeté et/ou d'exclusion qu'il adopte à l'encontre des Kurdes de Turquie ou de Syrie.

Facteurs gris

Enfin, la politique étrangère turque subit de plein fouet la contradiction entre un registre pragmatique, qui pousse Washington et les capitales européennes à composer avec cette « 17e puissance économique mondiale », et un autre, légué par l'histoire ou relevant des droits des minorités. La gravité de la question kurde, le blocage sur la question chypriote (conséquence de l'invasion d'une partie de l'île par l'armée turque en 1974), la question de la reconnaissance du génocide arménien par les pays européens provoquent des tensions répétées, dont celle de décembre 2011-février 2012 avec Paris à l'occasion du vote d'une loi pénalisant la négation des génocides reconnus par la France. Ces « facteurs gris » continueront sans doute de peser lourdement à l'avenir pour engendrer de nouvelles crises, que l'on peut qualifier de « systémiques ».

Plus généralement, l'inefficacité manifeste de la politique étrangère turque sur le plan régional contraste radicalement avec l'image qu'elle est capable de donner d'elle internationalement et ébranle les postulats sur lesquels elle se fonde.

La théorie de la diplomatie comme reflet de la puissance, développée par Ahmet Davutoğlu, s'inspire des expériences européennes (et, partant, coloniales) du XIXᵉ siècle. Mais un État peut-il prétendre transformer son ex-« espace impérial » en sa « profondeur stratégique » dans un monde qui est si peu en demande d'une politique impérialiste ? Peut-il, pour réaliser ses objectifs, rester profondément national et se faire accepter en même temps comme l'arbitre légitime des conflits dans une région dont il serait le protecteur ? Une telle ambition peut-elle être atteinte sans moyens militaires et économiques substantiels, les seuls à même de produire des liens de dépendance à l'échelle internationale ? Force est de constater que les expériences turques de 2010-2012 ne furent, de ce point de vue, nullement concluantes.

Pour en savoir plus

J. Marcou, « Le bilan 2011 de la politique étrangère turque », blog de l'Observatoire de la vie politique turque <http://ovipot.hypotheses.org> [consulté le 17 janvier 2012].

K. Öktem, *Angry Nation. Turkey since 1989*, Zed Press, Londres, 2011.

C. Tugal, *Passive Revolution. Absorbing the Islamic Challenge to Capitalism*, Stanford University Press, Stanford, 2009.

Chine : effervescence sociale, immobilisme politique

Martine Bulard
Rédactrice en chef adjointe du *Monde diplomatique* [1]

L'année du dragon – celle de la puissance, selon la légende – se révèle plus difficile que ne l'avait envisagé le pouvoir. Mouvements sociaux et luttes politiques à l'intérieur du Parti communiste de Chine (PCC) ont ébranlé les schémas les plus établis.

La montée en puissance de l'« ennemi intérieur »

En 2011, plus de 180 000 « incidents collectifs » ont été officiellement recensés. En 2008, ils s'élevaient à 80 000 – ce que les autorités considéraient déjà comme un niveau élevé. Bien sûr, ces chiffres sont à prendre avec des pincettes : quand ils le peuvent, certains cadres passent sous silence les protestations afin d'éviter d'être mal notés par leur hiérarchie, tandis que d'autres considèrent la moindre pétition ou réclamation collective comme un « incident » à réprimer d'urgence. La discrétion des uns compense-t-elle l'agitation des autres ? Nul ne le sait.

En revanche, tout le monde s'accorde sur l'évolution en cours. En Chine même, de plus en plus de cadres politiques et de chercheurs s'en inquiètent. Ainsi, en 2011, un groupe de sociologues de la prestigieuse université de Tsinghua, à Pékin, a tiré publiquement la sonnette d'alarme, soulignant la hausse continue du budget de la sécurité intérieure qui « atteint désormais le niveau du budget de la défense nationale [2]. » Autrement dit, le pouvoir considère l'« ennemi intérieur » aussi dangereux que celui de l'extérieur. Comme d'autres, ces chercheurs ont proposé des réformes, non pour changer le régime mais pour construire des lieux de confrontation et de négociations destinés à faciliter la résolution des conflits nés des « divergences d'intérêts inévitables », selon leur expression.

---

1   Martine Bulard est coauteur avec Jack Dion de *L'Occident malade de l'Occident*, Fayard, Paris, 2009.
2   Jing Jun, Sun Liping, Shen Yuan, Guo Yuhua, « Des chercheurs chinois réclament des réformes dans leur pays », *Le Monde diplomatique*, juillet 2011.

Au premier rang de ces « Indignés à la chinoise », des paysans chassés de leurs terres avec des indemnités dérisoires ; des familles expulsées de leurs logements pour cause de spéculation immobilière ; des villageois aux prises avec un potentat corrompu ou se rebiffant contre la pollution des eaux et des terres ; des propriétaires en butte aux sociétés immobilières alliées aux responsables locaux, ou vent debout contre l'implantation d'un foyer de migrants près de leur résidence… Les protestations, d'une ampleur inégalée, concernent des populations aux motivations et aux niveaux de vie fort différents, ce qui ne favorise guère la convergence des mouvements. Une chance pour le pouvoir.

▬▬▬ Le pouvoir face à des défis économiques et sociaux inédits

Toutefois, l'avenir s'annonce incertain. D'abord, le ralentissement de la croissance fragilise le pouvoir. En mars 2012, lors de la réunion annuelle de l'Assemblée nationale populaire (ANP) qui réunit les leaders communistes de tout le pays, le premier ministre Wen Jiabao a estimé que la croissance ne dépasserait pas 7,5 % en 2012 – le plus bas niveau atteint depuis vingt ans. Tant que les couches moyennes naissantes étaient assurées de leur prospérité, tant que les moins aisés pensaient que leur enfant prendrait l'ascenseur social, tant que tous rêvaient – non sans raison – à des lendemains plus faciles, le monopole du Parti communiste n'était guère contesté. Si cet espoir s'effondre, le consensus risque de craquer.

D'autant que les jeunes diplômés, issus des familles les plus favorisées, éprouvent de plus en plus de difficultés à trouver un emploi au sortir de l'université. Depuis 2009, le pouvoir les pousse à s'installer dans le centre du pays ou dans les campagnes (remboursement au moins partiel des études, salaires plus élevés…), dans le but de désengorger le littoral et les grandes villes. Le souci est louable, la réalisation reste symbolique.

Lors de la réunion de l'ANP, Wen Jiabao a bien promis de « poursuivre une politique budgétaire de relance ». S'il ne manque pas de moyens (les réserves sont considérables), il ne peut, néanmoins, réitérer l'opération de la fin 2008. À l'époque, il avait injecté l'équivalent de 430 milliards d'euros dans la machine pour éviter qu'elle ne cale, alors que les exportations se contractaient pour cause de crise aux États-Unis et en Europe. Mais cela n'est pas allé sans gâchis de capitaux (investissements démesurés, spéculation immobilière…). Depuis, le pouvoir navigue – avec succès – entre restrictions des crédits (pour assainir) et injections de fonds (pour relancer). Mais combien de temps peut-il tenir ?

La grande question est d'opérer la mutation du système productif, c'est-à-dire de se tourner vers le marché intérieur, tout en jouant la carte de l'innovation. D'ores et déjà, la Chine a pris un avantage dans les énergies vertes. Ses dépenses de recherche-développement frôlent les 2 % du PIB, ce qui la place juste derrière les États-Unis et quasiment au même niveau si l'on considère le nombre des chercheurs. Elle n'en est cependant qu'aux balbutiements, alors que les exportations se tassent.

Pour ceux qui ont un travail, le pouvoir d'achat du salaire moyen a augmenté de 4 % à 5 % l'an ces dernières années. Dans les entreprises étrangères, qui avaient défrayé la chronique en 2010 en raison de grèves massives, les rémunérations ont grimpé encore plus rapidement. Ainsi, au début de l'année, Foxconn, le groupe taïwanais sous-traitant d'Apple (et de ses fameux iPod), a relevé de près de 20 % à 25 % le niveau général des salaires – sous la pression des travailleurs et celle des médias étrangers et chinois qui leur ont donné de l'écho [1].

Le temps où les ouvriers-paysans (*mingongs*) se contentaient d'assembler des pièces ou de visser des boulons sans rien dire est terminé. Ils ne se contentent plus d'avoir un revenu, heureux de pouvoir envoyer un peu d'argent à la famille restée à la campagne. La nouvelle génération – ceux qui sont nés après 1980 et les réformes économiques, et qui constituent désormais 60 % des 150 millions de migrants – n'a plus cette mentalité. Selon une étude publiée par la Fédération des syndicats (officiels), 67 % de ces jeunes ont un niveau d'éducation secondaire ou universitaire bien plus élevé que celui de leurs parents. Contrairement à leurs aînés, ils envisagent de rester en ville et de s'y intégrer. Le passeport intérieur (*hukou*), toujours en vigueur, leur rend la chose difficile car les droits sont associés au lieu de naissance (et non de vie). Ils ne disposent donc pas des mêmes possibilités que les urbains. Le plus souvent, ils sont méprisés par les couches moyennes qui continuent à les considérer comme de vulgaires paysans.

D'où le choc plus ou moins frontal avec les directions d'entreprise et les dirigeants locaux. Ils sont en effet nombreux à se rebiffer. Ils n'hésitent plus à s'organiser ni même à s'appuyer, si besoin, sur des ONG. De plus en plus nombreuses, selon l'étude menée par la spécialiste française Chloé Froissart [2], ces dernières finissent par jouer le rôle d'intermédiaires entre les migrants et les autorités – sorte de syndicats autonomes qui ne diraient pas leur nom.

Autre grand mouvement en expansion fulgurante ces dernières années : celui des propriétaires. Depuis 1949 et jusqu'à la fin des années 1990, le logement était pris en charge par les grandes entreprises (*danwei*) ou loué à l'administration pour des montants très faibles (aussi faibles parfois que la

---

1 Voir notamment Charles Duhigg, David Barboza, « In China, human costs are built into an iPad », *The New York Times*, 25 janvier 2012.

2 Chloé Froissart, « Les "ONG" de défense des droits des travailleurs migrants : l'émergence d'organisations proto-syndicales », *Chronique internationale*, IRES, n° 135, mars 2012.

qualité de l'habitation). Puis les Chinois, notamment ceux des villes, ont eu le droit d'acheter l'appartement qu'ils occupaient, ou d'en acquérir un (voire deux ou trois) dans ces constructions plus ou moins prestigieuses qui ont poussé comme des champignons. Pour certains, cela représente aussi une façon de préparer les vieux jours, car les retraites demeurent très basses.

Ce basculement ne s'est pas fait sans douleur. Les propriétaires ont dû affronter les sociétés de gestion (équivalent des syndics en France), lesquelles travaillent main dans la main avec le « complexe bureaucratico-affairiste qui contrôle le secteur immobilier et qui a des ramifications au sommet du Parti et de l'administration », note le sociologue Jean-Louis Rocca [1]. Certains observateurs imaginaient que ces mouvements serviraient de fer de lance de la démocratisation du pays. Espoirs déçus : au mieux, ils « visent la mise en place de lois protégeant leurs droits et leur permettant de vivre tranquilles chez eux », ajoute Rocca. Ils « font peu de cas des droits des autres catégories sociales. Les mêmes qui pestent contre l'injustice qui les frappe face à d'avides promoteurs sont aussi les premiers à protester contre la présence de foyers de migrants dans le quartier ; cette installation contribuant à faire diminuer la valeur de leur propriété et le statut de la résidence ». Chacun regarde dans son jardin.

Pour autant, le mécontentement face à la montée des inégalités et à la corruption endémique se généralise, perceptible dans les réseaux sociaux, malgré la censure. Les « fils de prince » (enfants de dirigeants révolutionnaires) et leurs privilèges, les richesses ostentatoires des dirigeants irritent au plus haut point. En mars, lors de la réunion de l'ANP, les internautes se sont déchaînés, comparant la session à un « défilé de mode d'une grande maison de haute couture, vu le nombre de costumes griffés et de sacs à main de marque qui s'y exhibent [2] ».

▰▰▰ Soubresauts politiques à l'approche du renouvellement de l'équipe dirigeante

C'est dans ce contexte agité de luttes sociales et identitaires (les rébellions s'amplifient au Tibet et dans le Xinjiang) que se prépare le XVIIIᵉ congrès du PCC, qui devrait se tenir à l'automne 2012. Un congrès à certains égards exceptionnel puisque dix-sept des vingt-cinq membres du Bureau politique et cinq des neuf membres du comité permanent du Bureau politique, le cœur du pouvoir, vont être remplacés –parmi lesquels le secrétaire général et président de la République Hu Jintao et le Premier ministre Wen Jiaobo. En effet, ces postes ne peuvent être occupés plus de deux mandats, à la suite d'une décision de 1989 institutionnalisant le

---

1   Jean-Louis Rocca, « Révolte des propriétaires chinois », *Le Monde diplomatique*, mai 2012.
2   Agence France-Presse, Pékin, 5 mars 2012.

renouvellement des dirigeants... sous la férule du Parti qui continue à tout organiser. Du reste, on connaît déjà le nom de leurs successeurs qui, depuis plusieurs années, se sont mis dans leurs pas en devenant vice-président pour Xi Jinping et vice-Premier ministre pour Li Keqiang.

Tout semblait donc aller dans le meilleur des mondes bureaucratiques, avec des débats cantonnés à la petite bulle des initiés, hors de portée du commun des Chinois... quand a éclaté, début mars 2012, l'affaire Bo Xilai, dirigeant communiste de la ville-province de Chongqing (32,6 millions d'habitants), l'un des neuf membres du comité permanent du Bureau politique, que l'on disait voué à un brillant avenir. Ayant fait de la lutte contre la corruption sa marque de fabrique, M. Bo se trouve lui-même accusé de corruption et d'espionnage des hauts dirigeants du pays, tandis que sa femme est soupçonnée d'avoir commandité le meurtre d'un affairiste anglais.

Ce n'est pas la première affaire du genre. En 1995, le secrétaire du Parti de Pékin, et en 2006 celui de Shanghai, tous deux membres du Bureau politique, avaient été destitués et embastillés – non sans arrière-pensées politiques (déjà). Mais, contrairement à Bo Xilai, ils étaient honnis dans leur ville. Selon Cui Zhiyuan [1], chercheur à la prestigieuse École de politique publique et de management (équivalent de l'ENA) à Pékin, plus de deux millions de migrants ont été régularisés à Chongqing alors qu'ils travaillaient depuis plus de cinq ans dans la ville sans permis de résidence, et donc sans droits pour eux et leurs enfants. Un vaste programme de construction de logements sociaux a été lancé, réduisant la montée des prix de l'immobilier. Enfin, grand partisan du partenariat public-privé, M. Bo s'était attaché à attirer les investissements, tout en reprenant la main publique dans plusieurs secteurs (dont la construction). Si l'on en croit ses accusateurs, il aurait remplacé un clan par un autre (le sien), mais au passage une partie de la population en a profité.

Ses options étaient devenues populaires malgré ses méthodes expéditives (recours à la torture, procès bâclés, peines de mort exécutées...) et sa démagogie postmaoïste (il avait remis les « chants rouges » au goût du jour). Ses frasques financières étaient-elles si étendues qu'elles ne pouvaient plus être cachées ? Ou l'élimination de cette figure « sociale » opposée à une nouvelle vague de privatisation était-elle nécessaire pour asseoir la future équipe ?

---

1   Rencontre avec l'auteur à Pékin en novembre 2011. Voir CUI Zhiyuan, « Partial intimations of the coming whole : the Chongqing experiment in light of theories of Henry George, James Mead and Antonio Gramsci », *Modern China*, Sage, Pékin, 2011.

Le Premier ministre n'a pas cherché à minimiser l'ampleur du séisme. « Nous sommes, a-t-il déclaré en mars 2012 [1], à un stade critique. Sans une réforme politique couronnée de succès, il est impossible pour la Chine de mener à bien la réforme économique, et les gains que nous avons réalisés peuvent être perdus. » Et d'ajouter : « Je suis pleinement conscient que, pour résoudre ces problèmes, nous devons mener de front deux réformes structurelles : la réforme économique et la réforme politique, en particulier celle du système de direction du Parti et du pays. » Dans un pays où la stabilité recherchée par tous confine à l'immobilisme, la déclaration n'est pas passée inaperçue.

■■■■ Le « modèle chinois » revisité ?

Dans le domaine économique, le pouvoir cherche à négocier un nouveau virage vers la « libéralisation », dans l'esprit du rapport « China 2030 » de la Banque mondiale et du Development Research Center of State Council (laboratoire d'idées proche du pouvoir). Il réclame tout à la fois un renforcement des dépenses collectives (santé, éducation, retraite), condition d'une plus grande efficacité, et des privatisations car le « "monopole public" dispose d'un pouvoir artificiel sur le marché, qui entrave la concurrence [...]. Il diffère du monopole naturel, où le pouvoir de marché découle de facteurs structurels », et permet « une meilleure allocation des ressources ». Dans l'industrie où 57,6 % des actifs sont détenus par le privé, les migrants et autres salariés apprécient déjà ce « monopole naturel » ! Et si les groupes publics – étatisés et souvent aux mains d'une mafia – ne sont en rien la garantie d'une « harmonie » sociale, les privatisations n'ont guère fait la preuve de leur efficacité. Pas plus à Pékin qu'à Washington ou à Paris.

Sur le plan de la politique, M. Wen a pris l'exemple de Wukan, proche de Canton, où la lutte des villageois a fait le tour de la Chine et du monde. À force de résistance et malgré la répression, ces derniers ont réussi à chasser le potentat local corrompu (et les mafieux avec lesquels il travaillait) et à imposer un renouvellement des élections locales. Selon le Premier ministre, « il faut poursuivre la mise en œuvre du système d'autogouvernance des villageois et assurer la protection de leurs droits légitimes à des élections directes. Dans de nombreux villages, les paysans ont montré leur capacité à réussir l'élection directe des comités villageois ; les gens sont capables de bien gérer leur village, ils peuvent bien le faire également à l'échelle du canton et du comté. Nous devrions les encourager à expérimenter avec audace ». S'agirait-il d'étendre le système au canton ou même à la province ? L'idée, avancée il y a quelques années, fut vite abandonnée, bien que le PCC soit resté maître du jeu dans ces scrutins.

----

1   Xinhua, Pékin, 5 mars 2012.

Le « modèle chinois » qui a permis à l'empire du Milieu de devenir la deuxième puissance mondiale arrive en bout de course. Le pouvoir reconnaît lui-même qu'un tournant s'impose. Le risque est que la nouvelle vague de mutations économiques (largement inspirées du libéralisme) submerge le pays avant même que les réformes politiques nécessaires aient vu le jour.

Pour en savoir plus

R. McGregor, *The Party. The Secret World of China's Communist Rulers*, Penguin, New York, 2011.

J.-L. Rocca, *Une sociologie de la Chine*, La Découverte, Paris, 2010.

Vladimir Poutine pris au piège de son succès

Andrei Gratchev
Journaliste et politologue, dernier porte-parole de Mikhail Gorbatchev au Kremlin

Quand, le 7 mai 2012, Vladimir Poutine a été intronisé, pour la troisième fois, président de la Fédération de Russie, nul n'a posé la même question que douze ans plus tôt : « Mais qui est-ce ? » À l'époque, Boris Eltsine venait de sortir cet obscur ex-officier du KGB de l'anonymat en le nommant d'abord directeur du Service fédéral de sécurité (FSB), puis Premier ministre, avant d'en faire son successeur à la veille de sa démission surprise, fin 1999.

Deux mandats présidentiels plus tard (auxquels il convient d'ajouter un troisième, officieux, comme Premier ministre de son « protégé », Dmitri Medvedev), l'homme a pris place dans la galerie des « hommes forts » qui ont présidé au destin d'une Russie traversant, à nouveau, des « temps troublés ». Ne vient-il pas d'être réélu, le 4 mars 2012, avec un score de 63,4 % que ses homologues occidentaux envieraient ? Et il peut envisager de rester douze années au pouvoir – la Douma ayant allongé fin 2008, sur proposition de Dmitri Medvedev, la durée du mandat présidentiel de quatre à six ans.

Vladimir Poutine pourrait ainsi dépasser en longévité au Kremlin un certain Leonid Brejnev et se rapprocher du record établi par Joseph Staline. Il y a acquis, en outre, une autorité internationale incontestable : le magazine américain *Time* ne l'a-t-il pas choisi par deux fois comme « homme de l'année » ?

Paradoxalement, c'est une autre question, non moins embarrassante, que l'opinion se pose : « Le Président réélu pourra-t-il aller au bout de son mandat ? » Car si le candidat Poutine a triomphé facilement, le « système Poutine » se voit de plus en plus contesté. Pourquoi donc l'intéressé est-il devenu la victime de sa propre réussite ? Pour le comprendre, revenons sur sa trajectoire à la tête de l'État.

▰▰▰ Poutine, l'homme du redressement de la Russie

Lorsqu'il succède à Eltsine, les Russes voient en Poutine « l'homme de la situation ». Ravagé par la crise économique et la catastrophe sociale résultant à la fois de l'effondrement de l'État soviétique et du modèle ultra-libéral choisi depuis, le pays vit dans l'attente d'un homme providentiel capable de remédier immédiatement à ses problèmes. Seul un gestionnaire autoritaire et pragmatique, du genre de Youri Andropov rajeuni, lui semble à même de faire face au chaos régnant aux plus hauts échelons de l'État, au pillage des richesses par les oligarchies proches du pouvoir et à la corruption généralisée. Il lui faudra aussi guérir le double traumatisme identitaire d'un peuple orphelin, depuis l'éclatement de l'Union soviétique, de son empire comme de son statut de seconde superpuissance.

Tel est le « contrat » proposé par Poutine à la société : stabiliser la « barque » Russie, transformée par Eltsine et son entourage en un « bateau ivre », assurer le « service minimum » social de l'État et rétablir l'autorité internationale de Moscou face à l'arrogance de l'Occident.

Ce marché avait un prix politique : l'instauration d'un régime autoritaire « *soft* », avec une verticale du pouvoir constituée par l'alliance des anciens du KGB avec le « clan des Pétersbourgeois » – des libéraux de l'entourage de l'ancien maire démocrate Anatoli Sobtchak. Le régime se servira du rétablissement de l'ordre après l'effondrement de l'URSS, qualifié par le nouveau président de « plus grande catastrophe géostratégique du XXᵉ siècle », comme d'une justification pour limiter les libertés politiques, verrouiller les médias et introduire de fait un régime de parti unique – « Russie unie » – contrôlant la Douma.

Au-delà des aspects symboliques (comme le rétablissement de l'hymne soviétique et du drapeau rouge pour l'armée), ce « coup de froid » annonçait la revanche partielle du modèle bureaucratique soviétique, les cadres de l'ex-KGB remplaçant la *nomenklatura* du Parti aux commandes de l'État. Bref, il rappelait la sinistre « normalisation » qui suivit l'écrasement du Printemps de Prague.

Tout semblait pourtant réussir au nouvel homme fort. Son style austère très militaire et son image de judoka, aux antipodes des extravagances du « tsar Boris » et de sa famille, alimentaient sa popularité, tout comme la guerre déclarée aux oligarques de l'entourage eltsinien. Ceux d'entre eux qui osaient défier le monopole politique de la nouvelle bureaucratie furent soit renvoyés à l'étranger (Boris Berezovski ou Vladimir Goussinski), soit punis de manière exemplaire (Mikhaïl Khodorkovski). Même la brutalité de la guerre en Tchétchénie lui servit de tremplin électoral, renforçant son image de défenseur de l'intégrité territoriale du pays face aux attaques séparatistes.

Un président « Téflon » vénéré par « son » peuple : le phénomène a frappé bien des observateurs occidentaux au point qu'ils théorisent l'idée selon laquelle les standards de la démocratie à l'occidentale ne seraient pas applicables à la Russie. Une forme d'autoritarisme modernisé qui correspondrait au caractère national et devait donc être le sort historique de ce peuple.

▰▰▰▰ Un rebond économique providentiel

Ce « deal » entre le régime et les citoyens ne pouvait toutefois fonctionner qu'à deux conditions. Que la société traumatisée par les turbulences traversées continue de se réfugier dans le conservatisme et reste réticente à l'idée même de réformes démocratiques, synonymes de nouvelles épreuves. Et que la concentration manifeste du pouvoir au Kremlin comme le retour de ce dernier aux réflexes autoritaires soient compensés par une amélioration du niveau de vie.

La chance sourit à Vladimir Poutine : dès la première année de sa présidence, le prix du baril sur les marchés mondiaux passe de 12 dollars à plus de 100. Or le pétrole et le gaz apportent les principales recettes budgétaires du pays. Leur flambée lui assure un essor considérable. Rétablie après la chute vertigineuse provoquée par la crise de la transition, l'économie russe va voir son PIB progresser, plusieurs années durant, de 5 % à 8 %. En 2011, le taux de chômage tombe à 6,3 % et l'inflation à 6,5 %, son plus faible niveau depuis vingt ans. La dette du pays se stabilise à moins de 10 % du PIB, tandis que les réserves de change atteignent 500 milliards de dollars [1].

Salaires et retraites recommencent à être payés, permettant une amélioration du niveau de vie des ménages. Vital pour des millions de Russes réduits à la précarité, ce retour timide de l'État engendre, pour la première fois depuis des années, un certain optimisme. Certes, ces changements concernent avant tout Moscou et Saint-Pétersbourg, mais, au-delà, une classe moyenne

---

1   <http://kommersant.ru/doc/1912611>.

apparaît de l'Oural à la Sibérie et jusqu'à Vladivostok. Bref, les oligarques ne sont plus les seuls bénéficiaires du boom économique.

▰▰▰▰ La rançon du succès : une société revigorée et moins docile

C'est précisément ce bilan des années Poutine qui – comme dans d'autres cas – tend un piège au régime. Car, une fois la stabilisation économique acquise, l'ensemble de la société commence à sortir de la crise psychologique et identitaire sur laquelle reposait largement le régime paternaliste instauré par le Président et son entourage.

La nouvelle société postsoviétique qui émerge ainsi se caractérise avant tout par une plus grande indépendance par rapport à l'État. Une véritable élite économique s'affirme, qui ne se réduit plus au petit cercle, facile à contrôler, des « oligarques de la cour ». Simultanément arrive aux premiers rangs de la scène publique une nouvelle génération libérée des réflexes soviétiques propres au comportement de ses parents. Née (ou éduquée) après l'effondrement du système communiste, elle n'a pas connu la peur des années staliniennes, voyage à travers le monde et s'informe à des sources très variées. Le rédacteur en chef du journal d'opposition russe *Novaïa Gazeta*, Dimitri Mouratov, la définit comme la « génération Internet », différente de la « génération TV », cette masse rurale encore sous l'emprise de la propagande officielle.

Le contraste entre ces deux Russie ne se limite pas aux modes d'information : ce sont deux mondes différents, que distinguent le degré de leur dépendance vis-à-vis de l'État et surtout leur niveau de vie – les revenus officiels des 10 % de Russes les plus aisés sont seize fois plus élevés que ceux des 10 % les plus pauvres [1].

Certes, cette « génération Internet » représente une minorité, mais qui ne cesse de croître : la Russie compte déjà 54,5 millions d'utilisateurs de la Toile, soit 47 % de la population. Ce sont des jeunes d'un niveau culturel élevé et qui gagnent bien leur vie. Parce qu'ils forment la partie la plus dynamique de la population et la plus orientée vers l'avenir, ils expriment les intérêts de l'ensemble de la société.

Paradoxalement, le début de divorce entre le régime et la société se manifeste alors que Poutine semble à l'apogée de sa réussite. Nous sommes à la fin de son deuxième mandat, en 2008. Il fait alors élire Dmitri Medvedev en guise de président « intérimaire ». Les 70 % de voix qu'obtient ce dernier témoignent, dès le premier tour, de l'incontestable autorité de son maître.

---

1   <http://www.gazeta.ru/comments/2012/05/02_a_4569433.shtml>.

▇▇▇▇ Le « tandem » en roue libre, l'opposition debout sur les freins

Ce « tandem », nous le savons désormais, ne représentait qu'un tour de passe-passe, grâce auquel Poutine a pu contourner la clause de la Constitution interdisant d'assurer la présidence durant trois mandats consécutifs. Mais, aux yeux de la nouvelle élite, l'élection d'un homme nouveau à la tête de l'État annonçait un changement dans la gestion des affaires du pays. D'où le soutien relatif que le « projet Medvedev » – malgré l'ambiguïté du personnage – obtint dans les milieux intellectuels libéraux. Il commença ainsi à vivre sa propre vie, comme le symbole d'une possible modernisation et démocratisation du pays.

L'annonce, le 24 septembre 2011, de l'intention de Vladimir Poutine de redevenir président a mis brutalement la fin à ces illusions. Ce fut non seulement une déception, mais une humiliation pour des millions de Russes, qui interprétèrent cette décision comme le signe d'une « brejnevisation » du régime.

Comment comprendre, sinon, l'irruption inattendue des passions politiques lors des élections à la Douma de décembre 2011 ? Selon le scénario des « *spin doctors* » du Kremlin, ce scrutin devait, en apportant une majorité confortable à « Russie unie », préparer le terrain pour le retour triomphal de Poutine au poste de président quelques mois plus tard. En fait, en décidant de « se baigner » pour la seconde fois dans ce qu'il croyait être le « même fleuve », le vrai maître du Kremlin montra qu'il se trompait de pays et d'époque. Comme tous les pouvoirs autoritaires, son régime avait perdu le contact avec la réalité.

D'autant plus que son fameux « bilan positif » s'est révélé fragile et contradictoire. À partir du deuxième mandat, la stabilisation prit des allures de stagnation. La dépendance de l'économie vis-à-vis du seul secteur des hydrocarbures n'a cessé de s'accentuer. Aux oligarques de l'époque Eltsine ont succédé de nouveaux, membres de l'entourage intime de Poutine et pour la plupart issus de l'ex-KGB. Quant à la corruption, aux dires de Medvedev lui-même, elle est devenue une dimension organique du système en place [1]. Enfin, la guerre de Tchétchénie, « gagnée » au prix de nombreuses victimes au sein de la population locale, refait périodiquement surface sous la forme d'actes terroristes dans l'ensemble du Caucase du Nord.

Voilà qui a incité la société à jouer le jeu proposé par le « tandem », mais avec l'espoir de déclencher grâce à lui, à l'occasion des élections, une alternance au pouvoir. Du coup, la fin de l'expérience s'est soldée par une remise

---

1   Selon l'ONG Transparency International, la Russie occupe la 146ᵉ place parmi les 180 pays étudiés, à côté de la Guinée-Bissau et du Kénya, avec une corruption frôlant la moitié du PIB. Voir Michel PASCALIS, *Vingt ans en Russie*, Éditions de l'œuvre, Paris, 2012.

en cause de la légitimité même du régime, au point de pousser certains membres de l'élite à accélérer la fuite des capitaux vers l'étranger : rien qu'en 2011, celle-ci a représenté 85 milliards de dollars, soit plus du double des investissements étrangers directs (36 milliards)[1]. Pour nombre d'autres, qui n'ont pas cette possibilité ou la rejettent, le spectacle des « chaises musicales » cyniquement présenté au sommet de l'État a provoqué le passage à la contestation ouverte.

Le Kremlin a aggravé les choses en fraudant massivement lors des élections législatives de décembre afin d'obtenir un score officiel de 49,5 % pour « Russie unie », rebaptisé « parti des escrocs et voleurs » par ses opposants. Le bourrage massif des urnes – selon des observateurs indépendants, plus de 15 millions de votes furent falsifiés – a provoqué, le 5 décembre 2011, les premières manifestations spontanées de l'opposition à Moscou. Quelques jours plus tard, ils étaient déjà des milliers à descendre dans les rues. Rien que dans la capitale, près de 50 000 manifestants se retrouvaient sur la place Bolotnaïa le 10 décembre. Et, le 24, plus de 80 000 personnes défilaient sur la perspective Sakharov pour réclamer une « élection présidentielle honnête ».

Pour la première fois depuis la *perestroïka*, la société civile se réveillait. Des observateurs étrangers ont comparé ces manifestations à Moscou, Saint-Pétersbourg et dans une quarantaine d'autres villes aux soulèvements populaires dans les pays arabes, évoquant même l'éventualité d'un « printemps russe » en plein hiver sibérien. Ces parallèles, pourtant peu justifiés, ont provoqué des réactions de panique au sommet du pouvoir russe. On a même entendu les leaders du « tandem » mettre en garde, à plusieurs reprises, les auteurs étrangers de « scénarios à l'arabe » visant à déstabiliser la Russie.

C'est surtout oublier que l'ex-Union soviétique a déjà connu sa « révolution de velours », en défaisant pacifiquement il y a vingt ans un des plus puissants régimes totalitaires du XXᵉ siècle. Cette révolution « par le haut » est restée inachevée, interrompue en 1991 par deux coups successifs – en août en en décembre – qui contraignirent son initiateur, Mikhaïl Gorbatchev, à la démission.

▬▬▬ L'ivresse du pouvoir autoritaire ?

Nul hasard, donc, si le père de la *perestroïka* a été le premier à réagir, des l'automne 2011, au « petit arrangement entre amis » qui allait, selon lui, priver les citoyens russes du droit de choisir leurs dirigeants – un acquis essentiel des années 1990. Certes, le « conseil » qu'il a donné à Vladimir Poutine (ne pas se représenter pour la troisième fois et prendre, « comme lui », sa retraite à temps afin de ne pas violer, sinon la lettre, en tout cas l'esprit de la Constitution) a dû agacer le Kremlin, qui ne l'a pas écouté.

---

1   Dmitry Travin, opendemocracy.net, 9 mars 2012.

Et pourtant Mikhaïl Gorbatchev avait raison de comparer son expérience à celle de Vladimir Poutine. Tous deux se sont retrouvés face à une réalité nouvelle, produit des changements largement provoqués par leurs propres efforts : dans le premier cas, une société soviétique réveillée par la *glasnost* et impatiente de se libérer du carcan stalinien ; dans le second, une société déjà postsoviétique, sortant du tunnel de la transition et prête à s'affranchir du régime paternaliste fondé sur le maintien du monopole du pouvoir par un clan de la nouvelle bureaucratie.

Les différents courants contestataires qui se sont rassemblés dans les manifestations de l'hiver n'avaient d'autre point commun que l'exigence d'« élections honnêtes ». Des communistes et des anarchistes aux nationalistes, en passant par les nombreux représentants de l'intelligentsia et des jeunes entrepreneurs, ils revendiquaient l'établissement de « règles du jeu » transparentes et surtout le droit de choisir leurs dirigeants. Une fois ces droits acquis, leurs voies respectives étaient destinées à diverger.

Contrairement à Gorbatchev qui, en 1991, choisit de s'allier aux forces de changement en organisant une « table ronde » avec les présidents des républiques soviétiques, Poutine, vingt ans plus tard, prend un autre chemin. Certes, il prétend avoir « entendu » la voix de la rue, afin d'amadouer les manifestants de l'hiver. Il a accepté, contrairement à ses habitudes, de monter sur le ring – en venant haranguer la foule de ses supporters réunis dans le grand stade Louzhniki à Moscou et en publiant sept articles sur son programme présidentiel (« écrits à la main », selon son porte-parole). Il a même encouragé Medvedev à annoncer des réformes politiques tenant compte des aspirations des protestataires : retour à l'élection directe des gouverneurs régionaux, simplification de l'enregistrement des nouveaux partis politiques, création d'une chaîne de télévision « indépendante »…

Mais sa stratégie électorale présidentielle a « ciblé » la majorité conservatrice de la population, en multipliant les promesses d'augmentation des différentes catégories de salariés de l'État, militaires en tête. Ces largesses se monteront à 30 milliards de dollars par an, soit 1,5 % du PIB[1]. Pour l'emporter dès le premier tour, il n'a pas non plus hésité à exploiter à fond la corde patriotique en recourant à la rhétorique de la propagande soviétique : la nécessité de renforcer la défense nationale face aux menées de « certains milieux » occidentaux qui chercheraient à provoquer l'éclatement de la Russie pour s'emparer de ses ressources naturelles. D'ailleurs, le Président a dénoncé les opposants « hors système » comme des « agents de l'étranger », porteurs de la menace de la « peste orange »…

---

1 Selon les économistes indépendants, ces promesses ne peuvent être tenues que si le prix du baril de pétrole se maintient à 150 dollars.

La Russie de Poutine se cabre devant le XXIᵉ siècle

À première vue, cette stratégie a été payante : Vladimir Poutine a regagné le Kremlin pour six ans (et probablement douze). Ses challengers, qui contestaient sa légitimité et celle du Parlement, semblent marginalisés et divisés. Le pouvoir a retiré ses timides promesses de réforme. Et les dernières manifestations de protestation ont été brutalement réprimées. Bref, la verticale du pouvoir s'est réinstallée, sans l'ambiguïté du « tandem » d'hier : l'aigle bicéphale, symbole du pouvoir russe, n'a plus… qu'une seule tête, au grand soulagement de la *nomenklatura*.

Disposant des pleins pouvoirs pour avancer sur la voie qu'il a choisie, il reste au Président à répondre à deux questions : où veut-il aller et avec qui ? S'il compte conduire son pays vers cette « modernisation » prônée par Dmitri Medvedev, il risque de se trouver dans la position peu confortable du « grand écart ». Car la « majorité silencieuse » et conservatrice sur laquelle il a choisi de s'appuyer pour garantir son élection n'est pas ce segment dynamique dont le soutien lui est indispensable pour faire entrer la Russie dans le XXIᵉ siècle.

De surcroît, il risque de se retrouver otage non seulement de ses propres promesses populistes, mais aussi de la réanimation de la confrontation avec l'Occident. Cette rhétorique se traduit en effet par de coûteux programmes de réarmement, qui devraient engloutir chaque année d'ici 2020 au moins 2,8 % du PIB. Comment, enfin, parler sérieusement de modernisation de la Russie si l'on ignore la dimension politique de celle-ci, c'est-à-dire la démocratisation du système ? On ne saurait diriger un pays compétitif sur la scène internationale avec des mécanismes obsolètes hérités d'un passé révolu et ouvertement contestés.

« Un Gorbatchev ou un Moubarak »

Les prochains changements radicaux pourraient donc bien se produire, non grâce à l'action du gouvernement, mais malgré et contre lui. Comme l'écrit Jackson Diehl, « la vraie question, c'est de savoir si les transformations inévitables vont surgir de l'intérieur ou de l'extérieur du système actuel. [...] Quant à Poutine, il peut choisir d'être un nouveau Gorbatchev ou Moubarak [1] ».

Tout régime fondé sur le monopole du pouvoir d'une famille politique ou d'un clan finit par se transformer en piège pour ses dirigeants. L'expérience de l'histoire, y compris russe, le confirme. Par ses résultats à la tête de l'État, Vladimir Poutine a su démontrer ses qualités de dirigeant pragmatique et efficace. Mais la plus grande épreuve de son destin l'attend encore. Car la trace réelle qu'il laissera dans l'histoire de son pays dépendra

---

[1] « The end of Putinism », *The Washington Post*, 5 mars 2012.

du choix qu'il devra faire : faciliter l'avancée de la Russie vers l'avenir, ou se barricader dans son refus de reconnaître la nouvelle réalité et tirer ainsi le pays vers le passé ?

Institutions gangrenées et criminalisation de la politique au Mexique

Laura Carlsen
Journaliste, Directrice du Programme pour les Amériques
du Center for International Policy

L a « guerre contre la drogue » lancée en décembre 2006 par le président Felipe Calderón a plongé le Mexique dans une grave crise. Au-delà du dramatique bilan humain (plus de 50 000 homicides liés au narcotrafic, 230 000 déplacés fuyant les violences, des milliers de disparitions forcées et des dizaines de milliers d'orphelins, de blessés et de familles en deuil), le cœur du système politique mexicain est touché : le recul de la légalité et la violation systématique des droits de l'homme dans le contexte de ce conflit armé ont jeté une lumière crue sur les faiblesses et le degré de corruption de l'État lui-même.

Comprendre cette déliquescence des institutions n'est pas chose aisée. L'explication toute trouvée qui s'impose en général pointe la lourde menace que le crime organisé fait peser sur l'État mexicain et les offensives concertées que subit celui-ci – une version des faits reprise et déroulée par le président Calderón à travers tout le pays pour justifier le renforcement de sa stratégie de lutte militaire contre les cartels de la drogue. La thèse d'un crime organisé poussant l'État dans ses retranchements se nourrit d'ailleurs d'arguments devenus classiques : on parle des « territoires contrôlés » par les cartels ; des forces de police infiltrées par les criminels ; de la pénétration des narcotrafi-quants dans les gouvernements locaux et fédéraux ; de leur capacité économique à corrompre et de leur capacité militaire à remettre en cause le monopole « wébérien » de l'usage de la force.

▰▰▰▰ État assiégé ou État criminel ?

L'image d'un État mexicain en butte aux attaques tous azimuts du crime organisé a été amplement relayée au niveau international. En 2009, un groupe d'analystes politiques – américains pour la plupart – présageait ainsi que l'incapacité du gouvernement à endiguer la puissance des cartels ferait bientôt du Mexique un « État failli » (« *failed state* »). Si, de l'avis général, le pays ne rentrait pas (encore) dans cette catégorie, ces allégations ont suffi à éveiller la crainte d'un effondrement national et à conforter, par réaction, la ligne dure choisie par Felipe Calderón.

Plus récemment, Washington – ardent promoteur de la « guerre contre la drogue » – a élevé les cartels au rang de « narcoterroristes [1] », signifiant par là que leurs activités menaçaient non seulement la sécurité intérieure du Mexique mais aussi celle des États-Unis. Dès lors pouvaient s'appliquer les mesures extrêmes prévues par la doctrine du « contre-terrorisme » élaborée en son temps par l'administration de George W. Bush : frappes préventives, attaques unilatérales, réduction des libertés publiques.

Le Mexique se voit aussi fréquemment qualifié d'« État captif », notion développée en Colombie à l'apogée du narcotrafic. Le vice-président d'alors, Francisco Santos, en a brièvement précisé le contenu en 2003 : la corruption aboutit au détournement du système institutionnel « au profit d'intérêts politiques ou économiques particuliers », rendant impossible « l'exercice de responsabilités publiques dans le respect du bien commun et de la moralité sociale » [2].

Il est vrai que cette définition recouvre assez bien la situation du Mexique contemporain. Les cartels mexicains, nés avec la prohibition des drogues, se sont renforcés au cours de la dernière décennie. Ils ont profité du démantèlement des groupes colombiens pour accroître leur rôle et leurs bénéfices sur le très lucratif marché transnational. Bien que difficiles à évaluer avec exactitude, leurs revenus sont estimés entre 20 et 45 milliards de dollars par an, provenant pour l'essentiel des ventes réalisées aux États-Unis – premier marché mondial pour les drogues illicites. De tels gains suggèrent que les cartels sont prêts à tout pour protéger leurs activités... et qu'ils en ont les moyens.

---

1   Voir Laura CARLSEN, « Why should we care about Mexico ? », 12 mai 2011, <http://www.cipamericas.org/archives/5742>.

2   « La captura del estado », 20 novembre 2003, <http://www.vicepresidencia.gov.co/ Es/Prensa/Discursos/Paginas/031120.aspx>.

Corrompre ne revient pas bien cher dans un pays où le salaire minimum tourne autour de 4 dollars par jour et ou un agent de police fédérale reçoit en moyenne 685 dollars par mois (300 dollars seulement dans certains cas). Les cartels n'ont donc pas de mal à convaincre les représentants de la loi de couvrir leurs activités illégales, voire d'y prendre une part active. Le ministre de la Sécurité publique du Mexique Genaro García Luna estime que chaque mois 100 millions de dollars de pots-de-vin irriguent les polices locales et fédérale. Des affaires de corruption sortent tous les jours malgré les coûteux programmes de « nettoyage » mis en place avec le soutien des États-Unis. Se défiant des forces de police, le gouvernement de Felipe Calderón a déployé plus de 50 000 militaires pour assurer la lutte contre les cartels en différents endroits du pays, en particulier au nord dans l'État de Tamaulipas déchiré par la violence.

Conséquences : l'amplification de la logique de guerre et la corruption de l'armée au contact du trafic de drogue. En mai 2012, l'arrestation de quatre hauts gradés, accusés de liens avec le cartel Beltrán Leyva, a donné lieu au plus retentissant scandale militaire de l'ère Calderón. Et il ne s'agit là que de la partie visible de l'iceberg.

La corruption envahit également le système judiciaire. Les prisons sont connues pour être de véritables bases d'opérations pour les cartels. Ici, les détenus sont relâchés de nuit pour aller assassiner des rivaux ou participer à des opérations, avant d'être discrètement réintégrés à l'aube. Là, les narcotrafiquants ont si bien établi leur pouvoir derrière les murs qu'ils peuvent sans entraves perpétrer de véritables massacres de prisonniers membres de gangs concurrents. Les accusations portées contre des juges, bien qu'occasionnelles, viennent éclairer un autre problème, plus insidieux et plus large, lié à cette corruption : au Mexique, 2 % seulement des procédures criminelles aboutissent.

Les faits alarmants sur lesquels on s'appuie pour prouver la menace que fait peser le crime organisé sur l'État reflètent certes la réalité du pays. Pourtant, c'est là mal poser le problème. L'État mexicain n'est ni « failli », ni « captif », ni « assiégé ». Fondé sur de profondes contradictions structurelles, il participe aux activités criminelles et les patronne. Il fonctionne selon une logique qui l'entraîne fort loin des principes établis dans la Constitution, pour servir les intérêts d'élites restreintes plutôt que le bien commun. Dans une économie alimentée chaque année par les dizaines de milliards de dollars provenant des recettes du narcotrafic, ces élites englobent évidemment les cohortes du crime organisé.

Cela amène le gouvernement à violer la loi de façon régulière. Parler d'« institutions corrompues » suppose qu'existent à la base des institutions « pures » – au moins en théorie. Ce serait alors par effet de contagion que le mal de la corruption qui ronge le corps politique finirait par atteindre le cœur du système. Concernant le Mexique, ce paradigme ne vaut pas : ce que l'on y entend par « corruption » n'est pas la perversion d'un idéal pur préexistant, mais l'application naturelle d'une logique souterraine qui bénéficie directement aux dirigeants.

Un peu d'histoire

Un détour par le passé permet de découvrir les racines de ce dévoiement de l'État. Le système de corruption massive que l'on connaît actuellement a été installé durant le long règne du Parti révolutionnaire institutionnel (PRI), puis amplifié par la montée en puissance du crime organisé transnational et par les politiques anti-drogue qui l'accompagnent.

Créé en 1929 à l'issue de la révolution mexicaine, le PRI s'est rapidement mué en parti-État. Pendant soixante et onze ans d'affilée (1929-2000), il a exercé un pouvoir sans partage et a développé des mécanismes de contrôle social combinant promesses sociales et pratiques autoritaires (répression brutale de toute contestation, fraude électorale, manipulation de la loi).

Pour s'assurer les bonnes grâces de la communauté internationale, les tenants du système ont établi des institutions démocratiques de façade, à l'abri desquelles ils ont développé des pratiques douteuses pour se maintenir au pouvoir. Ce processus ambivalent a durablement affecté l'organisation politique du Mexique jusqu'à aujourd'hui.

Ana Laura Magaloni, directrice des études juridiques au Centre de recherche et d'études économiques (CIDE), souligne par exemple que le système judiciaire mexicain « a été conçu pour la simulation et le mensonge. Il a été édifié pour faire écran aux pratiques clandestines mises en œuvre chaque jour dans les recoins sombres des institutions nationales. Une fois qu'un agent de police a obtenu des informations ou des aveux par la torture et l'intimidation, le ministère public monte un dossier selon lequel toutes les procédures réglementaires ont été respectées puis le transmet au juge, qui participe à la comédie ».

Depuis leur création, les institutions mexicaines ont donc été accaparées et détournées par une élite politico-économique soucieuse uniquement de préserver sa domination, jouant de fait le rôle attribué au crime organisé dans la définition d'un « État captif ». Et lorsqu'en 2000 le Parti d'action nationale (PAN) mit fin au monopole du PRI avec l'élection triomphale de Vicente Fox à la présidence, l'une des premières décisions du nouveau parti au pouvoir fut de conclure un pacte avec son prédécesseur pour garantir que le système continuerait à fonctionner comme avant. Cet accord résultait d'une alliance objective entre le PAN et le PRI, tous deux décidés à mettre en œuvre des réformes économiques néolibérales dans le cadre de l'Accord de libre-échange nord-américain (ALENA). Réunis par leurs intérêts communs, ils s'associèrent donc pour repousser l'opposition du parti de centre gauche et de certains secteurs de la population à ces restructurations.

Aujourd'hui, après douze ans de gouvernement du PAN, le PRI – loin de s'être délité sous l'effet d'une quelconque transition démocratique – a repris le pouvoir à l'occasion des élections de juillet 2012, certainement en recourant aux pratiques frauduleuses élaborées au cours de son long règne.

▰▰▰▰ La « guerre contre la drogue » et la détérioration des institutions mexicaines

La corruption, ou pour mieux dire la malhonnêteté, l'enrichissement illicite et l'abus de pouvoir sont devenus la norme. Jugeant ces pratiques inévitables, la population a fini par s'y résigner. Le PRI s'est arrangé avec les cartels de la même manière qu'avec les secteurs licites de l'économie, prenant ce dont il avait besoin et donnant ce qu'il fallait. Les narcotrafiquants se voyaient offrir la possibilité d'opérer dans tout le pays, et partageaient très vraisemblablement leurs profits en retour. Une claire délimitation des zones d'influence des différents groupes permettait d'éviter les conflits, à quelques exceptions près.

Avec ces institutions perverties pour décor, la « guerre contre la drogue » lancée par Felipe Calderón a plongé le Mexique dans une spirale destructrice. Appliquant un modèle développé par les États-Unis, le Président a privilégié la confrontation directe et la militarisation de la lutte avec les cartels, dédaignant les approches alternatives (traitement des usagers, prévention et légalisation pour réduire le marché des drogues illégales, lutte contre la criminalité financière, mise en œuvre de programmes sociaux, à destination des jeunes notamment).

Les résultats délétères de cette politique ne se sont pas fait attendre. Qu'un chef soit mis hors jeu (arrêté ou assassiné) par le gouvernement, et une organisation rivale se précipite dans la brèche pour disputer au cartel affaibli le contrôle de son territoire et des voies de circulation et d'exportation de la drogue. Outre une explosion de la violence, ces luttes de pouvoir suscitées par l'irruption du gouvernement dans un jeu criminel jusque-là bien réglé ont eu un effet dévastateur sur les institutions. Car la compétition qui oppose sur le terrain les cartels rivaux se traduit aussi par une « course à la corruption » où chacun tente d'acheter le silence des responsables politiques locaux, de se gagner la protection des forces de sécurité et de contrôler les juges et l'administration pénitentiaire. En 2009, la commission Drogues et Démocratie en Amérique latine (réunissant d'anciens chefs d'État de la région, dont plusieurs avaient mené leurs propres « guerres contre la drogue » lorsqu'ils étaient au pouvoir) a admis que ce phénomène était l'une des principales retombées négatives des politiques de prohibition et de la guerre « perdue » contre les drogues.

La bataille qui fait rage au Mexique n'oppose donc pas de « gentils » responsables politiques à de « méchants » cartels dont les attaques doivent être repoussées pour sauver la démocratie (avec quelques transfuges de part et d'autre) : elle est le fruit d'un véritable brouillage des frontières entre organisations criminelles et institutions structurellement perverties – une situation confuse que les attaques ciblées lancées par l'État ont rendue explosive.

Le crime organisé est d'abord et avant tout un commerce. Au Mexique, on estime qu'il rapporte annuellement entre 20 et 45 milliards de dollars, avec un taux de profit évalué à 80 %. Les cartels disposent donc de ressources gigantesques, dont une partie est distribuée aux représentants politiques et aux fonctionnaires (agents des frontières et des douanes, policiers, maires et conseillers municipaux, soldats et officiers jusqu'au plus haut de la hiérarchie militaire). Des millions de dollars provenant du narcotrafic sont par ailleurs injectés dans l'économie mexicaine, alimentant les réserves, favorisant les investissements et consolidant les institutions financières officielles (banques et bourses). L'argent va aussi à des fabricants d'armes – souvent américains – auxquels les cartels achètent du matériel ultrasophistiqué afin de repousser les incursions de gangs rivaux. Ainsi, nombreux sont ceux au Mexique (comme d'ailleurs aux États-Unis, parmi les acteurs économiques aussi bien que politiques) qui, sans appartenir aux cartels, bénéficient largement des retombées financières de leurs activités et n'ont aucun intérêt à les voir disparaître.

Dès lors, comme l'a noté la société américaine de renseignement Stratfor, policiers et militaires « se sentent d'autant moins motivés à prendre les risques nécessaires à une action efficace qu'ils tirent de plus grands bénéfices à rester inefficaces. Ce n'est pas de l'incompétence mais une politique nationale rationnelle. [...] La politique du Mexique est cohérente : on fait tous les efforts possibles pour avoir l'air de lutter contre le trafic de drogue et ne pas être accusé de l'encourager. Le gouvernement ne voit pas d'inconvénients à ce que quelques contrebandiers soient mis hors d'état de nuire, tant que les rentrées d'argent n'en sont pas affectées [1] ».

Si la Stratfor s'intéresse ici aux forces de sécurité, elle souligne que le diagnostic s'applique à l'État dans son ensemble. L'administration mexicaine, tout comme sa voisine américaine, trouve un grand intérêt économique à laisser prospérer le lucratif commerce de la drogue. Les mécanismes élaborés pour lutter contre ces activités illégales restent artificiels, et ne servent qu'à couvrir d'un vernis d'ordre et de moralité une situation somme toute très profitable.

---

1   George FRIEDMAN, « Mexico and the failed state revisited », 6 avril 2010, <http://www. stratfor.com/weekly/20100405_mexico_and_failed_state_revisited>.

Cette « simulation » institutionnelle va bien au-delà de la lutte contre le trafic de drogue, s'étendant par exemple aux droits de l'homme et à la lutte contre les discriminations à l'encontre des femmes. La juriste Andrea Medina note ainsi que l'État mexicain « investit des sommes phénoménales en propagande internationale pour diffuser le message que tout va pour le mieux et même que le fonctionnement de la justice s'améliore. Il a certes financé et mené des programmes de formation et de qualification professionnelles, mais ce genre d'actions ne pèsent aucunement sur les leviers stratégiques de la discrimination à l'égard des femmes ou des difficultés d'accès à la justice ».

L'État déploie une vaste gamme d'outils (procédures bureaucratiques, régulations, procureurs spéciaux, déclarations politiques) pour suggérer combien il s'attache à faire appliquer des lois ou des traités internationaux qu'il ne cesse en réalité de saper. Le problème du non-respect de ces normes ne découle pas de la corruption d'institutions par ailleurs saines et fonctionnelles : il résulte d'un manque de volonté politique et d'une complicité active avec les organisations criminelles.

La souveraineté du peuple

La crise provoquée par la « guerre contre la drogue » a révélé le vrai visage de l'État mexicain, ce qui pourrait l'obliger à repenser ses relations avec la société civile. L'inaction gouvernementale, ajoutée aux fraudes électorales de 1988 et 2006, ont usé le lien fragile que constituaient la démocratie représentative et l'organisation d'élections. La population ne se sent pas représentée par des institutions manifestement peu soucieuses du bien commun et dont le fonctionnement a encore empiré avec la recrudescence des luttes de pouvoir entre cartels aussi bien que des violences entre gangs et représentants de l'État.

Au cours des mois qui ont précédé l'élection présidentielle, le peuple mexicain a entrepris de revendiquer sa souveraineté, exigeant le droit d'influencer la politique de l'État, ou à tout le moins d'exprimer ses opinions. Des mouvements populaires réclamant la fin de la prétendue « guerre contre la drogue » se sont développés à travers le pays. Des étudiants ont commencé à s'organiser pour contester la présence d'un candidat PRI à l'élection présidentielle, refusant la perspective d'un retour au pouvoir du parti-État et exigeant la mise en place d'un système représentatif plus transparent. Si le candidat du PRI, Enrique Peña Nieto, a finalement été élu, ces mouvements populaires constituent pour le Mexique le seul espoir d'aboutir aux changements structurels qui s'imposent pour briser la complicité entre les institutions et les organisations criminelles et, par là, mettre un terme à la violence.

Les leçons de la crise ivoirienne

Michel Galy
Politologue, spécialiste de la Côte-d'Ivoire

Pour la « doxa » des relations internationales telle que les médias la produisent, la « crise postélectorale » ivoirienne s'est soldée par la victoire du président Alassane Ouattara, après que le « mauvais perdant », Laurent Gbagbo, a été arrêté le 11 avril 2011 par les FRCI (Forces républicaines de Côte-d'Ivoire), avec l'appui de la force française Licorne et de l'Onuci (Opération des Nations unies en Côte-d'ivoire) – tout cela dans le respect de la résolution 1975 du Conseil de sécurité. Depuis lors, avec quelques turbulences mineures, le nouveau régime est revenu à l'ordre et à la prospérité et, un peu comme du « temps béni d'Houphouët-Boigny », la Côte-d'Ivoire redevient un pays « grand ami de la France ». La réalité, quant à elle, semble sensiblement différente, si l'on inclut une information comparatiste et de plus longue durée.

■■■■■ « Guerre humanitaire » ou intervention coloniale ?

Le 11 avril 2011, jour de la chute du régime du président Gbagbo, marque certes une date charnière dans l'évolution chaotique du post-houphouétisme. La version officielle, à la fois celle de la diplomatie française et onusienne et du pouvoir de Ouattara (et de Guillaume Soro), s'oppose aux interprétations plus informées qui rapportent cette crise dite « postélectorale » au nouveau modèle interventionniste qui s'est déjà illustré en Libye.

Deux légitimités se sont affrontées au long de la « crise postélectorale » : celle d'un régime populiste, arc-bouté sur la capitale et le Sud ; celle d'un candidat de l'étranger (un « candidat étranger » pour beaucoup de sudistes, qui penchent pour la nationalité burkinabé de Ouattara), à la fois par les sympathies mandingues et les appuis africains, mais surtout par l'appui du président français, qui s'est fait fort de constituer le « consensus de Paris » comme vérité unique auprès de la communauté internationale.

Si la « guerre des interprétations » fait encore rage, on peut rapporter ce phénomène de « kakisation des esprits » à d'autres crises où journalistes et analystes se trouvaient « embarqués » – quitte à devoir faire ultérieurement leur autocritique : ce fut le cas en Irak, pour les médias français aussi bien qu'américains. Il s'agit donc, pour comprendre le changement de régime, de se référer non seulement aux crises antérieures, mais aussi aux interventions françaises en série depuis un demi-siècle, et de repérer le jeu des alliances et des antagonismes qui donnent leur sens aux événements.

▉▉▉▉ Des élections piégées, continuation de la guerre par d'autres moyens

Dans ce contexte, quelle signification peut-on donner aux élections de fin 2010 ?

Rappelons leur non-conformité aux accords de Ouagadougou (2007) sur un point crucial : le désarmement des combattants, en particulier de la rébellion, n'a pas été effectué. Bien plus, on a occulté volontairement un rapport de l'ONU montrant au contraire le réarmement des Forces nouvelles. On apprendra par la suite qu'avant même les élections, mais surtout pendant les quatre mois de la « crise postélectorale », les services français ont depuis le Burkina réarmé massivement la rébellion, fournissant logistique et stratégie de conquête du Sud – confirmant ainsi leur soutien, établi peut-être depuis 2002, aux forces pro-Ouattara.

Pluraliste au Sud, mais non sans violences, l'élection a connu des fraudes massives au Nord : nombre d'électeurs supérieur à la population et quasi-absence de votes pro-Gbagbo (dont les scrutateurs et électeurs ont subi des violences multiples) ont donné des scores « à la soviétique » au camp Ouattara. La Commission électorale indépendante (la CEI, composée depuis les accords de Marcoussis à 75 % de pro-Ouattara) n'ayant pu se mettre d'accord « par consensus », selon ses statuts, la proclamation des résultats se fit au Golf Hôtel, QG de campagne du candidat du RHDP (Rassemblement des houphouétistes pour la démocratie et la paix).

Dans une séquence bien réglée par les diplomates occidentaux présents, le président de la CEI proclama hors délais Alassane Ouattara vainqueur (à 54 % des voix), résultat aussitôt « certifié » par le chef de l'Onuci Young-ji Choi (dont le mandat ne comportait pourtant que la « certification des élections »). La présence de Jean-Marc Simon – ambassadeur de France acquis à Ouattara et détestant Gbagbo de longue date – et des médias français (France 24, RFI...) consacra cette « victoire ». La décision contraire du Conseil constitutionnel (qui désignait Laurent Gbagbo comme président élu à 51 %), peut-être contestable politiquement (dans son annulation des votes du Nord) mais juridiquement légitime, n'y fit rien, confirmant la mise sous tutelle progressive du pays et sa sujétion : la présence du 43 BIMA [1] depuis l'indépendance et celle de la force Licorne depuis 2002 faisaient, comme il se disait jusque dans les milieux militaires français, que la Côte-d'Ivoire n'avait plus qu'une « souveraineté limitée ».

---

1   43ᵉ bataillon d'infanterie de marine, unité de l'armée française stationnée à Port-Bouët.

Institutions internationales et économie comme assujettissement : un « coup d'État franco-onusien » ?

Dans le déroulé des quatre mois de crise, une version canonique, inspirée par l'Élysée et le Quai d'Orsay, donne dans le légalisme le plus pointilleux : les forces françaises sont censées venir « en appui » de l'Onuci, les unes et l'autre agissant à la fois dans le cadre de la résolution 1975 des Nations unies et des accords de Ouagadougou. De même, dans ce schéma légaliste, ONU, Union européenne, Union africaine, Communauté économique des États de l'Afrique de l'Ouest – l'introuvable « communauté internationale » étant ainsi désignée – ont « unanimement condamné M. Gbagbo et reconnu comme président M. Ouattara ».

Si l'on reprend les points cités, la réalité des rapports internationaux oblige à reconnaître un fonctionnement des institutions internationales bien différent.

Le fonctionnement même des institutions européennes et des Nations unies fait que la France sert de « pays référent » pour la préparation des textes ou résolutions concernant ses anciennes colonies ; quant aux instances africaines, les « supplétifs » diplomatiques et militaires des pays vassaux (notamment les dictatures et démocratures du « pré carré ») n'ont rien à refuser à la diplomatie française : quelle autonomie ont en effet les régimes du Congo, du Gabon, du Togo ou du Burkina ?

La guerre en Côte-d'Ivoire ne constitue d'ailleurs que le dernier épisode en date de la « guerre nomade » qui depuis 1989 a touché le Libéria et la Sierra Léone, notamment sous l'impulsion de Blaise Compaoré, parrain des rébellions successives. La rébellion ivoirienne s'est entraînée dans les camps du Burkina à partir de 2002, et l'articulation avec les forces spéciales françaises s'est encore faite, en 2011, dans ce même pays.

Les trois mois de crise de janvier à mars 2011 ont vu une instrumentalisation de toutes les institutions internationales, politiques et économiques pour abattre le régime d'Abidjan : les finances ivoiriennes mises au ban de la Banque centrale des États de l'Afrique de l'Ouest ; les transferts d'argent des migrants interdits par la fermeture des agences Western Union ; l'interdiction d'importations, y compris de médicaments, et l'occupation hors mandat du port d'Abidjan par les forces françaises ; l'interdiction de voyager et la saisie de comptes pour les pro-Gbagbo, etc.

Sociologie électorale et ethnonationalisme dyoula

Un des enjeux théoriques de la crise était de mesurer le jeu de l'ethnicité dans le processus électoral, et le poids de ce que le monde politique ivoirien appelle spontanément la « géopolitique », à savoir la représentativité des trois grands blocs ethno-régionaux : akan, krou et dyoula. L'originalité du cas ivoirien est bien qu'à chacun de ces trois blocs correspond un grand parti – et bien sûr un leader politique. Le bloc akan s'identifie au PDCI-RDA (Parti démocratique de Côte-d'Ivoire-Rassemblement démocratique africain), ex-parti unique, dirigé par Henri Konan Bédié, ex-président renversé en 1999 par les militaires après un calamiteux mandat marqué par l'invention de l'« ivoirité ». Le bloc krou, à l'ouest du pays, est un fief du FPI (Front populaire ivoirien) de Laurent Gbagbo, élu à 60 % des suffrages exprimés lors de l'élection de 2000 – à laquelle Alassane Ouattara n'avait pu se présenter. Enfin, le bloc dyoula est partagé entre Sénoufos et Malinkés du Nord, et se retrouve depuis deux décennies dans la candidature de Ouattara.

Si l'alternance à l'ivoirienne se traduit certainement par l'arrivée successive au pouvoir, dans l'ordre historique, des blocs akan, krou et dyoula, le fait que chacun maîtrise à peu près un tiers de l'électorat les oblige de toute évidence à passer des alliances, le plus souvent selon des combinaisons opportunistes, hors de toute idéologie.

Le pari audacieux mais finalement en partie erroné de la « majorité présidentielle » autour du FPI a été de jouer sur une élection où le référent partitaire et idéologique à l'occidentale l'emporterait sur les pesanteurs ethniques. L'analyse des votes montre que cette thèse s'est en partie vérifiée pour Abidjan. Si Laurent Gbagbo obtient dans la capitale 54 % des voix, c'est qu'au-delà du vote krou la jeunesse et les défavorisés ont voté pour lui. C'est aussi que, dans le creuset abidjanais, un tiers des couples sont « mixtes » (interivoiriens d'ethnies différentes ou interafricains) : l'ethnicité se dissout devant l'identification sociale et favorise un vote politique. Il n'en est rien dans les campagnes : au nord avec un vote à plus de 95 % en faveur de Ouattara, et surtout à l'est avec un vote du « bloc baoulé » quasi homogène en faveur de Konan Bédié.

Depuis avril 2011, le « parti dominant » d'Alassane Ouattara, le RDR (Rassemblement des républicains), a laissé la portion congrue à son allié, le PDCI-RDA. Selon le sociologue Marcellin Assi, la construction de l'« État dyoula » et même malinké devient un quasi-monopole du groupe ethnique du Président sur les leviers du pouvoir, et d'élimination physique ou institutionnelle de l'opposition. Cet « ethnonationalisme » se fait même conquérant, prévoyant selon la notion de « rattrapage ethnique » de donner de plus en plus d'importance aux nordistes dans l'administration ou l'Université – fermée pour deux ans, à la fois comme punition collective d'un milieu pro-Gbagbo à 65 % et pour neutraliser un lieu de contestation permanent.

▰▰▰ Massacres d'Abidjan, ethnocide en brousse et gouvernance par la violence

En l'absence d'une réflexion globale des organisations spécialistes des droits de l'homme comme des médias occidentaux, on a dénié, ignoré ou mal recensé la violence de la conquête du Sud et de la « bataille d'Abidjan ».

Mais cette dernière, contrairement à d'autres interventions militaires, est passée par une grande première en relations internationales : un violent « coup d'État franco-onusien », au nombre de victimes civiles encore inconnu.

La préparation de la conquête du Sud s'est faite progressivement depuis au moins 2010 par le non-désarmement de la rébellion, et même par son réarmement depuis les pays sahéliens, en particulier le Mali et surtout le Burkina Faso. La descente des Forces nouvelles, rebaptisées FRCI, a donné lieu à un très violent épisode à Duékoué : la résistance acharnée de l'armée loyaliste et des autochtones guérés, et à l'inverse l'aide des populations dyoulas migrantes (les deux en conflit aigu pour le foncier) aux rebelles pro-Ouattara soutenus par des chefs de bande burkinabés ont conduit le 29 mars 2011 à un massacre d'un millier d'habitants considérés, sur leur apparence ethnique, comme pro-Gbagbo. La séparation des sexes, les cartes d'identité trouvées près des corps, la présence d'enfants et de femmes parmi les victimes amènent les juristes à qualifier le massacre d'acte de génocide prémédité, destiné sans doute à terroriser les sudistes loyalistes.

Le plus méconnu est sans doute le bilan de la « bataille d'Abidjan » : si le Comité international de la Croix-Rouge, *via* la Croix-Rouge ivoirienne, connaît le nombre de civils ivoiriens tués les quinze premiers jours d'avril par la force Licorne et l'Onuci (notamment lors des bombardements sur deux camps militaires habités par des familles et contre le « bouclier humain » de jeunes nationalistes protégeant la résidence de Laurent Gbagbo et la présidence), il se refuse à communiquer des chiffres trop « sensibles » que, faute de mieux, l'on peut estimer à plusieurs centaines.

Mais les pertes humaines bien plus importantes, sans doute plusieurs milliers, viennent de la répression contre les civils des peuples bété (ethnie d'origine de Laurent Gbagbo), attié et guéré : ces trois peuples, en brousse, ont connu les colonnes infernales des FRCI, et bien plus encore les meurtres particulièrement sanglants des supplétifs « dozos », sorte de milice pro-Ouattara usant d'un arsenal mystico-religieux. Quant à Abidjan, c'est dans le quartier de Yopougon jugé pro-Gbagbo que la chasse à l'homme dura des mois, particulièrement d'avril à juin.

Si au cours du second semestre 2011 le niveau de violence a effectivement baissé, à mesure que la capitale se reconstruisait et que les infrastructures étaient remises en fonctionnement, la situation sécuritaire resta complexe et en partie incontrôlable. Les fameux « com-zone » du Nord se partagèrent Abidjan en « fiefs » ouverts à l'arbitraire et aux pillages systématiques, dans une volonté de détruire la classe moyenne très largement loyaliste.

▬▬▬ Revanche ou pardon ?

Après les premiers mois de massacres et de répression contre les civils sudistes jugés pro-Gbagbo, le nouveau régime présidé par Alassane Ouattara chercha à sortir du vide institutionnel qui le caractérisait et à faire oublier son arrivée au pouvoir par la force de trois corps d'armée (Licorne, Onuci et FRCI). Il institua une « Commission dialogue, vérité et réconciliation », qui fut confiée à Charles Konan Banny, ancien Premier ministre PDCI. Comme la plupart du temps en période « post-conflit », cette volonté affichée par le nouveau pouvoir s'opposa dans les faits à une « justice de vainqueur » qui conduisit notamment à la criminalisation de l'opposition (et des responsables exilés), à la déportation en zone nord des responsables du gouvernement de Laurent Gbagbo et du Premier ministre Aké N'gbo (y compris Michel Gbagbo, fils du Président ayant la nationalité française, non inculpé mais embastillé à cause de sa parenté).

Le transfert de Laurent Gbagbo à la Cour pénale internationale (CPI) coïncida avec les élections législatives auxquelles participèrent, en décembre 2011, les deux rivaux du RHDP : RDR et PDCI. L'abstention du FPI et les accusations de fraude au profit du RDR aboutirent à une « chambre introuvable », monopolisée par le camp de Ouattara, en passe de retrouver le rôle de l'ex-parti unique.

Le transfert et les déportations s'expliquent aussi par la situation fragile d'un pouvoir divisé, en minorité au sud, craignant les ex-forces loyalistes : FDS (Forces de défense et de sécurité), gendarmerie et police étant désarmées, seuls la milice à base ethnique FRCI et les supplétifs dozos restent des forces militaires actives, s'affrontant régulièrement aux populations sudistes, tant à Abidjan qu'en brousse.

Dès lors, le camp pro-Gbagbo semble partagé entre deux stratégies : la participation sous conditions au nouveau pouvoir, en espérant une relative normalisation ou même une cohabitation à terme ; ou le retour à la « guerre nomade » sous forme d'une guérilla à l'ouest, où les Guérés sont dépossédés de force de leurs terres au profit des communautés dyoula et burkinabé. Ce schéma alternatif et violent s'articule avec un éventuel changement de majorité à Paris et une possible neutralité (ou un retrait) de la force Licorne : il s'agirait bien alors d'une revanche, qui pourrait être sanglante.

Nigéria : aux origines de Boko Haram

Alhadji Bouba Nouhou
Enseignant-chercheur, Université Bordeaux-3

P ays le plus peuplé d'Afrique (160 millions d'habitants), deuxième réserve pétrolière du continent (37,2 milliards de barils) derrière la Libye (43,7 milliards), riche en gaz naturel, le Nigéria a été perçu, à l'heure des incertitudes énergétiques liées aux risques géopolitiques au Moyen-Orient, comme un maillon stratégique. Cependant, le pays se trouve confronté à des violences communautaires, politiques et religieuses qui mettent en péril la cohésion de l'État et le devenir de la société.

Le Nord : une société en rupture

Le nord du Nigéria, composé à plus de 90 % de musulmans sunnites de rite malikite, s'est trouvé à l'époque coloniale britannique sous un régime de « gestion indirecte » (*Indirect Rule*) distinct de celui en vigueur au Sud et à Lagos. Le Nord appliquait alors la charia comme « loi coutumière ».

Après l'indépendance du pays en 1960, la place de l'islam au sein de la fédération devint la préoccupation majeure des autorités du Nord, qui réclamèrent que la charia soit inscrite et reconnue dans la Constitution. Sorti exsangue de la guerre du Biafra (1967-1970), le pays fut confronté à une crise économique grave et à des manifestations estudiantines qui le paralysaient. Au Nord, certains étudiants, membre de l'organisation Muslim Students' Society, occupèrent en mai 1979 le campus de l'université Ahmadu Bello (Zaria), prêchant la révolution islamique à l'exemple de l'Iran. Le secrétaire général du mouvement, Ibrahim Zakzaky, et certains de ses camarades furent expulsés de l'université. Ils créèrent alors The Muslim Brotherhood, un mouvement inspiré des Frères musulmans égyptiens. En 1994, faute d'entente, le groupe se disloqua.

Certains prônèrent alors le retour à l'islam sunnite fondamentaliste comme base de la révolution au Nigéria. Ce fut le cas d'Abubakar Muhammad Mujahid, qui créa le Jamâ'at tadjdîd al-Islâm (« Mouvement pour la revivification de l'islam »). D'autres, notamment Mallam

Muhammad Awal Adam Albani et Muhammad Yusuf, fondèrent un mouvement salafiste surnommé « Salafiya ». En 1995, Muhammad Yusuf établit le Jamâ'at ahl al-sunna li-da'awati wal djihâd (« Mouvement sunnite pour la prédication et le djihad »), connu aussi sous le nom Yusufiyya (du nom de son fondateur), et prêcha le djihad contre l'État et ses institutions. Le cheikh Jaafar, un des rares à pouvoir alors officier dans la mosquée de M. Yusuf, surnomma ce mouvement « Boko Haram », termes que M. Yusuf utilisait pour signifier que « l'éducation occidentale est un péché ».

Adhérèrent au mouvement djihadiste de ce dernier des jeunes chômeurs, illettrés, étudiants ayant quitté l'université ou fonctionnaires démissionnaires de leur poste, à l'exemple de l'ancien commissaire des Affaires religieuses de l'État de Borno, Alhaji Buji Foi.

La confrontation

En juillet 2009, prétextant du harcèlement de la police, les membres de Boko Haram s'attaquèrent aux postes de police et aux bâtiments officiels à Maiduguri (État de Borno). Le gouvernement déploya l'armée, et l'affrontement fit près d'un millier de victimes, dont le chef du mouvement. C'est ainsi que débutèrent les violences sans précédent auxquelles le nord du Nigéria est confronté depuis.

En juin 2011, une voiture piégée explosa au quartier général de la police à Abuja, coûtant la vie à plusieurs personnes. En août suivant, un attentat-suicide perpétré contre le siège de l'ONU à Abuja fit vingt-cinq morts. Le mode opératoire et la cible soulevèrent des questions sur les visées réelles du mouvement. Le général américain Carter Ham, commandant de l'Africom (le commandement militaire des États-Unis pour l'Afrique), jugeait probable que le groupe soit lié à Al-Qaeda au Maghreb islamique (AQMI) et à aux Shebab somaliens, même si ses attentats concernaient principalement le Nigéria.

En janvier et février 2011, les assassinats de Modu Fannami Gubio (candidat politique au poste de gouverneur de l'État de Borno) et d'Alhaji Goni Mustapha Sheriff (frère du gouverneur de ce même État, Ali Modu Sheriff), attribués à Boko Haram, apparurent plutôt comme des messages politiques dépassant les troubles religieux *stricto sensu*.

En septembre 2011, près de soixante-dix personnes périrent dans des affrontements entre musulmans et chrétiens à Jos. En novembre, soixante-cinq personnes furent tuées à Damaturu lors d'attaques simultanées contre les églises, les mosquées et les postes de police. En décembre, enfin, des attentats furent perpétrés dans diverses églises du Nigéria, faisant plus de trente-sept victimes.

L'ex-président Olusegun Obasanjo prôna, en vain, le dialogue avec la famille de Muhammad Yusuf. Les islamistes se dirent prêts à dialoguer par l'intermédiaire de l'émir de Kano, Ado Bayero, mais exigèrent des comptes de l'État et l'application de la charia. En décembre 2011, après l'attaque d'églises le jour de Noël, faisant une quarantaine de victimes, les miliciens du Delta attaquèrent, en représailles, une école coranique et des mosquées dans le Sud. En janvier 2012, une attaque simultanée alliant voitures piégées et combats de rue occasionna près de cent quatre-vingt-dix victimes à Kano. En mars 2012, la mort de Franco Lamolinara et Chris McManus, otages depuis mai 2011, fut attribuée à Boko Haram, qui réfuta l'accusation.

Mettant l'accent sur la sécurité, le nouveau président Goodluck Jonathan limogea en janvier 2012 le chef de la police Hafiz Ringim pour le remplacer par Mohammed Dikko Abubakar (pourtant déclaré inapte à ce poste par la Commission d'enquête sur les conflits religieux à Jos en 2008), et redéploya l'armée, de retour du Soudan où elle maintenait la paix, dans les États du Nord (Adamaoua, Borno, Gombe, Taraba et Yobe). En fait, le limogeage de H. Ringim s'expliquait par la méfiance du gouvernement vis-à-vis des anciens membres des services secrets d'Abacha, qu'il soupçonnait de soutenir en sous-main Boko Haram. Les autorités accusèrent H. Ringim d'avoir aidé à l'évasion de Kabiru Sokoto, membre de cette organisation et responsable présumé des attentats de Noël 2011. Parallèlement, elles décrétèrent l'état d'urgence et le couvre-feu dans le Nord.

▬ Le Sud : refus de partager les richesses pétrolières

Pendant toute cette période et en dépit de l'amnistie signée en 2009 entre le gouvernement et les miliciens du Delta, les prises d'otages, les actes de piraterie et les sabotages de pipelines s'y poursuivaient. Tout comme le Nord, le Sud du Nigéria subissait une violence endémique depuis des décennies. Dès 1966, dix ans après la découverte du pétrole à Oloibiri, dans le delta, Issac Adaka Boro, un nationaliste de l'ethnie Ijaw, avait proclamé une « République du delta du Niger ». Le gouvernement réprima le mouvement et instaura un calme relatif.

En 1995, le Conseil de la jeunesse ijaw (IYC), issu du Mouvement pour la survie du peuple ogoni (MOSAP), exigea des droits socioéconomiques et politiques pour les Ogoni. Le président d'alors, Sani Abacha, répondit par la force et exécuta le leader du Mouvement, l'écrivain Ken Saro-Wiwa.

Craignant une amplification des violences, le gouvernement adopta une loi répartissant les revenus pétroliers : 48,5 % pour le gouvernement fédéral, 24 % pour les États de la fédération et 20 % pour les autorités locales. Il se chargeait de reverser 13 % (de sa part) à chaque État pétrolier (Akwa Ibom, Bayelsa, Cross River, Delta, Lagos, Ogun, Ondo et Rivers), mais excluait du calcul les revenus issus des gisements *offshore*. Les populations du Delta exigeant qu'ils soient pris en compte, il adopta en 2004 une nouvelle loi qui étendait le payement des 13 % aux revenus de l'exploitation *offshore*, dans une limite de 200 milles nautiques du littoral.

Le pouvoir procéda parallèlement à l'arrestation d'Alhaji Asari Dokubo, fondateur en 2004 de la Force des volontaires du peuple du delta du Niger (NDPVF). En réaction naquit l'année suivante le Mouvement pour l'émancipation du delta du Niger (MEND), qui exigea l'attribution de 25 à 50 % des revenus pétroliers aux régions productrices, la gestion des fonds par les communautés et la dépollution des terres souillées par le pétrole.

En 2009, à son corps défendant, le président Umaru Yar'Adua proposa au MEND un programme d'amnistie s'il déposait les armes. Quinze mille miliciens acceptèrent et furent « réformés » dans divers camps (Orika, Tombia, Alur, Agbarho) afin de pouvoir intégrer la vie civile, moyennant une indemnité de 433 dollars mensuels prélevée sur le budget de fonctionnement de l'État. En 2012, on estimait ce budget à la gestion opaque à 13 milliards de dollars, soit le premier poste de dépenses de l'État. Mais le MEND refusait que le gouvernement puise dans ce budget d'amnistie pour régler la crise au Nord.

Un budget déficitaire

Lorsque le budget fédéral, dépendant à 90 % des recettes du pétrole, a été établi pour 2012, il accusait déjà un déficit de 6,45 milliards de dollars. Pour le combler, le gouvernement a supprimé les subventions pétrolières à partir de janvier 2012, et emprunté 5,12 milliards de dollars. Un quart du budget a été attribué à la sécurité et seulement 9 % à l'éducation de base.

Or le Nord concentre les deux tiers des illettrés que compte le pays, et 70 % de la population y vit avec moins de 2 dollars par jour, contre 30 % au Sud. Le taux de chômage s'élève à plus de 50 % au Nord, contre 20 % au Sud. La suppression des subventions sur le pétrole en janvier 2012 a eu pour conséquence directe d'aggraver ces inégalités. D'autant que nombre de jeunes vivaient en conduisant des motos-taxis ou en vendant du pétrole de contrebande.

Car, si le Nigéria produit environ 2,2 millions de barils de pétrole brut par jour, il importe 80 % du pétrole raffiné nécessaire à sa consommation. Ses quatre grandes raffineries ne fonctionnent en effet qu'à 20 % de leurs capacités, faute d'entretien. Trois nouvelles raffineries devaient entrer en activité en 2012 : anticipant l'échéance, le président Goodluck Jonathan avait pour intention de redéployer le budget des subventions pétrolières aux secteurs créateurs d'emplois et à l'entretien des voies de communication. Mais, devant les manifestations et les grèves syndicales d'ampleur, l'État est revenu sur sa décision.

Le Nigéria se voyait aussi confronté à des pénuries d'électricité. En mars 2012, le gouvernement décidait de libéraliser la production et la distribution d'électricité, pour autoriser les États et les gouverneurs dispo-sant de ressources financières suffisantes à la fournir aux populations – cédant ainsi une parcelle supplémentaire de son pouvoir.

▬▬▬ Rivalités politiques et incertitudes

En février 2010, le président Umaru Yar'Adua étant malade, le Sénat avait confié l'intérim à son vice-président Goodluck Jonathan, qui sera officiellement élu en avril 2011 avec 58 % des voix, contre 32 % à Muham-madu Buhari. Le Nord, qui espérait une alternance politique, se sentit floué.

Après son élection, G. Jonathan a lancé une opération « mains propres » pour à la fois rassurer les investisseurs et resserrer le contrôle sur certains États. En janvier 2012, la Cour suprême du Nigéria ordonna ainsi le renvoi de cinq gouverneurs, tous membres du parti présidentiel (PDP) : Ibrahim Idris (Kogi), Murtala Nyako (Adamawa), Aliyu Magatakarda Wamakko (Sokoto), Timuipre Sylva (Bayelsa) et Liyel Imoke (Cross River), pour n'avoir pas respecté le verdict des urnes.

Malgré ces mesures, les investissements directs étrangers ont légèrement fléchi : 5,45 milliards de dollars en 2011, contre 8,65 en 2009. Certains crai-gnaient alors que les militaires n'exploitent la faible assise politique de G. Jonathan, dans un contexte d'insécurité croissante, pour revenir au pouvoir – d'autant plus que les discussions avec Boko Haram s'enlisaient. En mars 2012, Ibrahim Datti Ahmad, dirigeant du Conseil suprême pour la charia au Nigéria (SCSN) et intermédiaire entre le gouvernement et Boko Haram, s'était en effet retiré des discussions, dénonçant les fuites dans la presse. Le mouvement avait de son côté proposé un cessez-le-feu temporaire, en échange de la libération des ses partisans et de la fin de leurs arrestations.

Autre problème pour le Nigéria : l'« indigénat ». Si la Constitution de 1999 garantit en principe les droits de tous les citoyens, elle reprend aussi un dispositif plus ancien relatif au maintien du caractère fédéral dans tous les services de l'État, et au respect des traditions locales et des divers groupes ethniques. Avec le temps, cependant, les « certificats d'indigénat » délivrés par les pouvoirs locaux sont devenus un instrument arbitraire d'exclusion et de division. Tout individu habitant sur le territoire d'un groupe ethnique auquel il n'appartient pas peut en effet se voir considéré comme « colon » : privé du statut d'indigène, il demeure alors un citoyen de seconde zone, sans droit de vote ni de propriété, risquant de se voir refuser l'accès aux soins, à l'éducation ou à l'emploi. Ainsi, en octobre 2011, Theodore Ahamefule Orji, gouverneur de l'État d'Abia, licencia et expulsa les « non-indigènes » employés dans les services publics locaux pour redistribuer leur masse sala-riale aux « indigènes » venus ou revenus s'installer après avoir fui les violences au Nord.

Cette situation donnait lieu à une multiplication des conflits intercommunautaires (Tiv/Junkin dans l'État du Plateau ; Zogon/Kataf dans l'État de Kaduna ; Ife/Mudakeke dans l'État d'Osun ; Aguleri/Umuleri dans l'État d'Anambara), que l'État fédéral se montrait incapable de circonscrire et de gérer, au risque d'une implosion du pays. L'État n'ayant plus le monopole de la violence, sa légitimité était remise en cause au Nord comme au Sud. Dans cette société en pleine expansion, mais fragmentée sur la base de fortes allégeances aux autorités politiques et religieuses locales, quelles garanties de développement pourrait apporter le gouvernement fédéral ?

■■■■ Dégradation de la projection diplomatique du Nigéria

Pays leader de la Communauté économique des États de l'Afrique de l'Ouest (CEDEAO), le Nigéria fut souvent sollicité pour résoudre les crises régionales : Côte-d'Ivoire, Guinée-Bissau, etc. Mais ce gros pourvoyeur de forces de paix en Afrique se trouve lui-même soumis à un besoin sécuritaire. En août 2011, il décida donc de renforcer sa coopération avec le Niger pour lutter contre le terrorisme. Puis, en novembre 2011, Abuja adhéra à l'Unité de fusion et de liaison (UFL) regroupant les services de renseignements algériens, maliens, mauritaniens et nigériens.

Cependant, malgré son poids stratégique au niveau régional et international, le Nigéria se montre de moins en moins enclin à assumer les responsabilités qui découlent de sa puissance – ou de moins en moins capable de le faire. Depuis mars 2012, du fait d'une querelle autour de la délivrance de visas à leurs ressortissants respectifs, ses relations avec l'Afrique du Sud ne cessent de se détériorer. Les rapports entre les présidents Jonathan et Zuma n'ont d'ailleurs jamais été cordiaux, le second étant proche de l'ex-vice-président nigérian et opposant du premier, Atiku Abubakar.

Le Nigéria conserve pourtant des engagements importants sur la scène internationale. Membre observateur de l'Organisation de la Conférence islamique, le pays fait aussi partie de l'organisation D-8 (*Developing Eight*). Créé en 1997 et siégeant à Istanbul, le D-8 rassemble les huit grands pays à forte population musulmane : Bangladesh, Égypte, Indonésie, Iran, Malaisie, Nigéria, Pakistan et Turquie. Mais les relations en son sein se dégradent depuis plusieurs années déjà.

En octobre 2010, les autorités nigérianes avaient arraisonné un navire en provenance d'Iran qui transportait une importante cargaison d'armes lourdes destinées à la « State House Kanilaye » (le palais présidentiel) en Gambie. Le Nigéria accusa alors l'Iran d'avoir violé l'embargo sur les armes et décida de porter l'affaire devant le Conseil de sécurité de l'ONU. Le Sénégal exprima à son tour sa « grave préoccupation » devant cette opération de trafic d'armes certainement destinées à la Casamance *via* la Gambie, base arrière des rebelles du Mouvement des forces démocratiques de Casamance (MFDC).

Cet épisode, qui se solda par l'arrestation et le procès d'un ressortissant iranien, Azim Aghajani, et par le gel des relations diplomatiques entre les deux pays, ne représentait en fait qu'un rebondissement dans une longue histoire de tensions suscitées par la concurrence diplomatique et la lutte d'influence que se livraient plus ou moins ouvertement Abuja et Téhéran sur le continent africain et sur la scène internationale.

Perturbé par des frictions et des violences internes qui menaçaient la cohésion de l'État et de la société, le Nigéria paraissait donc perdre en même temps son aura diplomatique et son rôle de puissance modératrice dans la région : autant de signes inquiétants d'un affaissement qu'il semblait désormais difficile de contenir.

Pour en savoir plus

African Affairs, vol. 110, n° 441, octobre 2011.

African Studies Review, vol. 54, n° 3, décembre 2011.

A. B. Nouhou, *Islam et politique au Nigeria : genèse et évolution de la sharia*, Karthala, Paris, 2005.

Du FIDESz au Jobbik, un populisme à la hongroise

Judit Morva
Économiste, coordinatrice de l'édition hongroise du *Monde diplomatique*

L es rapports entre Budapest et Paris cachent un grave contentieux historique, dont la plupart des Français, au grand dam des Hongrois, n'ont pas conscience : le traité de Trianon signé à Versailles en juin 1920, à l'issue de la Première Guerre mondiale, réduisit des deux tiers le territoire de la Hongrie. Les pays victorieux parachevèrent ainsi le démembrement de l'Empire austro-hongrois entamé dès novembre 1918 : de cette puissance régionale aux nationalités multiples, ils firent une mosaïque de nouveaux États indépendants (Autriche et Hongrie d'abord, mais aussi Roumanie, Tchécoslovaquie et Yougoslavie), auxquels ils greffèrent de larges régions prélevées sur la Hongrie au nom d'un « droit des peuples à disposer d'eux-mêmes » partialement appliqué.

Près d'un siècle plus tard, cette mutilation reste douloureusement vécue par la population hongroise, qui n'oublie pas les conséquences de ce démantèlement. Si plus de quatre cent mille Hongrois décidèrent à l'époque de quitter les territoires détachés pour se réfugier dans ce qui restait de leur « patrie », où ils subsistèrent dans des conditions difficiles, près de trois millions d'entre eux ne bougèrent pas de leur « nouveau » pays. De majorité dominante, ils devinrent d'un jour à l'autre minoritaires et, à leur tour, furent souvent maltraités. Telles sont les sources du nationalisme hongrois, d'autant plus revendicatif qu'il repose sur une victimisation longtemps entretenue.

Le retour du refoulé

Pendant la période communiste, le nationalisme, la perte des territoires, la politique antisémite de la période de l'entre-deux-guerres et l'animosité envers les populations tsiganes ont été fortement endigués. Ils ne se trouvaient évoqués ou relayés ni dans la presse ni dans les discours officiels. Refoulés pendant des décennies, ils ont resurgi avec d'autant plus de force après 1990. On a alors vu apparaître sur les voitures des autocollants représentant la Grande Hongrie, des cartes postales et des t-shirts à l'avenant, des vêtements « à l'ancienne » rappelant avec une certaine agressivité l'histoire d'antan. Une partie de la population voyait là le moyen d'exprimer la douleur engendrée par le « diktat » de Trianon, mais aussi le rejet du mutisme des années communistes.

Le clivage politique hongrois se cristallise aujourd'hui sur ces questions. Les socialistes, qui refusent toujours de les considérer comme majeures, se trouvent souvent accusés d'être insensibles, pas assez patriotes – et clament par réaction leur attachement à la patrie commune. Quant aux libéraux, surtout présents parmi les intellectuels de Budapest, la défense des minorités représente certes pour eux un principe essentiel, mais leurs préoccupations portent avant tout sur les discriminations racistes, antisémites et antitsiganes du pays.

Or ces deux partis connaissent une perte de crédibilité à cause du bilan désastreux de la transition, de leur soumission sans discernement aux recommandations de l'Union européenne et de la politique de privatisations et de désindustrialisation du pays. La gauche de la gauche n'ayant pu se maintenir après 1990 en Hongrie, l'aggravation de la crise a surtout profité à la droite. Au cours des dernières campagnes électorales, celle-ci a développé des thèmes nationalistes qui, dans un contexte socioéconomique tendu, ont trouvé un large écho au sein de la population.

Il reste toutefois difficile de savoir dans quelle proportion la société hongroise se rallie effectivement à ces idées nationalistes et à ces revendications de type populiste (territoriales notamment), ainsi qu'à l'antisémitisme, à la haine raciale et au rejet des tsiganes qui vont de pair. Sans doute les dirigeants en place, faute de pouvoir sortir le pays du marasme socioéconomique, s'ingénient-ils à exacerber et manipuler ces sentiments. En tout état de cause, deux partis jouent systématiquement la carte nationaliste : le parti d'extrême droite Jobbik (« Alliance des jeunes de droite-Mouvement pour une meilleure Hongrie ») et le parti du Premier ministre Viktor Orbán, le FIDESz (« Alliance des jeunes démocrates »).

Le Jobbik, pot-pourri de formations extrémistes

Le Jobbik rassemble une série de formations extrémistes plus ou moins agressives, chacune se « spécialisant » dans ses thèmes de prédilection : antitsiganes, antisémites, militaristes, naturellement anticommunistes, irrédentistes ou ethnicistes, exprimant donc des idées d'habitude exclues – ou exploitées seulement en sourdine – par les discours publics. Ses diverses composantes ont pour point commun une violence qui a revêtu un caractère particulièrement odieux à partir de 2008-2009, époque à laquelle une série d'attentats antitsiganes ont fait six morts, dont un enfant de 5 ans abattu de plusieurs balles. Bien qu'étalées sur plusieurs mois, ces attaques n'ont suscité aucune réaction de la part de la police. Ce n'est que sous la pression des éléments démocratiques mobilisés à Budapest que la machine juridique a fini par se mettre en marche.

La première formation créée par l'extrême droite dès 1993 (le MIEP, « Parti hongrois de la justice et de la vie »), trois ans après le changement de régime, n'avait pas réussi à s'enraciner. Pour asseoir leur audience, des étudiants ont alors créé en 1999 le mouvement Jobbik, transformé en parti politique en 2003. Aux élections législatives de 2006, malgré d'impressionnantes manifestations organisées à Budapest et marquées par une grande violence verbale et physique, les deux partis de la droite extrême alors en lice n'ont obtenu que 2 % des voix – un résultat qui indique que la forte influence actuelle de cette mouvance politique ne constitue pas une fatalité historique en Hongrie.

Pourtant, le Jobbik a réussi une percée électorale, d'abord aux élections européennes de 2009 en y attirant 14,8 % des suffrages, puis lors du scrutin législatif de 2010 en y recueillant 16,7 % des voix. Fondateur du parti, chef également d'un important groupe paramilitaire (la soi-disant « Garde hongroise », créée en 2007 et qui s'emploie notamment à terroriser la minorité rom de certains villages), Gábor Vona est issu des rangs du FIDESz.

Catholique pratiquant, il déclare être de droite par « motivation familiale », son grand-père ayant péri en combattant l'Armée rouge en Transylvanie. Il mène de manière agressive une campagne antitsigane et antisémite, et cherche à réhabiliter les figures politiques et intellectuelles de l'époque fasciste. Il affiche des positions vivement hostiles à l'Union européenne et aux grands groupes multinationaux. Les scandales qu'il provoque régulièrement lui assurent une médiatisation dans la presse locale, mais aussi sur le plan international.

Si le financement du Jobbik et de ses organisations satellites reste mystérieux, ils disposent à l'évidence de moyens non négligeables. Les membres de la Garde hongroise paramilitaire bénéficient notamment d'uniformes, d'équipements et de camps d'entraînement ; ils se déplacent fréquemment à travers le pays, organisant manifestations, rassemblements ou campagnes anti-Roms. Selon les sondages, leur électorat se compose surtout de jeunes et de femmes (près de 40 %) : il semble s'agir des plus pessimistes d'une nation de pessimistes, qui appellent de leurs vœux un gouvernement fort, capable de rétablir l'ordre et un fonctionnement hiérarchique, dans une société gravement touchée par la crise.

Brèches politiques et démocratiques bénéfiques au FIDESz

L'équipe dirigeante du parti FIDESz, revenu au pouvoir en avril 2010, rassemble un groupe restreint d'individus soudés par des liens amicaux, familiaux ou de réseau (anciens étudiants en droit notamment). Une partie d'entre eux – dont Viktor Orbán, Premier ministre en place – vient de familles qui ont bénéficié d'une ascension sociale à l'époque communiste. Leurs parents, cadres moyens du parti unique, se trouvaient alors bien intégrés au système. Il est généralement admis que, si le régime communiste s'était maintenu après 1990, ces leaders du FIDESz en seraient probablement devenus des membres bien placés. En ce sens, le parti de Viktor Orbán personnifie ce qui lie entre elles les deux grandes périodes historiques de la Hongrie du XXe siècle.

Pour sa part, le FIDESz, créé en 1988 en tant qu'aile de la jeunesse du Parti libéral, s'est d'abord démarqué par ses prises de position anticléricales et par ses déclarations en faveur des valeurs démocratiques, s'opposant franchement au courant des nostalgiques de l'ancien régime. Ce rôle secondaire d'organisation de jeunesse n'a pas longtemps suffi à l'équipe d'ambitieux qui l'avait fondée : en dix ans à peine, ils ont porté le FIDESz au premier plan de la scène politique, à la faveur des douloureux réajustements provoqués par la transition.

Le passage au capitalisme après 1990 avait en effet entraîné la disparition rapide d'un million et demi d'emplois et la destruction des coopératives agricoles. La popularité du premier gouvernement postcommuniste (1990-1994), issu de la droite « nostalgique », s'était alors effondrée – d'autant que ce courant se trouvait privé de leader, le Premier ministre conservateur József Antall étant mort prématurément en 1993. La jeune équipe du FIDESz s'est alors engouffrée dans cette brèche ouverte sur la droite, remportant les élections législatives de 1998. Mais le parti s'est ensuite mué progressivement en premier représentant du courant nostalgique de l'opinion publique.

Défait aux élections de 2002 et de 2006, le FIDESz de Viktor Orbán est revenu au pouvoir en 2010, pour ainsi dire sans programme : il a tout simplement tiré profit du « ras-le-bol » généralisé et du besoin de changement qui avaient alors gagné la population hongroise. Plus d'un million d'électeurs de gauche se seraient abstenus lors de ce scrutin. Le succès électoral du FIDESz (un score de 52,7 % des voix qui lui a assuré une majorité des deux tiers au Parlement), comme celui du Jobbik (16,7 %), est donc surtout venu d'une situation politique particulière, fruit de l'échec de la transition. Les nombreuses difficultés nées du changement de régime politique et économique ont en effet balayé l'échiquier politique : en 2010, les libéraux se trouvaient disqualifiés – leur parti ayant même disparu en tant que tel ; les socialistes, également décrédibilisés, étaient en outre enlisés dans des affaires de corruption et incapables d'émettre des propositions pour sortir le pays de la crise politique. Ne tenait encore debout, à gauche, qu'un tout jeune parti vert (le LMP, fondé en 2009), peu connu en dehors de la capitale.

Les années 2000 ont ainsi vu un affaiblissement de la représentativité démocratique et du sens donné aux élections. Et cette désaffection à l'égard du politique s'est révélée si bénéfique au FIDESz que, depuis 2010, il met sciemment tout en œuvre pour le renforcer.

Si l'évolution des engagements du FIDESz reste trouble, son credo s'énonce comme une combinaison de nationalisme et de réaffirmation des valeurs religieuses, en lien notamment avec la puissante Église catholique à laquelle il attribue de fait le rôle d'auxiliaire du pouvoir : à la rentrée de 2012, 20 % des écoles primaires seront par exemple gérées par les églises. L'équipe dirigeante souligne l'importance de l'ordre dans la vie quotidienne et se positionne pour une forte hiérarchie sociale ou chacun – pauvre ou riche – doit tenir la place qui lui revient. Ses conceptions et propositions politiques se rapprochent donc de plus en plus d'une variante typique du conservatisme traditionnel, fondé sur la formule Famille-Église-Patrie.

L'exacerbation politique du nationalisme hongrois

Le FIDESz s'est aussi emparé de la thématique nationaliste, toujours utile pour détourner les citoyens de leurs préoccupations sociales et économiques. Le parti au pouvoir a notamment cherché à resserrer les liens

avec les minorités hongroises des pays voisins (héritage, on l'a vu, du démantèlement de Trianon). C'est dans ce but que, lors de son premier
mandat (1998-2002), le gouvernement Orbán a créé une carte d'identité
spéciale pour les « Hongrois de l'étranger ». Et, en 2010, il a franchi un pas de
plus en leur offrant la nationalité hongroise, doublée du droit de vote aux
élections législatives. Cette décision, associée à d'autres mesures, comme un
redécoupage des circonscriptions électorales qui a eu pour effet de réduire
encore les chances des petits partis, permet au FIDESz de gonfler par avance
ses résultats électoraux, rendant très incertaine la possibilité de son éviction
du pouvoir par la voie démocratique.

Ce genre de mesures consistant à accorder la citoyenneté à des personnes
qui n'ont jamais vécu – et probablement ne vivront jamais – sur le territoire
national a été mis en œuvre pour la première fois par la Serbie et la Croatie,
après la guerre de Yougoslavie. Il s'agissait pour ces pays d'affirmer l'appartenance « transnationale » des Serbes et des Croates restés en Bosnie. Cette
manière de rompre le lien direct entre nationalité et pays a ensuite fait tache
d'huile. La Roumanie la pratique aussi envers ses minorités établies en
Moldavie, et la Pologne en Lituanie. Cela introduit dans les processus électoraux un facteur nouveau et purement symbolique, puisque les personnes
extérieures au pays ne voteront pas pour modifier tel ou tel aspect de la politique gouvernementale, mais simplement par principe « affectif ».

La tendance du pouvoir hongrois à s'immiscer dans la vie intérieure de ses
voisins pour y jouer un rôle politique et culturel auprès des minorités tend à
irriter les gouvernements des pays concernés. Ainsi, en pleine campagne
pour les élections municipales roumaines au printemps 2012, les autorités de
Bucarest ont dû faire obstacle au souhait du président du Parlement hongrois
László Kövér de rapatrier et d'inhumer en terre hongroise les restes de József
Nyiró (1889-1953), un écrivain fasciste originaire de Transylvanie.

La gêne s'étend d'ailleurs au-delà des dirigeants politiques, et gagne
jusqu'aux minorités hongroises de ces pays. Hunor Kelemen, président de
l'Alliance démocratique des Hongrois de Roumanie (RMDSz), a ainsi déclaré
que « les Transylvains savent parfaitement qu'après sa campagne M. Kövér
rentrera tranquillement chez lui, tandis que nous resterons ici avec tous nos
problèmes ». En Hongrie même, beaucoup (y compris parmi les électeurs du
FIDESz) commencent à dénoncer cette immixtion dans la vie des Hongrois
de l'étranger, et exigent une gestion réaliste de la question.

Mais le nationalisme du FIDESz se déploie au-delà de son voisinage direct
et du problème des minorités hongroises. Depuis 2010, les relations de Budapest avec l'Union européenne sont devenues un sujet de discorde. Dans ce
contexte tendu, le gouvernement Orbán réveille et utilise sciemment le traumatisme historique causé par le traité de Trianon. Reprenant le thème de la
Hongrie victime de « diktats » extérieurs, il s'élève énergiquement contre

l'Union et contre les capitaux étrangers. Toutefois, cette défense de l'intérêt national dissimule une politique bien plus sectorielle : derrière ses déclarations, le FIDESz met tout en œuvre pour favoriser les couches fraîchement enrichies de la société.

Mise en scène à des fins électoralistes, cette stratégie de rébellion contre les orientations et décisions de l'Union européenne se heurte toutefois à la résistance de la Commission de Bruxelles, bien décidée à ne pas reculer sur le remboursement de la dette ou sur la politique d'austérité. Le gouvernement Orbán a donc dû céder du terrain, et un certain *modus vivendi* s'installe entre Bruxelles et Budapest, entre blocage et compromis. Or ce statut d'opposant vaincu par une force extérieure semble curieusement servir l'équipe dirigeante, dans la mesure où il alimente le sentiment que la Hongrie est victime de l'étranger, tout en renforçant la passivité et l'indifférence d'une part importante de la population, persuadée de l'inutilité de la politique. Le FIDESz y trouve un motif populiste supplémentaire, sur lequel il peut jouer pour maintenir sa popularité.

La Hongrie en crise

Recrudescence d'une extrême droite agressive et active ; tentations nationalistes, populistes, voire autoritaires du parti au pouvoir (comme en a témoigné par exemple la restriction de la liberté de la presse induite par la loi sur les médias passée début 2011) ; retour du thème de la Grande Hongrie… : dans la presse occidentale, le gouvernement Orbán a été épinglé comme un exemple d'archaïsme et de dérive nationaliste rappelant les montées fascistes des années 1930.

Cependant, les mêmes phénomènes font l'objet d'une analyse différente en Hongrie même, où l'on s'attache plutôt à en rappeler les causes profondes : pour tous les pays de la région, l'intégration européenne a entraîné des restructurations parfois douloureuses, dont les conséquences ont été démultipliées par la crise économique et financière mondiale, qui a tourné en une crise sociale profonde.

Dans de telles circonstances, la récupération et l'improvisation politiques menacent toujours. Viktor Orbán, qui a toujours envisagé dans sa politique un éventuel virage autoritaire, profite du marasme présent et des sombres perspectives d'avenir pour jouer la carte du pouvoir fort, garant de la grandeur de la nation, dressé contre les assauts de l'étranger et refusant les exigences injustes posées par des institutions extérieures. Vers la fin des années 1990 déjà, il avait cité en modèle les « Tigres asiatiques », affirmant clairement que l'absence de démocratie de ces pays lui semblait parfaitement acceptable si elle était la clé du succès…

Les auteurs

Conception de la nouvelle formule	**Bertrand Badie, Béatrice Didiot, François Gèze, Hugues Jallon, Sandrine Tolotti.**

Bertrand Badie et Dominique Vidal, en partenariat avec l'équipe éditoriale, sont intervenus dans la conception d'ensemble, la définition des grandes orientations scientifiques et de la structure finale, ainsi que dans le choix des auteurs.

Coordination et réalisation	**Sophie Jabot.**

Gilbert Achcar	est professeur à l'École des études orientales et africaines (SOAS) de l'université de Londres.
Bertrand Badie	est professeur des universités en science politique. Il dirige la mention Relations internationales du master de recherche et le Programme doctoral en science politique de l'Institut d'études politiques (IEP) de Paris.
Joseph Bahout	est spécialiste du Moyen-Orient contemporain, professeur à Sciences Po Paris et chercheur à l'Académie diplomatique internationale.
Claire Beaugrand	est chercheuse associée à l'Institut français du Proche-Orient (IFPO) à Beyrouth.
Hamit Bozarslan	est historien et sociologue, directeur d'études à l'École des hautes études en sciences sociales (EHESS).
Martine Bulard	est rédactrice en chef adjointe du *Monde diplomatique*.

Laura Carlsen	est journaliste et directrice du Programme pour les Amériques du Center for International Policy.
Marion Cochard	est économiste à l'Observatoire français des conjonctures économiques (OFCE).
Georges Corm	est économiste, professeur à l'université Saint-Joseph de Beyrouth.
Sylvain Cypel	est journaliste, correspondant du *Monde aux États-Unis*.
Renaud Dehousse	est professeur des universités et titulaire d'une chaire Jean-Monnet de droit communautaire et d'études politiques européennes à Sciences Po, dont il dirige le Centre d'études européennes (CEE).
Michel Galy	est politologue, spécialiste de la Côte-d'Ivoire.
Michel Goya	est directeur du domaines d'études « Nouveaux conflits » à l'Institut de recherche stratégique de l'École militaire (IRSEM).
Andrei Gratchev	est journaliste et politologue. Il fut le dernier porte-parole de Mikhail Gorbatchev au Kremlin.
Pierre Grosser	est historien. Il enseigne l'histoire des relations internationales et les enjeux mondiaux contemporains à Sciences Po Paris.
Auriane Guilbaud	est doctorante au Centre d'études et de recherches internationales (CERI) de Sciences Po Paris.
Alain Joxe	est directeur d'études à l'École des hautes études en sciences sociales (EHESS), spécialiste des questions stratégiques.
Roger Lenglet	est philosophe et journaliste d'investigation.
Alain Lipietz	est économiste. Il a été député européen entre 1999 et 2009.
Robert Malley	est directeur du programme Moyen-Orient et Afrique du Nord de l'International Crisis Group (ICG).
Judit Morva	est économiste. Elle coordonne l'édition hongroise du *Monde diplomatique*.
François Nicoullaud	est diplomate et analyste. Il a été ambassadeur de France en Iran de 2001 à 2005.
Alhadji Bouba Nouhou	est enseignant-chercheur à l'université Bordeaux-3.
Renaud Orain	est sociologue au Centre de recherche de l'Institut de démographie de l'université Paris-1.
Stéphane Parmentier	est chargé de recherche et plaidoyer « souveraineté alimentaire » pour Oxfam-Solidarité, chercheur associé à Etopia, consultant indépendant (www.agriculture-viable.net).
Gilles Raveaud	est maître de conférences en économie à l'Institut d'études européennes de l'université Saint-Denis-Paris-8.

Étienne Schweisguth   est directeur de recherche CNRS au Centre d'études européennes (CEE) de Sciences Po.

Sylvie Tissot   est professeure de sciences politiques à l'université Saint-Denis-Paris-8.

Dominique Vidal   est journaliste et historien, auteur de nombreux ouvrages sur le Proche-Orient, spécialiste des questions internationales.

Les titres et les intertitres sont de la responsabilité de l'éditeur.

Rédaction achevée le 10 juillet 2012.